NACHLESE

EASY SHORT STORIES FROM
CONTEMPORARY GERMAN LITERATURE

*EDITED WITH
INTRODUCTIONS, NOTES, EXERCISES,
AND VOCABULARY*

BY

WILLIAM DIAMOND

AND

FRANK H. REINSCH

University of California at Los Angeles

NEW YORK
HENRY HOLT AND COMPANY

COPYRIGHT, 1927,
BY
HENRY HOLT AND COMPANY

PRINTED IN THE
UNITED STATES OF AMERICA

Preface

Nachlese is intended to furnish the first connected reading after the student has had the essentials of grammar. It provides easy and interesting material drawn from the rich and varied store of contemporary German prose fiction and includes only such stories as have a definitely human appeal and make a deep and lasting impression. The volume should help to create in the student a taste for good literature and inspire in him a desire to continue his study of German.

The title *Nachlese* is intended to mean *literary gleanings*. Besides the larger, more imposing works of an author there are frequently minor ones of inherent excellence. Of such stories, having genuine intrinsic merit in themselves, this collection is largely composed.

The introductions preceding the stories will, we believe, find favor with most teachers. With but few exceptions the authors represented are practically unknown in this country and are not yet discussed in the histories of German literature. There are two sets of *Fragen* for each story. The first consists of simple questions which can be answered by reference to the text, and the second, more difficult set, is intended to encourage freer discussion. The *Übungen* are designed to serve as a review of the essentials of grammar and can easily be amplified by the teacher. In the English exercises the cumulative method has been employed in both grammatical forms and vocabulary. Each exercise is a narrative unit based upon the text of the story. A list of the idioms used in the exercises is appended for the convenience of the student. The vocabulary lists all the words, not only of the text, but also of the German quotations in the biographical introductions.

Every selection in this volume is copyright material and we wish to express our sincere thanks to the various authors and publishers for the readiness with which they entered into negotiations for the reprinting of these stories. Our hearty thanks are due to our colleagues, Dr. Rolf Hoffmann and Miss Selma Rosenfeld, and especially to Dr. Bernhard A. Uhlendorf, for many valuable suggestions as well as for their painstaking reading of manuscript and proofs. We shall also appreciate criticism and suggestions from teachers who use this book.

W.D.
F.H.R.

University of California at Los Angeles,
   October 10, 1927

Inhalt

v

PUBLISHER'S NOTE

This selection is excised because of an allegation of copyright violation which is under investigation. Great pains had been taken by the editors to assure full rights, the author having even furnished some new matter for this particular use of the selection. It is fully expected that the excised matter will be restored in future issues of the book.

Nachlese

Parabel

Von Emil Ertl

On the sixtieth anniversary of Emil Ertl's birth, in 1920, Hans Martin Elster said: „Bei den Werken des geborenen Wieners und jetzt in Graz lebenden Dichters spürt auch der Norddeutsche die unlösliche Verbundenheit seines ureigensten Wesens mit der südlichen warmen Art. Ertl ist hervorgewachsen aus angeborener Gediegenheit und Tüchtigkeit, das Blut eines tatenkräftigen Seidenweber- und Grosskaufmanngeschlechts pulst in ihm, vornehme Bürgerlichkeit und Patriziertum ohne Enge. Ehrlich schaut er stets allen Mienen des Lebens ins Gesicht.“ After his first successful attempts in the volumes of short stories, *Opfer der Zeit* (1905), *Feuertaufe* (1915), he turned to his chief work, the tetralogy, *Ein Volk an der Arbeit; hundert Jahre Deutsch-Österreich im Roman.* In these four volumes (*Die Leute vom blauen Guguckhaus, Freiheit, die ich meine, Auf der Wegwacht, Im Haus zum Seidenbaum*) the author gives us a poetic and historical picture of the political, social and national life of German-Austria in the nineteenth century as illustrated in four significant periods. Of Ertl's numerous other writings at least two should be mentioned, the novel *Karthago, Kampf und Untergang,* which describes in an interesting and vivid manner the fate of Carthage, and the volume *Teufelchen Kupido,* eight delightful stories, full of clever comedy, exuberant spirit and wholesome humor. The present sketch is taken from the collection of stories entitled *Liebesmärchen* (1920), which is published, like most of Ertl's works, by L. Staackmann in Leipzig.

Zwei fahrende Gesellen kamen eines frühen Morgens in ein Städtchen, und da gerade Ostersonntag war, traten sie in die Kirche, um ein Gebet zu verrichten.

Als nun die Orgel zu tönen begann, da wurde dem einen

3

gar warm ums Herz, denn er hörte das alte Osterlied, das
klang von hoher, unsterblicher Liebe. Er kniete hin, barg
das Antlitz in die Hände, und ein wunderlieblich Mädchen=
bild erschien vor seiner andachtsvollen Seele. Ihm war,
5 als stünde er schon mit der geliebten Braut am Altar, und
wie ein einziger blütenreicher Frühlingstag lag vor ihm die
Zukunft.

Der andere aber blieb kalt und dachte: Es ist eine schlechte
Orgel; man hört den Blasebalg, wie er knarrt und pfeift!

10 Nach geendeter Messe, als die beiden wieder ins Freie
getreten waren, begann der erste und sprach: „Nun laß uns
fröhlich unsere Straße ziehn! Das schöne alte Osterlied
hat mich für den ganzen Tag erhoben und gestärkt.“

„Ein Lied?“ erwiderte der zweite; „ich habe kein Lied
15 gehört!“

„Das Osterlied, das prächtig von der Orgel rauschte, —
du hörtest es nicht?“

„Die Orgel ist schlecht, und wer vermöchte die zerstreuten
Töne, die ächzend durch die Kirche zogen, ein Lied zu nennen?“

20 Da wunderten sich beide über einander, daß sie nicht
einig werden konnten. Und als sie einen alten Mann, der
ihnen ebenso würdig wie einsichtsvoll erschien, die Kirchen=
stufen heruntersteigen sahen, gingen sie hin und baten um
seine Entscheidung, welcher von ihnen wohl recht hätte.

25 Der Alte überlegte eine Weile, dann sagte er zu dem einen:
„Du hast recht, Jüngling, denn ich selbst habe schon bessere
Orgeln gehört, als die unsrige ist. Mancher Ton versagt,
und oftmals gleicht ihr Spiel mehr einem hilflosen Stam=
meln als dem mitreißenden Wort eines Redners, der mit
30 Engelszungen redet. — Aber auch du hast recht,“ wendete er
sich an den andern; „denn auf die Orgel allein kommt es nicht
an, und wem es im Herzen klingt und widerhallt, dem ver=

binden die verlorenen Töne sich leicht zur Melodie, dankbar formt er sich aus unscheinbarem Schalle ein hohes Lied.

Darum zieht hin, liebe Freunde, und seid nicht länger uneins, denn jeder von euch hat recht!"

Also sprach der verständige Greis und ging seines Weges.   5

Die Tafel der Reichen

Von Marie von Ebner=Eschenbach [1]

Die Reichen sitzen an der Tafel und schmausen, und es
ist so verschwenderisch angerichtet worden, daß die Schüsseln
kaum halb geleert in die Küche zurückgebracht werden. Die
Dienerschaft tut sich gütlich an diesen splendiden Resten, und
5 was die Gäste auf den Tellern übrig ließen, wird ins
Spülfaß geworfen.

Eine arme Frau, für den Tag aufgenommen, sagte:
„Ich bitte euch, laßt mir diese Abfälle. Ich habe ein Hünd=
chen zu Hause, das oft Hunger leidet; laßt mir diese Abfälle
10 für mein Hündchen."

„Mit Vergnügen," sagten die Leute und schoben ihr
die Teller zu, und bald war ihr Korb mit den mannig=
faltigsten Überbleibseln gefüllt.

Als sie nach Hause kam, saßen ihre zwei kleinen Kinder
15 auf der Türschwelle und warteten. Die arme Frau hatte
sich geschämt, für ihre Kinder Brocken zu erbitten, die be=
stimmt waren, im Spülicht zu verfaulen.

Nun leerte sie den Inhalt ihres Korbes in eine Schüssel
und setzte sie den Kindern vor, und die hielten eine Mahlzeit
20 wie noch nie in ihrem Leben.

Aber was schlich da heran und war nur Haut und Knochen?
— Das kurzhaarige, schwarze Hündchen des Nachbarn. Es
setzte sich vor die Kinder hin und eröffnete das Gespräch mit
einem messerscharfen Winseln, leckte sich emsig die Nase mit
25 der langen, fleischfarbigen Zunge, lächelte mit dem halben

[1] For sketch of the author, see Die Großmutter.

6

Gesicht und richtete auf die Kinder seine gierigen Bettler=
augen.

Ein abgenagter Knochen nach dem andern flog ihm zu,
und es zermalmte sie mit seinen starken, gesunden Zähnen,
und sie schmeckten ihm noch besser als den Kindern die
zusammengelesenen Häppchen, als den Dienern die splendiden
Reste, und viel, viel besser als den Gästen an der Tafel die
feinsten Leckerbissen.

Apportel

Von Peter Rosegger[1]

Eines Abends ging ich spazieren, der Mur entlang, still
und froh. Der Strandweg war köstlich menschenleer. Nur
ein junger Mann ging vor mir her, der einen stattlichen
Hund bei sich hatte, mit dem er „Apportel" spielte. Er
5 brach vom Gesträuch dürre Ästlein und warf sie über die
Wiese hin. Der Hund schoß wie ein Pfeil drauf los und
schlug sich allemal über, ehe er den Ast erhaschte. Dann
brachte er ihn dienstfroh herbei und hielt ihn schweifwedelnd
in der Schnauze bereit, bis ihn der Bursche wieder an sich
10 nahm und neuerdings hinauswarf. So ging es eine Weile
fort, und je erregter und hastiger der Hund apportierte,
desto köstlicher schien der junge Mensch sich zu ergötzen.

Dann brach er ein schwereres Ästlein, schwang es gegen
den Fluß gewendet im Rade und warf es hinaus mitten
15 auf die Mur. Der Hund nahm einen Ansatz, bellte laut
und sprang nicht ins Wasser. Von der Schneeschmelze im
Hochgebirge war der Fluß trübe und reißend, der Bursche
aber schalt den Hund einen Feigling. Ein neues Ästlein
brach er und warf es ins Wasser, nahe am Ufer, wo es
20 seicht war. Der Hund sprang sofort hinein, fing es heraus
und schüttelte sich, daß die Tropfen ringsum stoben. Der
Bursche brach wieder einen Ast und warf ihn in den Fluß,
aber etwas weiter hinein. Der Hund stürzte sich ins Wasser,
schwamm hin, kehrte mit der Beute ans Land zurück und
25 schüttelte sich und lechzte vor Begierde. Der Bursche brach

---

[1] For sketch of the author, see Zwei redliche Finder.

jetzt nur noch gezwitſchert. Es werden Schulen gegründet
zur Hebung der Sperlinge. Wir lernen dann ſingen und
Bogen fliegen, und es wachſen uns neue Federn. Wir
wollen auch einmal ſchöne Kleider anhaben."

"Und glaubſt du das?" fragte die Finkin.

"Nicht ganz," ſang das Männchen; "und wenn ſie ſich noch
ſo Mühe geben, Hänflinge zu werden, ein Spatz bleibt ein
Spatz. Aber es iſt jetzt die neue Meinung über ſie gekommen,
und ſie vertreiben uns aus allen Gärten und ſagen noch, das
ſei gerecht."

"Und wer fängt dann die Raupen und Mücken in den
Gärten? Werden die Spatzen das auch lernen? Über=
nehmen ſie unſere Arbeit?"

"Nein, ſie wollen weniger Arbeit. Sie wollen nur unſere
Plätze, um den ganzen Garten zu beherrſchen."

"Dann kannſt du im Herbſt die Äpfel und Birnen auf
den Bäumen zählen. Ich habe heute unſeren Kindern 700
Raupen gebracht."

Da krachte ein Zweig, und die beiden Bekümmerten flogen
davon.

W..... fragte ich mich, hat der Herrgott verſchiedenerlei
Vö..... müſſen .....? Hat er ſich dabei etwas gedacht? Warum
nicht ..... Spatzen? Warum die lieben Singvögel?
Wozu die Lerchen, Amſeln, Nachtigallen? Und werden ſie
nun künftig abgeleugnet werden? Werden die Spatzen durch
ihre neuen Geſetze geſcheiter und glücklicher ſein ohne die
Singvögel? Werden ſie in hundert Jahren kein abendliches
Geſchrei mehr verführen, nicht mehr flattern und ſchwirren,
ſondern fliegen wie Tauben und Schwalben, — und was
werden unſere Kinder dann tun ohne Äpfel und Birnen?

Es iſt eine komiſche Welt. Ich werde nicht klug aus
ihr werden, ſolange ich auf ihr bin.

einen Aſt und warf ihn noch weiter in den Fluß hinein. Der
Hund ſtürzte ins Waſſer, arbeitete ſich mühſam durch die
Wellen, kam endlich zur Stelle, hob den Kopf, ſchnappte
nach dem dahinwogenden Holz, erhaſchte es und brachte es
ringend ans Land. Der Burſche ſtreichelte das ſchnaubende
Tier, das ſich ſchüttelnd mit eingezogenem Schweif an ſeine
Beine ſchmiegte, als graue ihm vor der Gefahr, der es entkom=
men. Er tätſchelte den Kopf, nannte den Hund einen tapferen
Kerl und als dieſer ſah, daß der Burſche noch einen dürren
Aſt brach, begann er zu winſeln. Jener aber ſchwang das
Holzſtück und ſchleuderte es in großem Bogen weit in den
Fluß hinaus. Der Hund ins Waſſer, ſchwimmt mit aller
Anſtrengung dahin, wird von den Wellen abwärts getrieben,
hebt den Kopf, um das Holz zu erſpähen, ringt krampfig
mit den Fluten, in denen er verſchwindet, um ſich wieder
emporzuarbeiten. Das wiederholt ſich einigemal, dann
nichts als Wellen. Zwei Beine ſchnellen noch empor, der
Kopf taucht wieder auf, noch einmal und ein drittesmal —
nicht mehr.

Der junge Menſch am Ufer ruft laut: "Sultan! Sultan!"
Als ob ein im Waſſer Verſunkener etwas hören könnte! Und
als der Sultan nicht mehr auftauchte und kein Sultan mehr
war und wedelte ringsum — da ſchaute der Burſche dumm
und ſtumpf drein. Stand da und ſtarrte drein.

Ich hatte ihm vorher zugerufen: "Nicht ins Waſſer het=
zen, es iſt reißend!" Er hatte es nicht beachtet. Nun
wendete er ſich um und als er ſah, jemand käme ihm nahe,
bekam er Beine und lief davon.

Wer der junge Herr war? Ich weiß es nicht. Ob er in
der darauffolgenden Nacht ſehr gut geſchlafen hat, weiß ich
auch nicht. Es iſt aber wahrſcheinlich.

Hinterm Gartenbusch

Von Ludwig Finckh

Ludwig Finckh was born in the old Swabian imperial city of Reutlingen, in 1876. He first studied law, but soon changed to medicine, which he found more to his liking, and then settled as physician and author in Gaienhofen on Lake Constance. His first novel *Der Rosendoktor* (1906) tells of a young physician's devoted love for the woman of his heart. But since this woman loves his friend more than she does him, the young doctor cures the friend of an illness for her sake and leaves them, devoting himself henceforth to his patients and the roses in his garden. *Die Reise nach Tripstrill* is the story of a young Swabian who goes out into the world in quest of happiness only to find it in the end in his own native village. Finckh's short sketches and stories are collected in the volumes *Der Seekönig, Der Graspfeifer,* and *Sonne, Mond und Sterne.* In *Inselfrühling* the author describes his own experiences as physician during the late war in one of the war hospitals, where he spent long and weary weeks in rebuilding torn and shattered human bodies. During the trying days following the war he labored with untiring zeal to preserve Germany united. His many essays, articles and lectures are collected in the volumes *Wiederaufbau, Hindurch mit Freuden,* and *Brückenbauer.* With kindly humor Finckh describes life and people. A wholesome optimism pervades all his writings. Above all else he loves his native Swabia, and his works have their roots deep in his native soil. „Über ihm lacht der Himmel von Schwaben, in ihm der ewige Glanz des Bodensees.‟

The story in this volume is taken from the collection entitled *Brückenbauer,* published by the Deutsche Verlags-Anstalt in Stuttgart.

An meinem Haus wächst eine wilde Rebe und bedeckt im Sommer die weiße Wand bis zum Dach mit dunklem Grün. Und alle Sommer nisten sich Spatzen ins Laub und verfüh=

ren am Morgen und Abend ein wunderliches Geschrei. Ich habe die lauten Gesellen immer geduldet und mich auch an ihrem munteren Wesen ergötzt. Rücksicht kennen sie keine, viel Federlesens machen sie nicht, ihre Nester pfuschen sie ins Gezweig, und Raupen sehe ich sie keine holen. Wohl aber Korn im Acker.

Gestern abend war wieder ein Höllenlärm im Busche. Ein paar freche, junge, aufgepfluderte Spatzen führten das Wort. „Es sind neue Zeiten da,‟ zilpten sie, „wir sind in der Mehrzahl, und die anderen haben nichts mehr zu sagen. Fort mit ihnen aus dem Garten! Wir wollen ihre Nester nehmen. Wir brauchen keine Meisen, Drosseln und Rotkehlchen mehr. Wir wollen alles für uns allein!‟ Da ging ein Gekreisch und ein Gezeter los, und wie eine Wolke schwirrten sie auf den nächsten Baum.

„Ich will ein Kanarienvogel werden!‟ piepte ein ganz junger Knirps im ersten Flaum.

„Wir wollen Kanarienvögel werden!‟ fiel der ganze Chor im Jubel ein.

„Umgekehrt!‟ schrillte ein fetter Bursche, „die Kanarienvögel müssen Spatzen werden!‟

„Bravo!‟ brüllte der Chor, „alle Vögel müſſen Spatzen werden!‟ Und sie schwirrten auf den nächsten Kirschenbaum.

Unten an der Quelle sah ich einen Blutfink. Er sang ganz leise, und sein Weibchen antwortete ihm.

„Sei nicht traurig,‟ sagte sie, „deswegen bleiben wir doch, wer wir sind.‟

„Was sind wir denn?‟ klagte das Männchen; „sie haben die Singvögel abgeschafft. Es gibt keine Hänflinge mehr von heute ab,‟ sagte einer. „Künftig muß alles Spatz werden; das ist der wahre Jakob. Ihr dürft keine farbigen Federn mehr tragen und nimmer singen; es wird

einen Ast und warf ihn noch weiter in den Fluß hinein. Der
Hund stürzte ins Wasser, arbeitete sich mühsam durch die
Wellen, kam endlich zur Stelle, hob den Kopf, schnappte
nach dem dahinwogenden Holz, erhaschte es und brachte es
ringend ans Land. Der Bursche streichelte das schnaubende 5
Tier, das sich schüttelnd mit eingezogenem Schweif an seine
Beine schmiegte, als graue ihm vor der Gefahr, der es entkom=
men. Er tätschelte den Kopf, nannte den Hund einen tapferen
Kerl und als dieser sah, daß der Bursche noch einen dürren
Ast brach, begann er zu winseln. Jener aber schwang das 10
Holzstück und schleuderte es in großem Bogen weit in den
Fluß hinaus. Der Hund ins Wasser, schwimmt mit aller
Anstrengung dahin, wird von den Wellen abwärts getrieben,
hebt den Kopf, um das Holz zu erspähen, ringt krampfig
mit den Fluten, in denen er verschwindet, um sich wieder 15
emporzuarbeiten. Das wiederholt sich einigemal, dann
nichts als Wellen. Zwei Beine schnellen noch empor, der
Kopf taucht wieder auf, noch einmal und ein drittesmal —
nicht mehr.

Der junge Mensch am Ufer ruft laut: „Sultan! Sultan!" 20
Als ob ein im Wasser Versunkener etwas hören könnte! Und
als der Sultan nicht mehr auftauchte und kein Sultan mehr
war und wedelte ringsum — da schaute der Bursche dumm
und stumpf drein. Stand da und starrte drein.

Ich hatte ihm vorher zugerufen: „Nicht ins Wasser het= 25
zen, es ist reißend!" Er hatte es nicht beachtet. Nun
wendete er sich um und als er sah, jemand käme ihm nahe,
bekam er Beine und lief davon.

Wer der junge Herr war? Ich weiß es nicht. Ob er in
der darauffolgenden Nacht sehr gut geschlafen hat, weiß ich 30
auch nicht. Es ist aber wahrscheinlich.

Hinterm Gartenbusch

Von Ludwig Finckh

Ludwig Finckh was born in the old Swabian imperial city of Reutlingen, in 1876. He first studied law, but soon changed to medicine, which he found more to his liking, and then settled as physician and author in Gaienhofen on Lake Constance. His first novel *Der Rosendoktor* (1906) tells of a young physician's devoted love for the woman of his heart. But since this woman loves his friend more than she does him, the young doctor cures the friend of an illness for her sake and leaves them, devoting himself henceforth to his patients and the roses in his garden. *Die Reise nach Tripstrill* is the story of a young Swabian who goes out into the world in quest of happiness only to find it in the end in his own native village. Finckh's short sketches and stories are collected in the volumes *Der Seekönig*, *Der Graspfeifer*, and *Sonne, Mond und Sterne*. In *Inselfrühling* the author describes his own experiences as physician during the late war in one of the war hospitals, where he spent long and weary weeks in rebuilding torn and shattered human bodies. During the trying days following the war he labored with untiring zeal to preserve Germany united. His many essays, articles and lectures are collected in the volumes *Wiederaufbau*, *Hindurch mit Freuden*, and *Brückenbauer*. With kindly humor Finckh describes life and people. A wholesome optimism pervades all his writings. Above all else he loves his native Swabia, and his works have their roots deep in his native soil. „Über ihm lacht der Himmel von Schwaben, in ihm der ewige Glanz des Bodensees."

The story in this volume is taken from the collection entitled *Brückenbauer*, published by the Deutsche Verlags-Anstalt in Stuttgart.

An meinem Haus wächst eine wilde Rebe und bedeckt im Sommer die weiße Wand bis zum Dach mit dunklem Grün. Und alle Sommer nisten sich Spatzen ins Laub und verfüh=

ren am Morgen und Abend ein wunderliches Geschrei. Ich
habe die lauten Gesellen immer geduldet und mich auch an
ihrem munteren Wesen ergötzt. Rücksicht kennen sie keine,
viel Federlesens machen sie nicht, ihre Nester pfuschen sie ins
Gezweig, und Raupen sehe ich sie keine holen. Wohl aber 5
Korn im Acker.

Gestern abend war wieder ein Höllenlärm im Busche.
Ein paar freche, junge, aufgepfluderte Spatzen führten das
Wort. „Es sind neue Zeiten da,“ zilpten· sie, „wir sind in
der Mehrzahl, und die anderen haben nichts mehr zu sagen. 10
Fort mit ihnen aus dem Garten! Wir wollen ihre Nester
nehmen. Wir brauchen keine Meisen, Drosseln und Rot=
kehlchen mehr. Wir wollen alles für uns allein!“ Da ging
ein Gekreisch und ein Gezeter los, und wie eine Wolke
schwirrten sie auf den nächsten Baum. 15

„Ich will ein Kanarienvogel werden!“ piepte ein ganz
junger Knirps im ersten Flaum.

„Wir wollen Kanarienvögel werden!“ fiel der ganze Chor
im Jubel ein.

„Umgekehrt!“ schrillte ein fetter Bursche, „die Kanarien= 20
vögel müssen Spatzen werden!“

„Bravo!“ brüllte der Chor, „alle Vögel müssen Spatzen
werden!“ Und sie schwirrten auf den nächsten Kirschenbaum.

Unten an der Quelle sah ich einen Blutfink. Er sang
ganz leise, und sein Weibchen antwortete ihm. 25

„Sei nicht traurig,“ sagte sie, „deswegen bleiben wir doch,
wer wir sind.“

„Was sind wir denn?“ klagte das Männchen; „sie haben
die Singvögel abgeschafft. Es gibt keine Hänflinge mehr
von heute ab,“ sagte einer. „Künftig muß alles Spatz 30
werden; das ist der wahre Jakob. Ihr dürft keine far=
bigen Federn mehr tragen und nimmer singen; es wird

jetzt nur noch gezwitſchert. Es werden Schulen gegründet
zur Hebung der Sperlinge. Wir lernen dann ſingen und
Bogen fliegen, und es wachſen uns neue Federn. Wir
wollen auch einmal ſchöne Kleider anhaben."

5   „Und glaubſt du das?" fragte die Finkin.

„Nicht ganz," ſang das Männchen; „und wenn ſie ſich noch
ſo Mühe geben, Hänflinge zu werden, ein Spatz bleibt ein
Spatz. Aber es iſt jetzt die neue Meinung über ſie gekommen,
und ſie vertreiben uns aus allen Gärten und ſagen noch, das
10 ſei gerecht."

„Und wer fängt dann die Raupen und Mücken in den
Gärten? Werden die Spatzen das auch lernen? Über=
nehmen ſie unſere Arbeit?"

„Nein, ſie wollen weniger Arbeit. Sie wollen nur unſere
15 Plätze, um den ganzen Garten zu beherrſchen."

„Dann kannſt du im Herbſt die Äpfel und Birnen auf
den Bäumen zählen. Ich habe heute unſeren Kindern 700
Raupen gebracht."

Da krachte ein Zweig, und die beiden Bekümmerten flogen
20 davon.

Warum, fragte ich mich, hat der Herrgott verſchiedenerlei
Vögel geſchaffen? Hat er ſich dabei etwas gedacht? Warum
nicht lauter Spatzen? Warum die lieben Singvögel?
Wozu die Lerchen, Amſeln, Nachtigallen? Und werden ſie
25 nun künftig abgeleugnet werden? Werden die Spatzen durch
ihre neuen Geſetze geſcheiter und glücklicher ſein ohne die
Singvögel? Werden ſie in hundert Jahren kein abendliches
Geſchrei mehr verführen, nicht mehr flattern und ſchwirren,
ſondern fliegen wie Tauben und Schwalben, — und was
30 werden unſere Kinder dann tun ohne Äpfel und Birnen?

Es iſt eine komiſche Welt. Ich werde nicht klug aus
ihr werden, ſolange ich auf ihr bin.

Eine Abelsberger Katze

Von Peter Rosegger[1]

Im Pfarrhofe zu Abelsberg bei Tische saßen immer ihrer
drei. Der Pfarrer, die Katze und der Kaplan. Besteck hatte
die Katze keines. Ja, hätt' ich ihre scharfen Zähnchen,
wollt' nicht fragen nach Messer und Gabel, und ihr zartes,
langes Zünglein ist brauchbar wie der feinste Silberlöffel. 5
Am liebsten saß sie dem Pfarrer auf dem Schoß, wo der
Talar ein Grüblein machte; saß nicht ungern auf dem Tisch,
am Rande des Tellers; bekostete zuweilen auch die gemein=
same Schüssel, ob wohl in Salz und Schmalz das richtige
Verhältnis obwalte, wie es die geistlichen Herren am liebsten 10
hätten. Und war dieses richtige Verhältnis da, so aß sie
sich fürs erste selbst ohne alle Umstände satt.

Der Pfarrer hatte seinen rechten Spaß mit dem possier=
lichen Wesen, und schob ihm nicht die schlechtesten Bissen zu,
gar mitunter solche, auf die bereits schon der Kaplan ein 15
Auge geworfen hatte.

Nach einer Weile ereignete es sich, daß der Pfarrer auf
einige Zeit verreiste. Der Kaplan hatte mittlerweile Ge=
meinde= und Hauswesen zu verwalten — tat's auch mit
Umsicht und Gewissenhaftigkeit. Aber eins wollte er die= 20
weilen vollführen; gegen des Pfarrers Liebling, der keine
Messe las, keine Predigt hielt und keine Beichte abhörte,
und im Pfarrhofe doch mindestens so gut, wenn nicht besser
gehalten wurde, als der Kaplan — gegen die Katze schmiedete
er Ränke. Aber ihm waren die Hände gebunden — wenn 25

<hr>

[1] For sketch of the author, see Zwei redliche Finder.

13

der Herr nach Hause kommt, wird sein erster Blick in den Bettwinkel sein, wo der Liebling seine Wohnstatt hat.

Gibt es denn aber kein Mittel, das graue Unwesen für immer vom Tische fernzuhalten? Nach dem Kruzifix, das
5　über dem Tische an der Wand hing, glitt des Priesters Blick. An demselben Tage fiel ihm eine kleine Hundspeitsche ins Auge, die beim Sattlermeister im Auslagkasten lehnte. Da kam ihm plötzlich die Erleuchtung. Er kaufte die Peitsche, und als es Essenzeit war und er sich allein zu Tische setzte, kam
10　wie immer die gute Katz' herbei. Der Kaplan nahm salbungsvoll das Kruzifix in die rechte, die Hundspeitsche in die linke Hand — hielt ersteres der Katze vor und mit der letzteren — schwapps! ging's über des Tierleins Rücken. Mit einem Satz war die Katz' davon.

15　Aber bei der nächsten Mahlzeit erschien sie wieder. Der Priester nahm in die Rechte das Kruzifix, in die Linke die Peitsche und tat wie das erstemal. Husch war sie weg.

Ein drittes Mal nahte sie schon mit einigem Zagen, aber sie nahte, und der Kaplan tat wie das erste= und das zweite=
20　mal.

So ging's etliche Tage fort. Da kam der Herr Pfarrer heim. Recht froh und heiter, daß wieder alles in Ordnung ist, setzen sie sich zu Tische.

„Aber wo ist denn mein Kätzel?" fragt der Pfarrer.

25　„Dort hinter dem Ofen hockt's ja."

„Merkwürdig, daß es heute nicht zum Tisch kommt!"

„Wirklich, Herr Pfarrer, das nimmt mich auch wunder. Ich merke schon seit ein paar Tagen so etwas. Mir fiel es sogar schon ein, was die Leute sagen — mag aber nicht
20　dran glauben."

„Die Leute?" meint der Pfarrer, „was sagen sie denn?"

„Nein, ich glaub's nicht. 's ist so ein abergläubisches

Geschwätz, nur daß man davon spricht. — So eine Katz',
sagen die Leute, wenn sie altert, wird sie ein Gespenst und
getraut sich keinem Kruzifix in die Nähe."

„Papperlapapp!" lacht der Pfarrer.

„Na, versteht sich. Ein Altweibergeschwätz."

„Ist nur um ein Probieren zu tun," meint der Pfarrer,
„na, Kätzle, komm, komm her zu mir!"

Dieser trauten Einladung vermag das Tier nicht zu
widerstehen, es naht und steigt dem Herrn auf den Schoß.
Der Pfarrer langt nach dem Kruzifix, aber kaum die Katze
dieses in seiner Hand erblickt, ergreift sie in wilder Hast die
Flucht.

Die beiden Priester blicken sich lautlos an.

„Merkwürdig!" sagt der Pfarrer endlich.

„Seltsam!" entgegnet der Kaplan.

„Wenn's so ist, muß ich das Vieh aus dem Haus tun,"
sagt der Pfarrer.

„Das wäre jammerschad'!" bedauerte der Kaplan.

Bald war die Katze beim Abdecker. Aus ihrer Haut wurden
Hundspeitschen geschnitten.

Würfte und Häute

Von Fritz Müller

Fritz Müller-Partenkirchen (1875–), „ein Humorist von Gottes Gnaden," has especially endeared himself to German readers through his inimitable novels and sketches. He is frequently designated as the „Dichter des Kaufmannslebens," and it is true that in a considerable number of his works he takes the material from his experiences and observations in the commercial field. He was the son of a merchant, attended a business school in Munich, and served as an apprentice in a large exporting firm and as manager and director in various commercial enterprises. His little volume, *Fröhliches aus dem Kaufmannsleben*, deals entirely with the merchant class. But it was really his novel, *Kramer und Friemann*, that established his reputation as the foremost interpreter of the life of the German business man. Even more sympathetically than Freytag in his *Soll und Haben* the author depicts the joys and sorrows of the commercial world.

But it would be an injustice to the author to regard him merely as the interpreter of the merchant class. Few have shown a deeper insight into the soul of children, into the hopes and fears of schoolboys than Fritz Müller in such books as *Kalix*, *Zweimal ein Bube*, and *Kurzehosengeschichten*, or more sympathetic understanding of the blunt peasants of the Bavarian mountains in his volume *Fernsicht, Berggeschichten*. Fritz Müller is also entirely at home among the working classes as is shown in his collection *Dreizehn Aktien*, *Geschichten von deutscher Arbeit*. The author draws his material from every phase of human life, and it would, indeed, be difficult to find a single volume dealing with more varied groups of human beings than his delightful little book *München* in which he describes typical characters of his native city.

Fritz Müller is above all else a humorist, „einer von den wenigen Berufenen, die in unseres Herrgotts Kanzlei als Geheimsekretär amtieren dürfen." He is an optimist who has passed through

16

the ordeal of pessimism, for he has himself suffered in bitter agony under the perplexities of life. But he has mastered them and is showing others how to rise above them. He is a born story-teller never obscure or dull, and one of the contemporary German writers who has something to tell us. „Er greift immer hinein ins unmittelbare Leben, auf keinem seiner Gedanken liegt Staub.‟

Würste und Häute is taken from the volume of sketches entitled *München* by permission of the publisher, L. Staackmann in Leipzig.

Wir waren damals noch Studenten und hatten eine Seminararbeit zu machen: Ist der Luxus volkswirtschaftlich gutzuheißen?

Die Vordebatten gingen scharf hinüber und herüber. „Luxus, ein Krebsgeschwür am Wirtschaftskörper!‟ hieß es. 5 „Nein, ein Segen für die Allgemeinheit!‟ schallte es entgegen.

Müdgefochten, blickte man auf den Professor.

Der aber zuckte nur die Schultern: „Sie haben ja die ganzen Ferien, um darüber nachzudenken — nein, nachzu= schauen ist noch besser. Augen auf fürs offene Leben, meine 10 Herren!‟

Damit entließ er uns.

Wir debattierten weiter durch die Ferien, wälzten Bücher, schrieben ganze Hefte voll. Nur der Köglmaier schrieb nicht eine Zeile. Er verlasse sich auf seine Augen, sagte 15 er.

Diese kreuzvergnügten Augen ließ er durch die Ferien kugeln. Noch am letzten Tage vor Semesteranfang lotste er mich auf den Münchnerkindelkeller.

„Wie weit bist du, Köglmaier,‟ sagte ich, „mit deiner 20 Arbeit?‟

„Red' nicht, — trinke, schaue, horche.‟

„Damit wirst du kaum den Vogel schießen, Köglmaier.‟

„Red' nicht, — trinke, schaue, horche.‟

„Im Trinken, Schauen, Horchen werden wir, so viel ich weiß, nicht geprüft."

Er gab keine Antwort. Er trank, er ließ die Augen kugeln, spitzte wie ein Luchs die Ohren, was an den Nach=
5 bartischen gesprochen wurde, wo die alten Münchner, hoch und nieder, durcheinander mit und ohne Hunde, bei den vielgeliebten Weißwürsten saßen.

Auf einmal schlug er auf den Tisch und lachte. Lachte, daß es dröhnte: „Ich hab' es!"

10 „Was?"

„Die Lösung."

„Welche Lösung?"

„Die vom Luxus — an dem Tisch dort drüben wurde sie —"

„Gefunden?"

15 „I wo — erlebt!"

„Erzähle."

„Das wäre heute — Luxus," lachte er, „demnächst im Seminar, Verehrter."

* * *

Der Professor gab die Arbeiten zurück, es waren dicke
20 Wälzer darunter. „Einige nicht übel," sagte er, „eine glatte Lösung aber, knapp und schlagend, hat nicht einer —"

„Ich," rief eine Stimme.

Der Professor schielte über seine Brille: „Sie, Kögl= maier? Sie sind ja der einzige, der überhaupt keine Arbeit
25 eingeliefert hat."

„Ich möchte sie mündlich vortragen."

Der Professor schaute auf die Uhr: „Wir haben bis zum Klingelzeichen nur noch fünf Minuten —"

„Drei genügen."

30 „Hm, was meinen Ihre Kollegen?"

„Wir meinen," sagte unser Bester, der die dickste Arbeit

eingeliefert hatte, „daß drei Minuten schon genügen, um
sich zu blamieren."

Schmunzeln im ganzen Saal.

Aber unbeirrt begann der Köglmaier: „Neben einem
dicken Herrn saß ein magrer Hund. Der Herr aß Weiß= 5
würste. Eine nach der andern. Die Haut schnappte jedesmal
der Hund. Gedankenvoll sah ihm ein alter Münchner zu.
Nach der elften und zwölften Weißwurst sagte dieser aner=
kennend zu einem andern Münchner: ‚Ein guter Herr, ein
nobler Herr, ein feiner Herr — aber, aber, aber.' — ‚Was 10
aber?' — ‚Ja mei', so viele Weißwürste kann der gute,
noble, feine Herr halt auch nicht essen, daß der Hund von
der Haut satt werden könnte.' "

Beklommenes Schweigen im Seminar.

„Und?" sagt der Professor.   15

„Das ist alles," sagte Köglmaier.

Einen langen Atemzug tat das ganze Seminar, um zu
einem ungeheuren Prusten auszuholen.

„Halt," hob der Professor seine Hand. „Herr Köglmaier,
ich gratuliere Ihnen. Sie haben die knappste, klarste und 20
erschöpfendste Lösung dieses Teilstückes der sozialen Frage
eingeliefert."

Der Hahn

Von Paul Busson

Paul Busson (1873–1924) was a descendant of an old French family which had settled in Westphalia and had become German both from conviction and from love. His father was a professor at the University of Innsbruck, and there young Paul gained a rich store of impressions which he later embodied in his delightful book, *Aus meiner Jugendzeit.* „Dieses Werk kann sich durch die Fülle des Geschauten, durch den liebevollen Sinn für volksmässige Eigenart, durch die edle Schlichtheit der Sprache und die kunstmässige Gestaltung des Stoffes dem allerbesten an die Seite stellen, was das deutsche Schrifttum auf dem Boden der Heimatkunst hervorgebracht hat; für das Tiroler Volk ist es ein Werk der Erbauung geworden.“

Busson first followed the military profession and as cavalry officer he had ample opportuntity to become acquainted with the vast territories of the former dual monarchy. He later resigned from the army to become one of the editors of *Das neue Wiener Tageblatt.* Here he worked until his death, writing innumerable essays, articles and stories. The tragedy of the late war stirred his soul to its depths, for he was passionately German, although he bore the name of an ancient French family. From this inner conflict arose his first great contemporary novel, *F. A. E., Ein deutscher Roman.* „Es ist eines von jenen Büchern, die den Leser festhalten bis zum Ende. Wer es zu lesen beginnt, gerät allsogleich in den Wirbel einer atemraubenden Spannung, die ihn nicht mehr loslässt . . . Trost und Hoffnung quellen aus der reichen Handlung und der vollendeten Sprache dieses Buches, das aus leidenschaftlicher, unzerstörbarer, gläubiger Liebe zum deutschen Volke geboren ist.“

Paul Busson is endowed with great psychological powers. He has also the rare gift of saying much in the fewest possible words. It is these merits that make his stories charming little works of

art. He sees and feels life as perhaps few other writers, and his
big soul tries to understand and sympathize with the smallest
and poorest of God's creatures. ,,Tiefes Gemüt, kernige deutsche
Art, ein heller Blick für die Schäden des zeitgenössischen Lebens,
eine schöne Leidenschaftlichkeit im Kampf für die Erhaltung
des deutschen Volkstums vereinigen sich in Paul Bussons Werken mit jener Sprache, die aus dem Urborn des Volksmässigen
schöpft.''

Other works of Paul Busson are: *Gedichte, Azrael, Aschermitt-
woch, Besiegte, Arme Gespenster, Nelsons Blut, Wiener Stimmungen,
Seltsame Geschichten, Ruhmlose Helden, Melchior Dronte*, and *Die
Feuerbutze*. The little sketch *Der Hahn* is reprinted from the
volume *Tiroler Novellen der Gegenwart* by permission of the publisher, Philipp Reclam in Leipzig.

Gerade in jenem wundervollen Augenblick, in dem die
Gedanken hinüberschwimmen in das weiche, tiefe Schwarz
des Schlafes, schrie das kranke Kind und weinte so laut,
daß man es durch die Mauern hörte.

Der Mann, der in seinem Bette auffuhr und einen 5
Fluch murmelte, war vielleicht kein böser Mensch. Jeden=
falls aber stand er ganz allein in der Welt, und das macht
hart. Tagsüber pflegte er angestrengt zu arbeiten, und man
sagte von ihm, daß er viel Geld verdiene. Von den Freuden,
die andre Menschen nach der Arbeit suchten, hielt er nicht 10
viel. Und Kinder konnte er überhaupt nicht leiden. Das
da drüben schon gar nicht.

Der Lärm, den es beim Spielen machte, hatte ihn schon
oft in den schwierigen Berechnungen behindert. Und nun
scheuchte es mit seinem Schreien den Schlaf des müden 15
Mannes, der morgen auf seinem Posten sein mußte und wie!
Ein großes Geschäft stand in guter Aussicht, aber auch ein
Kampf mit schlauen und zähen Mitbewerbern.

„Mutterle!" schrie das Kind auf und der Mann drehte
sich ächzend auf die andere Seite und sprach ein häßliches 20

Wort vor sich hin. Aber endlich schlief er doch ein und träumte sogar.

Er stand in einem trübseligen, kahlen Zimmer. Tafeln hingen an den Wänden, mit Ziffern bedeckt. Ein Haufen grauer, schwerer Steine lag in dem leeren Raum. „Das sind die Sorgensteine," sagte der Mann im Traume. Und auf einmal befiel ihn eine angstvolle Sehnsucht nach etwas, was unter diesem Steinhaufen begraben liegen mußte.

Er begann die Steine wegzuräumen und seufzte im Schlaf. Und endlich fand er, was er suchte. Tief unter den Steinen lag ein bunter hölzerner Hahn. Er nahm ihn glückselig in die Hand und drückte ihn auf den Bauch. „Ü — ü — ü — üüüh!" krähte der Hahn, „du hast mich wohl vergessen in all den Jahren, als ich unter den Sorgensteinen lag?"

Und da sah der Mann auf einmal seine tote Mutter. Sie war klein und alt und lächelte ihm zu. Sie war es, die ihm den Hahn geschenkt hatte vor vielen Jahren, als er krank war und große Schmerzen litt.

Das alles hatte er vergessen über den vielen Zahlen an den Wänden. Er sah hin und bemerkte mit Schrecken, daß es lauter Nullen waren. Und als er wieder nach seiner Mutter sehen wollte, war sie verschwunden. Und der Mann weinte im Traum, und seine Tränen fielen auf die Sorgensteine …

Am anderen Morgen zog er sich an und ging in eine Spielwarenhandlung.

„Ich möchte einen hölzernen Hahn, der krähen kann," sagte er.

„Das haben wir nicht," antwortete der Verkäufer.

Der Mann ließ sein Geschäft im Stich und lief durch die ganze Stadt, um seinen Hahn zu kaufen. Endlich in einem kleinen Laden fand der Besitzer, ein sehr alter Mann, einen Hahn, der krähen konnte, wenn man ihn drückte.

„Man macht das jetzt nicht mehr," sagte er, „zufällig ist der noch hier!"

Ja, es war wohl ein Hahn. Aber er war weiß. Er sollte aber braun sein, mit roten Flügeln, und Kopf und Schwanz mußten metallgrün schillern. Genau so.

Der Alte zuckte die Achseln. Das wäre schwer zu machen, sagte er, und besonders in der jetzigen Zeit.

Trotzdem müsse der Hahn diese Farben haben, forderte der Käufer, der Preis sei nicht wichtig. Da wurde der Ladenbesitzer sehr höflich und meinte, abends könne der Herr den Hahn in den gewünschten Farben haben. Nur würde das ziemlich teuer ...

Das sei ganz gleichgültig.

Am Abend holte der Mann den Hahn ab. Er war braun, hatte rote Flügel, und Kopf und Schwanz schillerten in grünem Glanze. Ja, so war es richtig ...

Die Mutter des kranken Kindes öffnete selbst die Tür.

„Sie wünschen?" sagte sie.

„Ich soll dieses Päckchen hier abgeben," sagte der Mann. „Es ist für Ihr Kind."

„Für mein Kind?" fragte die Frau verwundert. „Wer schickte Sie?"

„Eine kleine alte Frau," antwortete der Mann, und seine Stimme klang unsicher. „Und ich soll auch fragen, wie es dem kleinen Buben geht!"

„Danke, es geht schon besser," sagte die Mutter und drehte unschlüssig das Päckchen hin und her. „Eine kleine alte Frau, sagten Sie, aber wer kann das sein —?"

„Ich habe keine Zeit —!" rief der Mann und lief die Treppe hinunter.

Am Abend lag er in seinem Bett und konnte nicht ein= schlafen.

„Ü — ü — ü — üüüh!“ tönte es ganz schwach durch die Mauern.

Da lächelte der Mann, und während er lächelte, rannen ihm Tränen über die Wangen.

5   Eine kleine alte Frau ...

Zwei redliche Finder

Von Peter Rosegger

One of the most popular writers of the short story of village and peasant life is the Austrian, Peter Rosegger (1843–1918), who first attracted the attention of the general public during the seventies of the last century. His frame being too delicate to become a farmer, he was apprenticed to a tailor in 1860, and during the next four years he wandered with his master from one farmstead and village to another making clothes for the peasants. He thus gained an intimate knowledge of his characters and acquired an immense store of impressions and experience which was to make him the foremost interpreter of Styrian life. Every free moment he spent in reading or original composition. In 1864 he sent one of his poems to the *Grazer Abendpost*, and his remarkable genius was thus discovered by the editor, Dr. Swoboda. Through the latter's influence the young author was enabled to prepare himself for the Commercial Academy in Graz where he remained till 1869. In 1870 he published his first volume of poems, written in the Styrian dialect. It met with success and henceforth he produced volume after volume of stories, mostly drawn from his own personal experiences and his knowledge of the mountain folk and their ways. In 1875 appeared his first great work, *Die Schriften des Waldschulmeisters*, which carried his name to all parts of Germany. On his seventieth birthday in 1913 all German-speaking countries paid homage to his genius.

There is hardly another author who expresses so intimately the spirit of the people among whom he lived. No other writer has reproduced so remarkably vivid and realistic pictures of village and peasant life. Rosegger had a very deep love for his native Styria, its hills, its mountains, its people, and he was never happy when away from them. „Es gibt Kinder," he tells us, „welche mit neugierigen Augen in die Welt hinausschauen und jeden Menschen gutmütig anlächeln, dabei aber nicht einen Augenblick die

Rockfalten der Mutter aus der Hand lassen. Ein solches Kind bin ich und meine Mutter ist die Steiermark."

Although a realist, Rosegger does not delight in exposing misery and wretchedness or the base and pathological in man, but he depicts the beautiful and joyous in life and the best in human nature. Rosegger is a wholesome writer and he endeared himself with the German people as few other authors have. Richard Voss expresses the feeling of the German race in his lines addressing Rosegger:

> Du, der aus dem Volke kamst,
> Des Volkes Leiden auf dich nahmst,
> Dein Dichterwort wird nicht verwehen,
> So lange die Steierer Berge stehen.

Some of Rosegger's best known works are: *Die Schriften des Waldschulmeisters, Der Gottsucher, Martin der Mann, Jakob der Letzte, Erdsegen,* and *Das ewige Licht.* But it is in the simple short story of peasant and village life that Rosegger has no equal in German literature. His collected works are available in an excellent and inexpensive editon of forty volumes published by L. Staackmann in Leipzig. The selections in this collection are reprinted by permission of the publisher.

Eine mir nahestehende Frau hatte einen Ring verloren, der ihr sehr teuer war. Sie ließ den Verlust in den Zeitungen verkünden und gab dem redlichen Finder ihr Haus an.

Am nächsten Tage schon hatte der redliche Finder sich
5 eingestellt. Es war ein gesprächiger Warenausträger, er bat zuerst mit untertäniger Artigkeit, den Ring zu kennzeichnen. Es geschah, es stimmte, und er folgte das Kleinod aus.

Während die Frau ins Nebenzimmer ging, um ohnehin
10 die Börse zu holen, rief er ihr erregt nach: „Ich bekomme meinen Finderlohn!"

„Wieviel glauben Sie denn beanspruchen zu dürfen?" fragte die Eigentümerin, „ich denke Ihnen fünfzehn Gulden

Höfe, über dunkle Treppen hinauf bis zu einer Kammer in
dem Dache.   Die war unversperrt, aber auch leer.   Ein
dünner, kahler Strohsack war alles, was vorhanden.   Die
Magd einer Nebenpartei erzählte, der alte Mann wäre am
selbigen Vormittage fortgetragen worden in die Leichen= 5
kammer.   Er sei am Morgen in seiner Kammer tot gefunden
worden.

In der Leichenkammer war er aber auch nicht mehr zu
finden.   Die Ärzte hatten ihn auf ihren Seziertisch bringen
lassen und dann konstatiert, daß dieser Mann verhungert sei. 10

Wo sind sie denn?

Von August Sperl

August Sperl (1862–1926) spent the greater part of his life as
Director of Archives in Amberg, Munich, Nuremberg, Castell, and
Würzburg, where he not only guarded the old papers and documents entrusted to his care, but studied them thoroughly and
gained from them the inspiration and the necessary background
for his books. He had the rare gift of making the past live again
in his works and thus attained the distinction of being one of the
best writers of historical novels in Germany. The words the nar-
rator uses of his father in Sperl's frame story, *Die Fahrt nach der
alten Urkunde*, aptly characterize the author himself: „Indem er
die verschlungenen Pfade der ihm verwandten Geschlechter zu
erforschen suchte, sah er auf einmal die grosse Geschichte selbst in
einem viel wärmeren, helleren Lichte. Seine Augen waren durch
den Blick aufs Kleine geschärft worden für die Erkenntnis des
Grossen, und er vermochte das zu sehen, woran die meisten Leute
achtlos vorbeigehen: die Wechselbeziehung zwischen Kleinem und
Grossem in der Geschichte."

In *Die Fahrt nach der alten Urkunde*, a man of great ancestral
pride goes in search of an old family record. He does not find the
record, but he discovers instead the varied circumstances of his
distant relatives scattered throughout the earth. Some branches
of his family have prospered, others have degenerated or perished.
But even those that survived have met with untold hardships on
the way. In keeping with his meditative nature, the author closes
the book with the serious observation: „Es waltet ein ewiger Wechsel auf Erden. Der Weg der Menschen, der Geschlechter und Völker geht von Tiefe zur Höhe, von Höhe zur Tiefe und wieder zur
Höhe. Es hat niemals eine alte gute Zeit gegeben, immer war
das Leben der Menschen eine harte, sorgengetränkte Arbeit. Das
ist es heute, das wird es bleiben bis zur Schwelle der Ewigkeit . . .
Wir aber stehen mitten im Kampf und müssen unsere Waffen rein

halten und wohl führen; denn wir sind nicht nur verantwortlich
für unsere vergängliche Person, sondern auf uns beruht die Zukunft
unseres Geschlechts und unseres Volkes."

Sperl wrote numerous works, all of a high standard of excellence.
Die Söhne des Herrn Budiwoj, however, is generally considered
his masterpiece and one of the two or three best historical novels
in German literature. It depicts the heroic struggle and tragic
fate of the old German dynastic family of Witigon in Bohemia in
its conflict against the rising power of the Chechs in the last part
of the thirteenth century. The sketch *Wo sind sie denn?* (the
original title is *Ubi sunt, qui ante nos*) is taken from *Die Fahrt
nach der alten Urkunde* by permission of the publisher, C. H. Beck,
München.

Wo sind sie denn, die vor uns waren? Sie hatten sich
doch einst so feste Häuser gebaut und hatten sich so wohnlich
auf der Erde eingerichtet. Sie hatten doch so treu gearbeitet,
sie hatten doch so große Achtung genossen. Sie hatten doch
so viel gekämpft und so mannhaft gelitten. Sie hatten sich   5
doch mit so weiten Plänen getragen; man hatte sie doch für
unentbehrlich gehalten. Wo sind sie denn?

Sie hatten ihre Äcker bestellt, sie hatten gelebt, geliebt, ge-
hofft, gezagt. Sie hatten Ämter innegehabt, gewichtige Ämter,
sie hatten Erfolge errungen, sie hatten sich mit Sorgen ge- 10
tragen, mit Sorgen, die ihnen so groß wie Berge vorkamen.

Wo sind denn die großen Sorgen, die schönen Erfolge,
die gewichtigen Ämter, wo ist denn ihr Zagen, ihr Hoffen,
ihr Lieben? Wo sind sie denn?

Sie sind vergessen in ihrer Stadt. Ihre Häuser sind   15
längst verschwunden, oder Fremde haben ihre Wohnungen
darinnen aufgeschlagen. Ihre Habe ist längst zerstreut, von
ihrer Arbeit weiß niemand. Die ihnen Ehre geschenkt
hatten, sind tot, die ihre Feinde gewesen waren, sind gleich
ihnen vergessen; neue Geschlechter bücken sich voreinander,   20

neue Geschlechter bekämpfen sich. Die Pläne der Alten
sind begraben. Hunderte hat man nach ihnen für unent=
behrlich gehalten und hernach — entbehrt, vergessen.

Es müssen doch Spuren von ihnen vorhanden sein? Die
5 Waldameise bahnt sich Straßen und Wege durch den Sand —
ein Platzregen geht herab und verwäscht sie. Aber die
stolzen Menschenwege sind doch breiter und fester? Dort im
Rathause müssen ihre Ämter verzeichnet sein, hier im Pfarr=
hause müssen ihre Namen zu finden sein, laß dir die Kirche
10 aufschließen und suche nach ihren Grabsteinen, suche, suche,
du mußt ihre Spuren finden! Suche, sonst packt dich ein
Entsetzen über die Nichtigkeit des Daseins.

Und wir haben gesucht. Wir sind aufs Rathaus gegangen
— wir haben nichts gefunden. Wir sind zum Pfarrer ge=
15 gangen — wir haben nichts gefunden.

Sie erzählten uns: Vor zwanzig Jahren war ein großer
Brand. Der zerstörte den halben Ort samt dem Rathause
und der Kirche und mit ihnen alle Dokumente aus der
alten Zeit. Nur das Schloß blieb verschont, weil die große
20 Linde im Schloßhofe mit ihren Ästen die Funken auffing,
die alten Dächer rettete und dabei zu Tode gesengt wurde.

Wir sind auch um die Kirche gegangen. Wo einst der
Friedhof gewesen war, dehnte sich unter Linden und Kastanien
ein großer Rasenplatz, und auf den eingesunkenen Grab=
25 hügeln sangen und spielten und tanzten die Kinder des
neuen Geschlechts. Das graue Schloß schaute auf den
Platz herab, der ewige Himmel war darüber ausgespannt,
droben im Kirchturm aber ging rastlos ein Pendel, drehte
rastlos die langen Zeiger der Uhr, alle Viertelstunden schlug
30 der Hammer hell an die Glocke — und die Kinder spielten
weiter.

Die Kinder, das Pendel, die Gräber — es tritt mir ein

Bild vor die Seele: Was sind die Völker der Erde seit
Anbeginn anderes als ein gewaltiges Pendel? In großen
Schwingungen werden sie von einer unsichtbaren Macht
hin= und hergetrieben, steigen empor, sinken zurück, steigen
wieder empor, um wieder zu sinken; und wir fühlen die 5
mächtigen Bewegungen, wir jubeln über den unaufhaltsamen
Fortschritt, wenn das Pendel steigt; wir klagen und wissen
nicht, woher der Rückschritt kommt, wenn das Pendel
fällt, und wähnen doch, daß bei alledem unendliche Wege
zurückgelegt werden — weil wir nicht wissen, daß es seit 10
Anbeginn nur Schwingungen gibt. Hoch oben, über dem
ruhelosen Pendel, ist wohl auch eine Uhr; denn wozu wäre
sonst das Pendel? — Es ist die Weltenuhr, die niemand
kennt. In großen Schwingungen geht es unten auf und
nieder und rückt doch nicht vom Platze; droben aber schreiben 15
langsam die großen Zeiger und künden die Zeit und den
wirklichen Fortschritt. Wir kurzsichtigen Menschen erkennen
die Zeiger und die Ziffern nicht, sie stehen zu hoch über uns.
Aber in weiten Zwischenräumen fällt auch dort oben der
Hammer auf die Glocke, und ihr heller Klang ist in allen 20
Ländern zu hören.

Wir hören ihn. Denken wir dabei auch etwas? Sind
wir nicht oft die Kinder, die auf den Gräbern spielen?

Die Zeiger schreiben, der Hammer schlägt, und in den
Gräbern schlafen die Toten — bis einst das Pendel stille steht. 25

Was wird aus uns? Wohin müssen wir? Nicht weit!
Graut dir vor dem Grabe? Warum? Die ganze Erde
ist ja ein Gräberfeld. Starre, unwandelbare Gesetze
zwingen uns auf kurze Wege, und die kurzen Wege münden
alle auf einen Friedhof. Aber frei steht es uns, ob wir un= 30
sern kurzen Weg gehen wollen mit gebundenem Geist oder
mit Frieden im Herzen.

Das Pendel schwingt. Die Zeiger schreiben. Das Korn
wird in die Erde gelegt. Weiß denn das Korn von seiner
Zukunft? Weiß das Korn, daß es schon im kommenden
Sommer die goldene Ähre sein wird, die sich im Sonnen=
schein wiegt?

Laßt uns doch klug werden!

Die Tanzjungfern

Von Hermann Löns

The North German, Hermann Löns (1886–1914), had when he was killed early in the war already gained a considerable circle of readers and admirers by his novels, folk songs and sketches of the Lüneburg Heath. Since then his fame has increased continuously. One of the reasons perhaps is that the stories of country and provincial life, to which the Germans have applied the term *Heimatkunst*, have shown renewed vitality since the war. Stories of *Heimatkunst* "focus our attention on the homely virtues, the sturdy manliness, the healthy solidity of peasant and yeoman; they lead us to the abiding simplicities of country vicarages and school rooms and tell us of the riches which the war has left untouched. The novels of Hermann Löns are good examples of this return to nature." Their growing popularity since the war is witness to the increasing appreciation of this type of story.

Nearly all Löns' works are pictures, frequently mere enumerations, of the beauties to be found „draussen vor dem Tore." In his utter dislike for the city and unqualified admiration for the country, Löns perhaps goes to extremes. He is convinced that both man and art degenerate in this age of machinery. To him the Lüneburg peasants seem superior to all other people and he never tires of praising their originality, courage, and good sense. Like his contemporary, Peter Rosegger, he was never at home in the city and happy only among his fellow-peasants.

On the occasion of the sixtieth anniversary of Löns' birth in 1926, twelve years after his death, F. W. Schulze wrote in *Die neue deutsche Jugend:* „Wie wundervoll zeichnet Löns das Bild des Moors, der Heide; wie werden die Farben des Jahres und die Stimmungen des Tages, das Wechselspiel von Luft und Licht, Wind und Wolken lebendig! Keine Stimme draussen, die er nicht deuten könnte; kein Geschöpf, das er nicht liebte." Even in his folk songs and ballads we always feel the breath of heath and moor.

Many of them have become the possession of the whole German race and are sung wherever the German language is spoken. His novels *Der Wehrwolf* and *Das zweite Gesicht* have gone through numerous editions. But his most characteristic work will always remain his impressionistic sketches of the life, moods, and phases of the Lüneburg Heath. *Die Tanzjungfern* is here reprinted from the volume *Mein braunes Buch* with permission of the publisher, Adolf Sponholtz, Hannover.

In Wulfshorn war Erntebier. Hermen Beer, der Vollmeier, hatte seine Diele dazu hergegeben. Von Nach=
mittag an saßen der stumme Hein, der lahme Krischan und der blinde Jan dort auf vier Bohlen, die über zwei Futter=
5 tröge gelegt waren, mit Flöte, Fiedel und Brummbaß und spielten dem jungen Volk zum Tanz auf.

Es war ein reiches Jahr gewesen, das erste gute Erntejahr nach dem langen Kriege; die Wiesen hatten dreifachen Schnitt gegeben, das Stroh war lang, die Ähren waren
10 schwer, Maifrost und Junihagel waren ausgeblieben, Sonne und Regen hatten ein um den andern Tag gewechselt, da konnte schon etwas daraufgehen.

So gellte denn die Flöte, quietschte die Fiedel, brummte der Baß in einem fort; die Röcke flogen, die Nagelschuhe
15 dröhnten, die Mädchen kreischten, die Burschen johlten, und die Gläser wurden schneller leer als voll.

Die Hühner waren längst hinter die Raufen gekrochen, die Eule hatte schon öfter geschrien, und die Fledermäuse fuhren herum um die Giebel, und noch immer dauerte das
20 Tanzen an. Kaum daß die jungen Leute sich Zeit zu einem Happen Essen gönnten, dann drängten sie sich wieder auf die Diele und tanzten und tanzten mit roten Köpfen und blitzenden Augen.

Am tollsten tanzten Hermen Beers vier Töchter, die

schönsten Mädchen weit und breit; aus einem Arm flogen sie
in den andern, von einer Brust an die andere, und wenn eine
einmal aussetzte, so war es nur, um einen Schluck zu trinken,
mit dem Tuche über das Gesicht zu fahren oder um eine
aufgegangene Flechte festzumachen.

Elsebe, Vebe, Engel und Dette hießen sie; sie hatten alle
das Beersche Gesicht, aber keine war wie die andere; Elsebe
war hellblond und klein, Vebe schwarz und groß, Engel
braun und schmal und Dette rot und breitschulterig.

Die Uhr ging auf Mitternacht; die meisten Tänzer und
Tänzerinnen waren schon nach Hause gegangen, Jan, Hein
und Krischan konnten kaum mehr spielen, aber immer
wieder füllte ihnen eines der Mädchen den braunen Krug
voll Honigbier oder steckte ihnen eine Wurst zu, daß sie noch
einen spielten.

Alle vier Mädchen waren versprochen und sollten im Mai
Hochzeit halten. Ihre Verlobten mochten nicht mehr tanzen;
mißmutig, müde und erhitzt standen sie an den Türen und
sahen den Mädchen zu, die zu zweien und zweien sich miteinander nach dem Takte der Fiedel und Flöte drehten.

Die Dorfuhr schlug zwölf, der Sonntag hatte begonnen.
Hermen Beer kam und mahnte zum Schlafengehen; aber
die Mädchen wollten noch tanzen, einen noch; tanzen, tanzen,
tanzen, immerzu tanzen.

„Bis morgen früh," flüsterte die blonde Elsebe; „den ganzen
Sonntag," lachte die schwarze Vebe; „mein Leben lang und
noch einen Tag," seufzte die braune Engel; „die ganze Ewigkeit," rief die rote Dette.

Da fuhr der Wind von allen vier Seiten über die Diele,
und vier Männer traten in das Haus; blond war der eine
und blauäugig; er faßte die blonde Elsebe und tanzte mit
ihr einen schweren Tanz, den keiner kannte.

Schwarz war der zweite; er nahm die schwarze Bebe und
schwenkte sie in einem wilden Reigen, der im Lande noch nie
gesehen war.

Braun war der dritte; er faßte die braune Engel und
5 drehte sie auf eine Weise, deren sich keiner erinnern konnte.

Der vierte hatte rotblondes Haar: er trat vor die rote
Dette, und wirbelte mit dem Mädchen herum, daß allen,
die zusahen, angst und bange wurde.

Hermen Beer und seine vier Schwiegersöhne wollten
10 Einspruch erheben; aber die vier Fremden hatten etwas
Böses in ihren schönen Gesichtern, und die Scheidemesser,
die sie am Gürtel trugen, waren lang und blank.   Die fünf
Bauern ballten die Fäuste in den Taschen und sahen mit
verkniffenen Gesichtern zu.

15 Die vier Paare aber tanzten, sie tanzten, daß man nur
einen bunten Wirbel sah, aus dem heiße Backen und glühende
Augen herausleuchteten.   Die Diele dröhnte, der Staub
flog, Fiedel, Flöte und Baß schrillten, gellten und brummten
wie wahnsinnig, denn die Fremden warfen ein blankes
20 Stück nach dem andern den Krüppeln zu.

Eine geschlagene Stunde dauerte das tolle Tanzen.   Da
fuhr wieder der Wind von vier Seiten über die Diele;
so mächtig war der Windstoß, daß die fünf Bauern und
die Musiker an die Wände geworfen wurden.   Als sie sich
25 wieder aufhalfen, war die Diele leer.

Draußen aber pfiff und flötete, sang und klang es, das
Laub flog von den Zweigen, das Obst fiel von den Ästen,
das Stroh stob von dem Dach, und alle Hunde heulten hohl.

Die Leute liefen aus den Türen und sahen nach dem
30 Himmel.   Staub wirbelte die Straße entlang; in den
Lüften schrie und jauchzte es, und vier große Wolken stoben
in wilden Wirbeln nach allen vier Windrichtungen.

Kein Mensch hat die vier Mädchen wieder gesehen. Wenn der Nordwind durch die kahlen Äste pfeift, dann sagen die Leute im Dorfe, sie hörten Elsebe juchen, und wenn der Südwind in der Aprilnacht durch die knospenden Kronen fährt, meinen sie Bebes Stimme zu vernehmen, aus dem Abendwind wollen sie Engels Schluchzen heraushören und Dettes Lachen aus dem Wind, der von Morgen weht.

Kommt aber alle zehn Jahre einmal ein großer Wirbel= wind, der die Bäume im Walde zu Hunderten umwirft und die Dächer abdeckt, dann sagen sie: „Hermen Beers Mädchen halten heute Tanzfest!"

Der weise Mann

Von Fritz von Ostini

Fritz von Ostini (1861–), descendant of an aristocratic family
of high military officers, first studied law and natural science,
then art and spent several years in the art academy at Munich.
At the same time he was engaged as journalist for *Die süddeutsche
Presse*. From 1887 on he served as contributor to the *Münchner
Neueste Nachrichten*, writing numerous articles on various literary
subjects, but especially on the plastic arts and the theater. In
1896 he founded, together with Georg Hirth, the illustrated
weekly *Jugend* and has since been engaged in productive work as
lyricist, satirist, story-writer. He has also written numerous
articles on art and artists for papers at home and abroad, and published a long list of monographs on German artists. His chief
literary works are his poems, collected in the volumes *Bieder-
meierwart* and *Schwarmgeister*, and his short stories in *Arme Seelen*
and *Buch der Torheit*. The little satire *Der weise Mann* (the original
title is *Se non è vero*) is reprinted by special permission of the
author from volume xix of *Bücher der Münchner Jugend*.

Es war einmal ein weiser Mann, den der liebe Gott mit
ungewöhnlichem Scharfsinn, mit einem hohen Maß von
Menschenkenntnis und Menschenliebe und anderen Tugenden
begnadet hatte. Dieser Mann lebte lange Jahre in tiefer
5 Einsamkeit und sann Tag und Nacht über die Leiden seiner
Mitbrüder nach, über die Grenzen menschlicher Kraft, über
die Schwächen menschlicher Rechtsprechung und von Menschen
eingerichteter Regierungsformen.

Der klügste und beste Mensch war er und dachte und dachte
10 — und schließlich fand er auch einfache und große Mittel, alle
jene Schäden leicht und dauernd zu heilen. Er wußte nun: so

kann man es verhüten, daß in den Händen der einen sich
ungemessene Schätze sammeln, indes den andern Brot und
Kleidung fehlt; so kann man den wüsten Hetzereien der
Aufwiegler begegnen; so dem Hochmut der Großen, so der
Verknöcherung der Bureaukraten; so läßt sich des Land= 5
manns Arbeit schützen, ohne daß der Städter dafür die
Kosten trägt; so kann man ankämpfen gegen Rassen= und
Klassenhaß; so kann man den Frieden erhalten und machen,
daß sich die Völker gegenseitig achten; so kann man das Recht
als Recht erhalten, vom Buchstaben frei, vom Geiste belebt; 10
so kann man es erreichen, daß die Menschen einander nicht be=
stehlen, nicht betrügen, nicht erschlagen und nicht verleumden.

Das alles wußte er, für das alles hatte er Heilmittel
gefunden, Mittel mächtig und wirksam, gleich Zauber=
formeln.   15

Als der weise Mann es so weit gebracht hatte, dachte er
daran, seine Kenntnisse zum Wohle der Menschheit zu ver=
wenden. Er ging zum höchsten Würdenträger seines Landes
und sprach:

„Gib mir ein Amt, das mir Macht und Einfluß leiht, 20
und ich heile alle Schäden, an denen Staat und Volk nur
irgend kranken!“

Und er setzte dem andern seine Grundsätze auseinander.
Dieser war starr vor Bewunderung über so große Weisheit.
Einmal um das andere Mal schlug er die Hände über dem 25
Kopf zusammen vor Staunen, denn er sah, daß die Gedanken
des weisen Mannes gut waren.

„Woher ward Ihnen so hohe Weisheit?“ fragte der Wür=
denträger.

„Seit früher Jugend habe ich in stiller Einsamkeit über 30
die Leiden meiner Mitbrüder nachgedacht und nach Mitteln
gesucht, sie zu lindern.“

Als er geendet hatte, barg der hohe Beamte sein Antlitz in den Händen und weinte bitterlich.

„Warum weinen Sie?" fragte jener.

„Ich weine, weil das köstliche Gut Ihrer Weisheit für die Allgemeinheit, für mein geliebtes Volk, nicht nutzbar gemacht werden kann. Welches tragische Geschick! Da kommt ein Mann mit so herrlichen Gedanken, daß er unserem Volke unfehlbar zu Glück, Frieden und Wohlstand verhelfen würde, könnte man ihn in das richtige Amt einsetzen — und man kann es nicht, man kann es nicht!"

„Warum denn nicht?"

„Lieber Freund, Sie sind ja kein Jurist! Ach warum sind Sie kein Jurist! Wenn Sie ein Jurist wären — welches Glück für unser Volk! Wollen Sie nicht nachträglich Jura studieren? In sieben Jahren könnten Sie den Staatskonkurs machen — aber so! Das sehen Sie doch selber ein, daß man Sie so im Staatsdienst nicht brauchen kann —"

Der weise Mann schlug ein helles Gelächter auf. — Der hohe Würdenträger aber klingelte und ließ den unverschämten Menschen hinauswerfen.

Da schüttelte dieser den Staub des Landes von seinen Füßen und zog nordwärts zu einem großen, stammverwandten Volke. Dort suchte er den höchsten Beamten des Bundes auf und setzte ihm seine Pläne auseinander. Auch dieser war starr vor Bewunderung über so viel Weisheit, über so große und klare Gedanken. Als er sich gesammelt hatte, sagte er:

„Ihre Papiere!"

Der andere gab sie ihm und der allmächtige Würdenträger las sie durch.

Dann fing er an zu lachen, daß es ihn nur so schüttelte.

„Das ist aber schon zu toll! Endlich hätte man da einen,
der uns von Übeln befreien könnte, an denen sich schon tausend
weise Häupter die Zähne ausgebissen haben! Man brauchte
ihn bloß an die richtige Stelle zu setzen, aber — es ist zu
dumm! — es geht nicht!"   5

„Ja, warum denn nicht?"

„Aber lieber Mann! Sie haben ja nicht einmal die
Qualifikation zum Reserveoffizier! Man kann doch ein
großes Volk, wie das unserige, nicht durch einen Gefreiten
der Landwehr glücklich machen! Wie wär's, wenn Sie Ihr   10
Einjährigenexamen nachholten?"

Der weise Mann schlug dieses Mal kein Gelächter auf,
denn er war gewitzigt. Aber er schüttelte auch den Staub
dieses Landes von seinen Füßen und kehrte wieder zurück in
seine Einsamkeit.   15

Dort verfaßte er einige Zeitungsartikel und starb bald
darauf in einer Strafanstalt, in die man ihn wegen Amts=
ehrenbeleidigung und Verhöhnung staatlicher Einrichtungen
verbracht hatte.

Die Hühnereier

Von Georg Ruseler

Although Georg Ruseler (1866–) has been active from his nineteenth year as teacher and principal of a boys' school in Oldenburg, he has found time for creative work and has achieved a reputation as an author. In 1896 he was awarded the Schiller prize for literature. His tragedy *Die Stedinger* (1890) has gone through a number of editions. He has also written several excellent stories, the best of which are *Die gläserne Wand* (1908) and *Der Verräter* (1900). But it is as the author of delightful fairy-tales that Georg Ruseler is best known. The collection entitled *Heiner im Storchnest und andere Märchen* has found a large number of readers. These stories are taken from every-day life and appeal to old and young alike. They are characterized by a joyous humor and an utmost simplicity of style. „Diese Märchen und Geschichten aus dem Alltagsleben," one critic writes, „empfehle ich ganz besonders. Den Kleinen, die noch nicht lesen und schreiben können, sollen sie erzählt werden. Die Grösseren werden sie selbst lesen. Dabei gibt's was zu lachen. Ich habe mich über das ganze Büchlein sehr gefreut und den Kleinen viel daraus vorgelesen. Da gab es helle Augen und immer hiess es: „Vater, noch eine Geschichte!" *Die Hühnereier* is reprinted by permission of the publisher, Hermann Schaffstein, Köln a. Rh.

Man sollte es nicht für möglich halten, aber es gab doch einmal eine Zeit, da war der Esel der König der Tiere, und sie mußten es sich gefallen lassen; denn der Affe war Kanzler und der Ochse Kriegsminister, und das ganze Heer seiner
5 Vettern stand ihm bei. Der Hahn diente als Oberkammer= herr, und alle Schreiberposten im Lande waren von Hühnern besetzt; denn der Esel liebte die Hühner, weil sie so schöne weiße Eier legten, nicht zu groß und nicht zu klein, gute,

regelrechte Hühnereier, die ganz unschuldig sind, weil immer
nur zahme Küken herauskommen. Als nun der König sah,
daß er groß und mächtig war, dünkte ihm, er sei auch ein Herr
über die Geister, und er wollte, daß alle Leute in seinem
Lande einen Glauben und eine Meinung haben sollten. Des= 5
halb befahl er, alle Tiere, ob groß oder klein, hoch oder nied=
rig, vier= oder zweibeinig, sollten fortan Eier legen, einerlei
Eier, und zwar Hühnereier. Darob entstand eine gewaltige
Aufregung im Reich der Tiere; aber weil auf allen Wachen
die Ochsen in doppelter Anzahl ihre drohenden Spieße 10
aufpflanzten, mußte man den Mund halten und versuchen, ob
man dem Gesetze nachkommen könnte. Nur einer hatte die
Frechheit, seine Stimme dagegen zu erheben, das war der
kleine Sperling; der schrie, der König solle doch einmal dem
Kriegsminister und seinen Vettern befehlen, dem Volk in 15
eigener Person vorzumachen, was das Gesetz verlange.
Darob ward er vor Gericht gestellt, und das entschied, es
sei überhaupt nicht die Aufgabe der Ochsen, Eier zu legen,
und deshalb sei der Spatz schuldig, die Majestät beleidigt zu
haben. Dafür ward er totgetreten, und so mußte er fortan 20
den Mund halten.

Danach ward der König noch kühner, und er befahl seinen
Untertanen, nach der Hauptstadt zum Reichstage zu kommen;
dort sollten alle erklären, ob sie Hühnereier legen wollten
oder nicht. Und sie kamen getreulich, der Löwe und der 25
Hund, das Schaf und das Schwein, die Taube und die
Gans, und auch der Adler kam geflogen. Der König saß
auf einem hohen Thron, der war aus lauter Hasenschädeln
aufgerichtet, und trug einen Purpur, den hatten die ver=
einigten Schafe seines Reiches ihm geschenkt. Lautlose 30
Stille lagerte über dem weiten Platze; zur Rechten des
Herrschers stand der Ochse mit gesenktem Haupt, und seine

Augen zeigten einen blutigen Schimmer. Zur Linken aber
prunkte der Affe mit einem großen Stern und hatte ein
Pergament in der Hand und las alle Namen vor. Zuerst
ward der Löwe aufgerufen; der trat langsam an die Stufen
5 des Thrones, und der Affe fragte ihn: „Seid Ihr gewillt,
dem Allerhöchsten Befehle zu gehorsamen und fürder Hüh=
nereier zu legen?"

Der Löwe antwortete nicht gleich; denn der Grimm
schnürte ihm die Kehle zusammen. Nach einer Weile sagte
10 er: „Ich will ein Stündlein Bedenkzeit haben." Damit
ging er an seinen Platz. Der Hund aber rief: „Ob Hüh=
nereier oder Enteneier, das gilt mir gleich! Der König,
mein Herr, befiehlt, folglich lege ich Hühnereier." Als das
die Ochsen hörten, brüllten sie Beifall, und der König nickte
15 gnädig ob der löblichen Gesinnung und senkte huldvoll seine
Ohren. Nun gab es kein Halten mehr, der Hase, die Ziege,
der Wolf, die Hyäne, das Schwein und das Kamel, alle
eiferten dem ruhmvollen Beispiel des Hundes nach und
erklärten feierlich, sie wollten Hühnereier legen.

20 Der Fuchs verneigte sich am tiefsten vor dem Thron und
sagte: „Majestät, es wird mir eine Freude sein, Euch
doppelten Zoll zu geben; ich habe zu Hause ganze Nester
voll." Auch das Schaf beschwor, des Königs Willen zu
tun; aber es hatte keine Ahnung davon, was es eigentlich
25 versprach. Nun kam die Reihe an die Vögel, doch diese
stimmten nur mit leisem Widerstreben zu; denn sie dachten
daran, daß sie fliegen konnten. Die Taube meinte: „Ich
finde, es ist reichlich viel von mir verlangt; aber ich will
nicht widerstreben und ehrlich versuchen, das zu leisten, was
30 man von uns fordert." Aber die Gans war sehr gekränkt
und schnatterte: „Hühnereier? Wa—wa—was ist das?
Das sind ja ga—ga—gar keine Eier!"

Als aber der Ochse einen Schritt vorwärts machte und mit den Hörnern drohte, da rief sie tief erschrocken: „Ba— Ba—Barmherzigkeit! Ich will mich ja zusammennehmen und auf mein Inneres einen Druck ausüben, und es sollen gewiß Hühnereier werden." Nun wurde der Adler vor= 5 gerufen. „Schwöre auch du, daß du Hühnereier legen willst," sagte der Affe. Der Adler aber wartete eine Weile mit der Antwort, und manch einem begann das Herz zu schlagen.

Die Brust des mächtigen Vogels hob sich, er schüttelte seine Flügel, reckte seinen Hals empor, und seine Augen 10 funkelten. „Nein," rief er mit lauter Stimme, „ich will nicht! Es ist gegen die Natur eines Adlers, Hühnereier zu legen!" Und damit wandte er sich verächtlich ab, entfaltete seine Flügel und hob sich empor, dahin, wohin niemand ihm folgen konnte, den himmelhohen Felsen entgegen, wo er 15 zu Hause war, und sein Gefieder glänzte in der Sonne. Der Esel erschrak bis ins tiefste Herz hinein; der Löwe aber donnerte: „Der Adler hat recht, es ist unter unserer Würde, Hühnereier zu legen." Damit sprang er zum Thron empor und packte den König und zerriß ihn; die Ochsen aber 20 konnten es nicht hindern, denn sie waren eben Ochsen und begriffen erst lange nachher, was eigentlich geschehen war.

Von der Zeit an war der Löwe König der Tiere, und wenn er auch manche seiner Untertanen fraß, verlangte er doch nicht von allen, daß sie Hühnereier legen sollten. 25

Der Stille Ozean

Von Johannes Schlaf

Johannes Schlaf (1862–) first attracted the attention of the literary world when in collaboration with Arno Holz he wrote the collection of sketches entitled *Papa Hamlet* (1889) and the drama *Familie Selicke* (1890) and then published his play *Meister Oelze* (1892) thereby inaugurating the naturalistic school in Germany. These works are perfect examples of naturalism in their scientifically exact and purely objective depiction of life. The method employed consists in a rigid reproduction of that which the senses apprehend, and of nothing else. There is no comment, no criticism, no interpretation. The authors are recording machines of scientific exactness. It was the influence of Johannes Schlaf and Arno Holz that directed Gerhart Hauptmann to the naturalistic drama. „Aus meiner Zusammenarbeit mit Arno Holz," Schlaf tells us, „ging das deutsche naturalistische Drama hervor, dessen eigentlicher, berufener Dramatiker dann aber Gerhart Hauptmann wurde. Mein Drama *Meister Oelze* und Hauptmanns *Weber* gelten als die beiden Meisterdramen des deutschen Naturalismus."

In his later works, however, Schlaf largely turned away from naturalism. The sketches to which he gave the title *In Dingsda* and the later companion volume, *Stille Welten, neue Stimmungen aus Dingsda* are highly subjective and non-naturalistic and are the result of reflective and often lyric moods rather than of rigid, photographic reproductions of reality. „In all diesen kleinen Geschichten," writes Hermann Hölzke, „hat Schlaf, der gut zu erzählen versteht, die Vorzüge seines Könnens gezeigt, sein starkes Talent zur Stimmungsmalerei und zur landschaftlichen Schilderung und den sicheren Blick für das besondere an Menschen und Dingen—Eigenschaften, die . . . auch in seinen Romanen *Das dritte Reich, Die Suchenden, Peter Boies Freite, Der Kleine, Am toten Punkt, Mieze* und im besonderen in *Der Prinz* zutage treten."

The sketch in this collection is taken by permission of the author from the little volume of *Dingsda-Geschichten* entitled *Tantchen Mohnhaupt und Anderes*, published by Philipp Reclam, Leipzig.

Die Geographiestunde hatten die meisten von uns in der Elementarschule gern. Erstens ist sie an und für sich ganz interessant, während andere Stunden entschieden viel schwieriger sind; dann aber war auch nicht jeder Lehrer solch eine Seele wie Herr Beneke, unser Geographielehrer. 5

Denn damals konnte man noch öfter als heute, und zwar unter Umständen sogar gründlich, das Rohrstöckchen zu kosten bekommen. Die Herren Jungens wissen gar nicht, wie gut sie's heute haben.

Herr Beneke nun aber schlug nie. Es kam auch sehr selten 10 vor, daß er nachsitzen ließ. Er machte einem nur Vor= stellungen und hielt einem recht bittende und eindringliche Ermahnungen. Und das war dann den meisten so spaß= haft.

Ich nun freilich hatte die Geographiestunde nicht bloß 15 deshalb gern. Aber wegen Herrn Beneke wohl auch schon.

Ich hatte gelegentlich mal in einem illustrierten Familien= journal zu Hause die Abbildung eines chinesischen Mandarinen gesehen, und der sah genau so aus wie Herr Beneke.

Herr Beneke war ein kleiner, runder Herr mit zierlichen 20 und sehr akkuraten Bewegungen; mit einer mächtigen, spiegelblanken Glatze, kleinen, runden, wohlgeformten Bei= nen, einem dicken, runden Bauch, auf den eine goldene Uhr= kette herabhing, mit der Herr Beneke, während er vor der Landkarte stehend Vortrag hielt, zu spielen pflegte. Er 25 hatte einen dicken, kleinen, mondrunden Kopf mit richtigen, schwarzen, chinesischen Schlitzaugen, einer ganz sonderbar fremdartigen Stülpnase und einem breitlippigen Mund; und sein Gesicht, mit dem kleinen, sehr kurz geschnittenen, pechrabenschwarzen Backenbärtchen zeigte eine ledergelbe, 30

eine täuschend echt chinesische Farbe. Und dann hatte er
so ein feines Stimmchen.

Deshalb und um all solcher Eigenschaften willen ist mir
denn Herr Beneke und sein Geographieunterricht bis heute
5 unvergeßlich geblieben.

Ich habe Herrn Beneke niemals spaßhaft finden können.
Er hatte vielmehr für mich immer was Sonderbares und
Apartes und wie gebannt hingen meine Blicke an seiner
Chinesengestalt und seinem runden Chinesengesicht.

10 Aber eins von den allerwundersamsten Dingen, die ich
damals erleben durfte, war mir, Herrn Beneke vom „Großen
oder Stillen Ozean“ sprechen zu hören.

Allein schon, wenn er diese Worte aussprach: „Der Große
oder Stille Ozean!“

15 Der Stille Ozean! Es war besonders dieses Adjektivum,
das mir die unaussprechlichsten und wundersamsten Vor=
stellungen erweckte, das mich andächtiger stimmte und fast
mit einem ehrfurchtsvolleren Staunen erfüllte, als wenn
ich Sonntags in der Kirche die Orgel spielen hörte.

20 Der Stille Ozean! — Der Große oder Stille Ozean! —
Dieser Große oder Stille Ozean, der größer ist als alle
Kontinente zusammen! Der ja wohl allein für sich fast
die halbe Erdkugel einnimmt!

Und Wasser! Nichts, nichts als so ungeheuer viel Wasser;
25 als solch eine ungeheure, öde Wasserwüste!

Etwas Ungeheures, Großes, unsagbar Stilles; wo es
hundertmal stiller ist als auf dem Friedhofsberge! Etwas
Furchtbares, weit, weit, unsagbar weit und still Bebendes,
mit irgendeinem großen, magischen Dämmerlicht drüber.

30 Wenn man darin umkommt, das muß das Furchtbarste
sein, und doch zugleich etwas unsagbar Süßes! ...

Unser Klassenzimmer lag im ersten Stockwerk. Es war

ein großes, gelbgetünchtes Zimmer, mit zwei Tafelgestellen
und ein paar Wandkarten. Die Bänke waren sehr lang,
auf jeder konnten sechs Schüler sitzen; und sie standen in
zwei Abteilungen mit einem Gang dazwischen. Auf der
einen Seite saßen die Alten, auf der anderen die Neuen; 5
und vorn, dem Eingang gerade gegenüber, war das Kathe=
der.

Ich saß nun gerade an dem einen Bankende, dicht bei
einem von den vier großen Fenstern, die auf den Stadt=
kirchplatz, der zugleich unser Schulplatz war, hinaus gingen. 10

Da konnte man sich denn förmlich mal erholen, wenn
man zwischendurch mal einen Blick da hinaus tat.

Da war freilich alles schön gemütlich und bekannt, da
unten. Da standen die Häuser, die ich alle kannte und
wußte, wer drin wohnte, da waren die alten Linden, da war 15
das Kriegerdenkmal, und da war die Stadtkirche.

Da konnte man denn, zwischen all den wunderlichen
Berichten von Asien und den anderen fremden Erdteilen,
mal einen Blick hinabtun und aufatmen von all den ganz
sonderbaren und erstaunlichen Dingen, die Herr Beneke 20
einem da erzählte.

Gras wuchs da unten, ganz gemütlich, zwischen dem
Pflaster; Hühner pickten, ein Gänserudel promenierte. Mit
silberhellen, friedlichen Klängen gab die Kirchuhr die Zeit an.

Dagegen aber gab's da, irgendwo, den „Großen oder 25
Stillen Ozean!"

Nun, heutzutage hat man schon mit manchem gesprochen,
der ihn kennen gelernt hat. Er ist, wie eben so ein Welt=
meer ist: Sturm gibt's und Sonne, und er ist freilich sehr,
schon ungemütlich tief. Aber Dampfer fahren kreuz und 30
quer drüberhin und kommen, gottlob! zu allermeist und
für gewöhnlich auch wieder zurück, mit Gütern, Passa=

gieren, Kapitänen, Matrosen, Schiffsjungen, Mann und
Maus.

Und doch ist da noch etwas anderes und ganz Besonderes:
und das ist und bleibt jener ganz besondere damalige „Große
5 oder Stille Ozean" Herrn Benekes . . .

Adam und das Hündchen

Von Max Mell

Max Mell (1882–) is gradually attracting the attention of an increasing circle of readers through his legends and his folk plays. After various literary attempts he wrote in 1914 the story *Barbara Naderers Viehstand* which was awarded the Bauernfeld prize. In 1919, during the bitter days following the war when so many people in Austria suffered from cold and starvation, Max Mell wrote a few dramatic scenes under the title *Das Wiener Kripperl* which describe how on that dismal Christmas Eve a strange vehicle with a mysterious driver called for the poor despairing wood gatherers and took them from hopeless reality into the realm of light, peace, and happiness. This is related in a manner concise, clear, touching, and natural.

Max Mell has continued to write in this manner. In 1922 he published *Das Schutzengelspiel* and in 1923 *Das Apostelspiel*. The latter is considered his masterpiece. Two Bolsheviks come into a lonely peasant hut with intent to murder and destroy. The peasant woman, however, takes them for messengers of the Lord, believing they are the apostles St. Peter and St. John. The innocence and childlike trust with which she interrogates them and asks them to explain to her some obscure passages of the Holy Scriptures touches the heart of one of the criminals. He succeeds in persuading his companion to leave the place. When the peasant woman returns from the kitchen she finds that the "Apostles" have disappeared, but she believes no less firmly in the celestial visitors.

This little folk play has been presented on nearly all German stages, and has been translated into most of the European languages. An English version appeared shortly after the *London Observer* wrote: "This tender little piece should be done into English as quickly as possible and performed by every set of village players throughout the country."

„Auf diese Weise," writes Marie Herzfeld, „geht Max Mell ins
Volk. Er bietet ihm Schönes, Farbiges, durch den Glauben Geweihtes; er bestärkt es in seinen guten Instinkten; er belehrt
es, so wie Dichter belehren; er belässt ihm sein echt kindisches
Gefühl; er gibt ihm die Zuversicht zu dem eigenen Wesen, die
den Weg zu wahrem Menschentum weist."

The legend *Adam und das Hündchen* is taken by arrangement
with the author from the volume entitled *Morgenwege*, published
by Philipp Reclam, Leipzig.

Im Paradiese verstanden einander alle Geschöpfe und
hatten einander lieb.

Da war nun ein Hündchen, das war klug. Das hatte den
Befehl des Herrn an das erste Menschenpaar wohl vernom=
5 men, daß man nicht dürfte vom Lebensbaum essen; und
hatte sich vorgenommen, recht wachsam zu sein, damit es
ja nicht geschähe und der Herr nicht erzürnt würde. Es war
immer in Adams Nähe, an der es sich freute, und so freute
sich auch Adam des Hündchens; sprach freundlich zu ihm
10 und klopfte ihm das Fell, und wenn er sich zur Rast nieder=
ließ, saß das Hündchen bei ihm oder sprang um ihn und
spielte mit dem Stocke, den sich Adam geschnitzt. Eva
jedoch hatte ein Kätzchen; das lief aber nicht mit ihr, sondern
ließ sich tragen und in Evas Schoß schmeicheln und wohl
15 sein. Und so freuten sich alle aneinander.

Jedoch es wollte dem wachsamen Hündchen bedünken,
daß Eva eine Neigung hätte, sich in der Nähe des Baumes
aufzuhalten, von dem sie nicht genießen sollten, und die
Früchte zu betrachten.

20 Da sprang das Hündchen lustig um Adam herum und
lockte ihn dahin und dorthin, so daß er dem Baum den
Rücken kehrte, ihn aus den Augen verlor, und Eva ihm
dann folgte. Und es sagte zu dem Kätzchen: „Du sollst
die Menschenfrau anderswohin führen, als zu dem Baume."

Die Katze antwortete: „Wie kannst du sagen, daß ich sie dahin führe? Sie trägt mich doch dahin!" — „Du könntest ihr aber sagen, daß sie an anderen Stellen des Gartens wandle." Die Katze antwortete: „Es ist mir doch gleich, wohin sie wandelt; wozu soll ich ihr denn eine Rede halten, die sie bewegen könnte, mich von ihrem Schoße abzuschütteln und nicht mehr zu liebkosen?"

Das Hündchen merkte, daß das Kätzchen von diesen Worten etwas seiner Gebieterin hinterbracht haben mußte, denn sie gab ihm gar kein freundliches Wort mehr und sah von ihm zur Seite. Aber das Hündchen ließ deshalb nicht ab, sondern stürmte ihr nach und sprang an ihr hinauf mit der herzlichen Bitte: „Sei gut! sei gut!" Aber sie stieß es mit dem Fuße und sprach: „Kannst du denn gar nicht ein bißchen deine dummen Krallen einziehen, daß sie nicht Spuren hinterlassen auf meiner zarten Haut? Da sieh das Kätzchen an, wie das es macht." Das Kätzchen aber hatte die Augen zu einem ganz winzigen Spalt zusam= mengezogen, wand sich in Evas Armen und stemmte die Samtpfötchen weich gegen ihren Busen. Und Adam gefiel dies und er trat hinzu und liebkoste es.

Da wurde das Hündchen traurig und ging von dem Menschenpaar davon. Aber seine Wachsamkeit wollte es nicht aufgeben und legte sich unter den verbotenen Baum. Das war aber der Schlange, die darinnen nistete, gar nicht recht, und sie dachte, es durch ihr Zischen zu vertreiben; und als das Hündchen darauf zu ihr hinaufschalt, da träufelte sie Gift aus ihrem Munde hinab, und es fiel in seine Augen. Im Paradies freilich konnte keinem Tier etwas ganz Schlimmes geschehen, und das Hündchen wurde nicht blind, wie es die böse Schlange gewollt hätte; nur hatte seine Sehkraft ein wenig Schaden gelitten, und es sah nicht

mehr so scharf wie ehedem, und das ist seither allen Hunden
geblieben. Und damit hatte die Schlange doch ihr Ziel er=
reicht; denn als das Menschenpaar zum Baum trat und
Adam nur auf Evas Wunsch und Überredung hörte, und
5 die Schlange ihre süßen Worte dreinmengte, da verhallte
die inständige Warnung des Hündchens ganz, soviel es
auch an Adam hinaufsprang und ihn zerrte, und es sah
nicht, daß Eva ihm den Apfel reichte, sonst hätte es vielleicht
gar gebissen.

10 Als aber nun die Sünde geschehen war, da wurde es so
eigen dumpf und dämmerig in der Luft; und wie sich das
Menschenpaar in die Sträuche verbarg, da wich auch das
Hündchen von ihnen und verkroch sich; denn es witterte
den Tod. Dann blitzte und donnerte es, und die Stimme
15 des Herrn erscholl, und alle Tiere hörten sie und zogen sich
ob dem Urteilsspruch tief zurück in den Garten. Und
hierbei sah das Hündchen, wie das Kätzchen in weitem Bogen
von dem Sünderpaar, das gebeugt den seligen Garten
verließ, davonsprang. Da wurde das Hündchen böse, und
20 zugleich war sein Herz voll des Mitleids mit den Vertriebenen,
und es folgte ihren Spuren. Da stand aber der strenge
Engel am Eingang.

„Du willst fortgehen, aus dem Paradies?" fragte er
das Hündchen.

25 „Ich will bei dem Menschen sein," erwiderte es, „er hat
mir Gutes getan."

Der Engel sagte streng: „Du bedenke wohl, daß es
seinetwegen geschah, wenn deine Augen geschwächt sind: es
ist mühevoll, um den Menschen zu sein."

30 Das Hündchen antwortete: „Ich habe früher das gute
Aufwallen seines Herzens gespürt, und ich will ihn nicht
verlassen."

Der Engel sah ihn milde an und sprach: „Da du so Geringes fühlst, so soll dir die Gabe bleiben und die Schwäche deiner Augen ersetzen. Aber weißt du auch, ob der Mensch dieses guten Aufwallens auch fernerhin noch fähig sein wird? Wenn Sorgen sein Herz verhärten, wird er nicht aufrecht 5 bleiben, wird böse sein wie kein Tier und wird dich miß= handeln."

„Nicht, wenn ich ihn tröste und ihm sage, daß ich ihn lieb habe," versicherte das Hündchen.

„Er versteht deine Sprache nicht mehr," sagte der Engel. 10

Da seufzte das Hündchen. Aber dann sprach es: „Es wird schon gehn."

Da ließ der Engel es ziehen.

Und Adam hörte hinter sich ein freudiges Gekläff und wandte sich um. Da brach zum erstenmal wieder ein freudi= 15 ger Strahl aus seinem Auge, und er blieb stehen und ließ das Hündchen an sich hinaufspringen und klopfte ihm ganz glücklich das Fell ab. Und er merkte gar nicht, daß er seine Sprache nicht mehr verstand: denn dem Hündchen war ein Ausweg gekommen, es wedelte, und das sagte alles, was 20 nötig war.

Der Rotschimmel

Von Heinrich Hansjakob

Heinrich Hansjakob (1837–1916) is generally recognized to-day as one of the most original authors of village and peasant stories. He was the son of a baker and small innkeeper in Haslach in the Black Forest, and since his father's house was a favorite resort of the peasants and small farmers on market days, young Heinrich early had the opportunity of becoming acquainted with the various types of country folk. It was his mother's cherished wish that he should prepare himself for the priesthood. It was by no means easy, however, for his independent spirit to submit to the dogmas of the Church. Accordingly, he hesitated to take orders and instead taught several years in the Gymnasium at Donaueschingen. In 1869, however, he decided to go as priest to Hagenau, a little village on Lake Constance. „So eine Pfarrerstelle auf dem Lande,“ he writes, „ist eine Goldgrube für das Studium.“ In 1884 he was transferred to Freiburg im Breisgau, where he remained active as spiritual adviser and author until his death in 1916.

Hansjakob is the best representative of the writers of Black Forest village stories. He knew his peasants as only one can know them who has grown up among them, and who, moreover, as country clergyman for fifteen years, has been able to look into the deepest recesses of their souls. He hated modern civilization and like John Ruskin and Thomas Carlyle he regarded it as a steam roller that flattens and levels everything original and characteristic. He believes that it robs the peasants of their religion, peace of mind, naturalness, simplicity of manners and contentment with their lot. Unlike Jeremias Gotthelf, the father of the stories of village life, he does not write to teach and to elevate his peasants, but to reveal to the city people the rich poetry that lies hidden among the simple country folk. In common with his contemporaries, Hermann Löns and Peter Rosegger, he idealizes his peasants, but he is distinctly realistic in the treatment of his

58

themes. He describes real events and depicts characters he knows
or concerning whom he has reliable information.

Technically his stories manifest a decided lack of form. He
digresses too frequently from the main story and intrudes his
opinions on various subjects, yet he never makes his characters
the mouthpieces of his own views. He defends his loose method
of narration by saying that it suits the stories of the common
people: „So erzählt der Mann aus dem Volke, der zwischenhinein
auch von einer anderen Person, die ihm in den Sinn kommt,
berichtet. Muss denn alles erzählt werden, wie es in Büchern
über Grammatik und Rhetorik in Schulen gelehrt wird? Ich will
nichts wissen von der grauen Theorie, sondern gehe überall dem
Leben und der Praxis nach.“ It is life as he sees it, that he depicts.

A popular edition of Hansjakob's works is published in ten
volumes by Adolf Bonz in Stuttgart. Five volumes contain the
Ausgewählte Erzählungen and five the *Reiseerinnerungen*. *Der
Rotschimmel* is taken with permission of the publisher from the
story *Aus dem Leben eines Vielgeprüften* in volume five of the
Ausgewählte Erzählungen.

Man spricht in unseren Tagen so viel von drahtloser
Telegraphie als der neuesten Erfindung, und doch ist sie
so alt wie die Menschheit. Die Gefühle des Hasses und der
Liebe, der Sympathie und der Antipathie sind nichts anderes
als die drahtlose Telegraphie von Herz zu Herz, von Aug   5
zu Aug.

Dieselbe besteht und wirkt seit dem Tage, da ich ihm seine
Decke auf den Rücken gelegt, auch zwischen mir und dem
alten Rotschimmel vor meinem Hause. Auf dem Wege
dieser Telegraphie hat er mich alles aus seinem Leben wissen   10
lassen.

„Das Licht der Welt im wahren Sinne erblickte ich zum
erstenmal an einem schönen Frühlingstage Ende der achtziger
Jahre, als ich, an der Seite meiner Mutter vor Freude
aufhüpfend, in Gottes freie Natur kam.“   15

„Alles grünte und blühte. Die Vöglein sangen in Horst und Wald, die Schwarzwaldberge grüßten von der Ferne herüber ins Hanauerland, und fröhlich und friedlich gingen die Menschen an die Arbeit."

5 „Meine Lust am Leben erwachte ins Ungemessene, da ich, aus finsterem Stalle kommend, die Welt zum erstenmal im Frühling sah. Ich merkte, voll von meinem Jugend= glück, die Mühe und den Schweiß meiner Mutter gar nicht. Sie zog neben mir einen schweren Pflug durch schweres 10 Erdreich. Ich achtete auch nicht auf die Peitschenhiebe, welche ihr von Zeit zu Zeit unser Herr, der Bauer, versetzte, um sie anzutreiben."

„Ich hab' aber gesehen, daß ihr Menschen es auch so macht, wie ich, der ich in meinem Fohlenglück die Not der 15 Mutter nicht beachtete. Eure Kinder spielen auch und sind fröhlich, während die Eltern arbeiten, sorgen, sich grämen und weinen und den Kleinen nichts sagen von ihren Leiden."

„Auch meine Mutter schwieg lange, weil sie mein Jugend= glück nicht stören wollte. Und so hüpfte ich denn neben 20 ihrer harten Arbeit und ihren schmerzenden Peitschenhieben her, sorglos und heiter, wie nur die Jugend sein kann."

„Das Leben kam mir immer schöner vor, je mehr die Erde mit Blumen sich schmückte, je üppiger die Saaten aufgingen und je schneller meine Lebenskräfte anwuchsen. 25 Wie toll sprang ich in jugendlichem Übermut über Stock und Stein, über Gräben und Bäche."

„Ich war zudem der Liebling der ganzen Hanauer Bauern= familie. Alles liebkoste mich: Kinder, Mädchen, Burschen, auch der Bauer und sein Weib. Das letztere hatte stets 30 ein Stück Brot, mit Salz bestreut, für mich parat, wenn ich aus dem Stalle kam."

„Ich weiß nicht, war es Eifersucht oder Wohlwollen

meiner Mutter; aber nachdem sie die Liebkosungen, welche
ich erfuhr, lange genug angesehen, sprach sie in einer hellen
Mondnacht, die von ihrem Silberlicht auch etwas in den
Stall warf, also zu mir: „Kind, traue den Menschen nicht!
Ihre Liebkosungen sind eitel Selbstsucht. Sie hegen und 5
pflegen dich, um später ein schön Stück Geld für dich zu
bekommen, oder um in ihrem harten Dienst dich gut verwenden zu können. Du hast das muntere Kälblein gesehen,
das in unserem Stalle stand. Aus seinen Augen sprachen
Unschuld und Güte, und es hüpfte auch wie du. Was ist 10
aus ihm geworden? Dem Schlächter hat es der Bauer zum
frühen Tode überliefert für schnödes Geld. Du hast die
Wehrufe von Mutter und Kind gehört, als das Kälblein
fortmußte zur Schlachtbank. Und wenn sie dich nicht für
größeren Gewinn leben ließen und wenn Pferdefleisch bei 15
den Menschen so beliebt wäre wie Kalbfleisch, so würdest du
auch schon des gleichen Todes gestorben sein.'"

„Diese Worte gaben mir einige Tage zu denken. Doch
in des jungen Fohlen-Lebens Lust gingen sie bald wieder
unter." 20

„Bald darauf sprach der Bauer im Stalle davon, mich
auf die Fohlenweide zu bringen. Er hatte dies Vorhaben
dem Knecht gegenüber geäußert und meine Mutter hat es
wohl verstanden."

„Als wir wieder allein waren und ich sie fragend anschaute, 25
meinte sie: „Zu meiner Zeit hat man nichts von Fohlen-
weiden gewußt. Da wurde ein junges Pferd ausgebildet
und erzogen neben der Mutter her. Jetzt hat man eigene
Stationen errichtet, wie Schulen, in denen die Fohlen
aufwachsen und sich ausbilden sollen. Diese Ausbildung 30
aber verdirbt sie. Sie meinen dann, gescheiter zu sein als
ihre Eltern und in Herrenställen und bei Stadtkutschern

bessere Stellen zu bekommen, als unsereiner bei den
Bauern.‘ “

„‚Diese machen es aber mit ihren eigenen Kindern ähnlich.
Unser Bauer hat seine Tochter in eine Haushaltungsschule
5 geschickt. Seit ihrer Rückkunft will sie aber keine Kuh mehr
melken, kein Schwein mehr füttern und keine Mistgabel und
keinen Rechen mehr auf die Schulter nehmen.‘ “ —

„Meine Mutter hatte nur zu recht. Ich kam auf die
Fohlenweide, tobte aus und kehrte mit großen Dämpfen
10 von meiner Kraft und Schönheit wieder heim.“

„Es war allerdings meine glücklichste Zeit, weil ich allen
meinen jugendlichen Launen freien Lauf lassen konnte und
mir im Spiel mit Altersgenossen die Tage dahinflogen so
schnell, wie wir Fohlen über die weiche Ebene der Fohlen=
15 weide dahingaloppierten.“

„Aber als ich nach Jahr und Tag heimkam ins Hanauerland, stolz auf meine Ausbildung und meine körperliche
Gewandtheit, da fing das Unglück an.“

„Ich sollte arbeiten und war es nicht gewohnt. Bisher
20 war ich frei umhergesprungen; jetzt ward mir ein harter
Zaum angelegt, und ich mußte diesem folgen. Tat ich
das nicht, so gab es Flüche und Peitschenhiebe in Menge.“

„Und die ordinäre Arbeit, wie meine Mutter sie ver=
richtete — Dung führen, den Pflug ziehen, Garben und
25 Gras heimschleppen — wie war sie mir, dem stolzen Jung=
pferd, verhaßt. Ich hielt mich zu Besserem geboren und
verwünschte den ganzen Bauernstand um der mir verhaßten
Arbeit willen.“

„Ich hatte auf der Fohlenweide die Wagen= und Reitpferde
30 des Fürsten von Fürstenberg gesehen, wenn sie in silber-
plattiertem Geschirr mit leichter Karosse stolz dahinsausten.“

„Solch ein Pferd wollte auch ich werden, darum ward

ich störrig bei jeder gemeinen Bauernarbeit und bekam
unzählige Hiebe."

„Folgsam und gut gelaunt war ich nur, wenn der Bauer
mit mir in leichtem Wägele nach Straßburg hinüberfuhr und
es der Stadt zuging." 5

„Meine Mutter warnte mich vergeblich und sprach oft
also: ‚Sei zufrieden mit deinem Schicksal als Bauernpferd
und wünsche nicht in die Stadt und in Herrendienste zu
kommen. Bei den Bauern ist noch das beste Los für unsereins.
Man hat bei ihnen immer Heu in der Raufe und ist bei dem 10
schönsten und notwendigsten Beruf der Menschheit tätig, bei
der Landwirtschaft. Und ein rechter Bauer hält ein rechtes
Pferd allzeit in Ehren und gibt ihm schließlich in alten Tagen
das Gnadenbrot.‘"

„‚Ein Herrengaul aber dient Leuten, die keinen Dank 15
kennen für ihre Diener. So lange der Gaul schön ist und
springt wie ein Reh, gilt er etwas. Hört aber beides auf,
so wird er verkauft und seinem Schicksal überlassen.‘"

„‚Ein Bauernpferd hat ferner, wenn der Abend kommt,
seine Ruhe bis zum Morgen. Herrenpferde dagegen müssen 20
vor Theatern und Ballhäusern oft bis nach Mitternacht auf
ihre Herrschaften warten in Wind und Wetter, in Regen und
Schnee.‘"

„‚Eine Schwester von mir hatte Herrendienst; sie kam
später krank und elend wieder in unser Dorf und hat mir 25
all das erzählt.‘"

„‚Also glaube mir, folge unserm Bauer und bleib, wo du
bist, sonst geht es dir wie meiner Schwester.‘"

„So und ähnlich sprach die Mutter. Aber Jugend und
Leichtsinn haben keine Ohren für solche Reden. Auch ich 30
hörte nicht, wie viele vor mir und nach mir, und mußte
fühlen."

„Es überkommt mich bei dem Gedanken an jene Mahnun-
gen der Mutter, die ich nicht befolgt habe, solche Reue, daß
ich jetzt nicht mehr weiter erzählen kann."

„Laß mich drum für heute allein mit meinem Schmerz."

5   Der Rotschimmel schwieg und senkte, Tränen in seinen
großen Augen, kummervoll sein Haupt.

Das Gartenmesser

Von Timm Kröger

Walther Rathenau said of Timm Kröger (1844–1918): „Er ist der grösste Epiker unseres Landes. Seine Menschen reden mit dem Herzen und atmen mit der Seele. Wer sie hört, vernimmt Laute, die für das Ohr der Gottheit bestimmt sind."

Timm Kröger, the youngest of a family of ten, was born and reared on a farm near Hademarschen in Holstein. He was destined to be a farmer, but having a deep inclination for study, he took up law instead. After completing the course he practised his profession first in his home town, next in Flensburg, then in Elmshorn, and from 1892 to 1902 in Kiel. He turned to writing late in life. „Die Erlaubnis, Novellen zu schreiben," he wrote once addressing himself, „soll dir nach vollbrachtem Tagewerk als Feiertagslohn werden, wenn du sechzig Jahre alt geworden bist." The fact is, he did not publish *Eine stille Welt*, his first collection of stories, till 1891 when he was already forty-seven years of age. From then on his stories followed in fairly regular succession, although he never became a voluminous writer.

As he was a true son of the Schleswig-Holstein peasantry, his works naturally reflect the life he was best acquainted with from his childhood. He became *Heimatkunstdichter* because of inner necessity. „Ich bin Heimatdichter, weil mir die Sehnsucht nach Jugend und Heimat die stärksten Impulse gibt. Wenn die Sehnsucht in mir erwacht, die zu Dichtungen führt, dann sehe ich immer unseren so herrlich in der Niederung der Wiesen und Moore vorgeschobenen Hof. Die alten Bäume sehe ich . . . die damals vor den Stubenfenstern am Wege standen, ich sehe ihre Wipfel wie mit grossen Augen nach dem verlaufenen Jungen auslugen."

Timm Kröger's world is not a large world and it is not an obtrusive world. He speaks quietly and gently to those who feel and hear and see with him. „Timm Kröger bleibt," says Ottomar

Enking, „der Klassiker der Kleingeschichte und die Sonne seines
Humors strahlt göttlich über Gerechte und Ungerechte." The
majority of his readers will agree with Adam Müller-Guttenbrunn:

> In Deine stille Welt, o Meister,
> Kehr' ich wie oft als dein Leser zurück.
> Du gibst die Poesie der Heimat
> Und lehrst uns lächelnd: Hier wohnt das Glück.

In *Das Gartenmesser* we feel the throb of human interest, but
this little sketch is scarcely typical of Timm Kröger's stories with
their intimate depiction of peasant life. It is reprinted from the
second volume of Timm Kröger's *Novellen* with kind permission
of the publisher, Georg Westermann, Braunschweig.

Er war ein alter Herr. Aus Mißtrauen gegen die eigene
Kraft hatte er sich jung von der Welt zurückgezogen. Seit
vierzig Jahren lebte er von seiner Rente. Einen Teil des
Tages verbrachte er damit, seine Bücher wieder und immer
5 wieder zu lesen, einen anderen Teil, die Bäume und Sträucher
bei seinem Hause zu bewundern. Und im Sommer stieg er
Tag für Tag nach seinem am Fluß belegenen Gärtchen hinab.
Grau war sein Haar ... Er war ein alter, ein feiner Mann,
und beharrlich waren seine Gewohnheiten.

10 Vierzig Jahre wohnte und lebte er so, lebte in seinem
Haus am Wald und arbeitete in seinem Garten. In den
Garten kam keine fremde Hacke, kein fremder Spaten. Vier=
zig Jahre hindurch hatte er jede Nacht in seinem Bett ge=
schlafen und vierzig Jahre nur bei sich zu Mittag gegessen.

15 Was ihm zugehörte, ein Ding, worin er seine Seele
gelegt hatte, das war ein Stück seines Ichs. Das wurde mit
peinlicher Sorgfalt behütet und bewahrt, in erster Linie — sein
Messer. Ein großes Gartenmesser mit einer Klinge wie der
Mond im ersten Viertel. Vierzig Jahre war es dem alten
20 Horn (Horn hieß der Mann) nicht aus der Tasche gekommen.

Eines Tages wollte er einen falschen Sproß entfernen. Er griff in die rechte Tasche: sein Messer war nicht da ... Er fühlte und griff nach allen Taschen — das Gartenmesser fehlte.

Er merkte, daß er blaß wurde ... Das Messer war verloren! Doch hoffte er noch, es wieder zu finden. Aber er konnte sich gar nicht besinnen, wo es anders hätte sein können als in der Tasche, die es nicht barg.

Verstört kam er nach Hause und fing an zu suchen. Er suchte den ganzen Kleiderschrank und alle Taschen durch. Er kehrte alles im Hause auf den Kopf ... alle Schränke, alle Kommoden. Der Inhalt wurde um und um gewendet ... das Messer fand sich nicht.

Er war in Schweiß gebadet. Er setzte sich in seinen Sessel, er fühlte sich nicht wohl. Aber da war nicht Zeit zu rasten. Wieder nahm er Hut und Stock und ging nach dem Garten. Er kroch in alle Gebüsche, er suchte jedes Beet ab. Und kein Messer! Da griff er an seine Stirn: nun war sein Verstand in Gefahr.

Sein Verstand und seine Gesundheit waren in Gefahr, das fühlte er. Er hatte schlaflose Nächte, er verlor den Appetit, er magerte ab, dachte immer an das Messer. Mit dem Messer war ein Stück von ihm verloren, wenigstens verlegt ... er wußte nicht, wohin.

Es fiel ihm schwer, das, was wirklich war, und was er sich einbildete, zu unterscheiden. Er fühlte sich in einer fürchter= lichen Lage, als ob er schwebe. Wenn er fest auftrat, wich die Erde. Aber so viel Besinnung hatte er noch, einzusehen, daß er krank sei und den Arzt brauche.

Der Doktor kam. Das war ein richtiger Doktor. Der wußte den Kranken zu behandeln, ihn zu überzeugen, daß er auf fester Erde stehe und nicht schwebe, daß sein Verstand

und sein Herz und seine Seele mit dem in Verlust geratenen
Messer nichts zu tun hätten, daß er Hans Horn sei und sein
Herz ein muskulöses Organ und kein Messer, seine Seele
ein Ding mit dem Gehirn als Apparat, ein Gartenmesser
5 aber ein von Menschenhand gemachtes Werkzeug aus Eisen
und Stahl mit einer Hornschale. Der Kranke fing an
einzusehen, daß seine Anhänglichkeit an ihm gehörige Dinge
zu weit gehe. Als nun der Doktor gar beim zweiten Besuch
ein neues Gartenmesser, dem alten ähnlich, aus der Stadt
10 mitbrachte, da hatte er gewonnenes Spiel.

Wie lachte der alte Horn, als er das neue in seine Tasche
steckte! Es war ihm eine ungeheure Beruhigung, wenn er
ging oder stand und das Ding am Oberschenkel fühlte.

Er verzichtete innerlich auf das alte Messer, er fand sich
15 in den Verlust. Das heißt: so rasch und so leicht ging das
nicht, ein Jahr etwa mußte vergehen. Da war er aber
auch vollständig fertig, da war die Sache abgetan. Und
stolz fühlte er sich, der alte Horn. Wie ein Held kam er sich
vor, wie ein Überwinder, wie ein Sieger.

20 Es war wieder Frühling geworden. Hans Horn hatte
seine Gemüsebeete umgegraben, die frische Erde dampfte und
duftete. Nun zog er die eiserne Harke. Und sie ging leicht
durch die gelockerte Erde. Auf einmal ...

Es wollte Abend werden, und der alte Mann sah nicht
25 mehr genau. Aber er merkte es in der Hand, daß die Harke
schwerer ging, daß sie Widerstand fand. Und so viel sah
er auch: die Erde wühlte vor einem länglichen Etwas auf.

Er mußte innehalten, er mußte nach seinem Herzen
tasten, eine Ahnung stieg in ihm auf. Mit zitternder Hand
30 zog er die Harke an sich. Das Etwas hatte sich zwischen die
Zinken gesetzt ... Er hob sie in die Höhe, seine Augen
bohrten. Nun mußte sich's zeigen.

Dem alten Herrn fiel das Blut. Er fühlte, daß er im Gesicht ganz weiß wurde. Aber kalt und ruhig war er. So ruhig! Er konnte alles genau untersuchen, als wäre es die allergewöhnlichste Sache, ein verlorenes Gartenmesser, ein Stück eigenen Wesens wiederzufinden. Denn nun wußte 5 er, daß es doch ein Stück von ihm gewesen war.

Es war wirklich sein Messer; er wunderte sich gar nicht mehr, er war nur noch Andacht. Es war sein altes (ach wie alt!) sein altes, sein liebes Messer, die Klinge wie der Mond im ersten Viertel. 10

Gesammelt und andachtsvoll stand der alte Horn. Noch steckte das Messer in der Harke. Die Mütze nahm er ab und faltete über dem Harkenstiel fromm die Hände. So fromm, so gottesfürchtig war er noch niemals gewesen.

Was in den nächsten Minuten geschehen ist: der alte Mann 15 weiß es nicht mehr. Als er sich wiederfand, stand er noch immer im Erbsenbeet, die Mütze lag am Boden, die Harke in seiner Hand. Und das Messer, das wiedergefundene, ruhte in seiner Tasche, neben dem neuen.

Er vergewisserte sich noch einmal, es steckte wirklich in 20 seiner Tasche. Und Freude trieb ihm das Blut durch die Adern. Er stand ... er weinte ... er weinte vor Rührung.

Der bunte Vogel

Von Otto Erich Hartleben

German literature sustained a great loss when Otto Erich Hartleben died in 1905 before reaching his forty-first birthday. And yet perhaps none of his works is of sufficient merit to pass the borders of Germany. Even his greatest success, the military tragedy *Rosenmontag* (1900), when it was played in New York, appealed only to the German intellectuals. It is the man himself, his temperament, that interests us more than the work he has done.

Hartleben was an excellent conversationalist and it would not be easy to find his equal as an anecdotist. His short stories — he has written no novels — are full of poignant little scenes. He had a most charming manner of telling a story and his whole aim was to entertain and to please. He was an iconoclast by nature and all rigid conventions of the official and professional classes moved him to satire. The inconsistencies and hypocrisy of the conventional conceptions of honor and morality left him skeptical with regard to the whole subject of social morality. He saw life as a "clean and radiant thing which was being distorted and defiled through moral conventions that were deeply rooted in the lust of power and the greed of gold."

The conventional conception of honor he ridiculed and satirized in several of his plays, but especially in *Rosenmontag*. Here the author depicts the traditional notion of honor as it survived in Prussian military circles. An officer loves a girl whom he cannot marry because according to the prevalent military conception it would reflect dishonor on his regiment if he allied himself with the daughter of a simple burgher. After he is transferred to a distant garrison, his fellow officers succeed in convincing him that the girl has been false to him, and in making her believe that he is about to marry another. After much pressure he agrees to betroth himself to a wealthy woman whom he does not love. Accidentally,

he discovers he has been tricked by his friends. He now throws
all honor to the winds and after a brief period of dissipation, he
takes the life of the girl he loves and then his own.

It is true that a real hero would have defied military conventions
in the first place and married the girl instead of committing suicide.
The solution is thus not convincing and, technically considered,
Rosenmontag is the poorest of Hartleben's plays. But it is a terrific
indictment of absurd codes of honor. It was the author's greatest
success, was produced on every stage in Germany, and has retained
its power to this day. Among his other better known dramas are
the comedies *Angela* (1891), *Hanna Jagert* (1893), *Die Erziehung
zur Ehe* (1893), *Die sittliche Forderung* (1897), *Die Befreiten* (1898),
Ein wahrhaft guter Mensch (1899).

But in none of his plays does he exhibit such genuine feeling
as in his stories. It is in the *Geschichte vom abgerissenen Knopf*
(1893), *Wie der Kleine zum Teufel wurde* (1893), *Vom Gastfreien
Pastor* (1895), *Von römischen Malern* (1898) that Hartleben did
perhaps his most characteristic work. With bantering satire he
ridicules everything that savors of pedantry and philistinism, but
his satire is kept within bounds; it never becomes gross. The
stories are all written in a merry tone, but in the background there
lurks a melancholy and seriousness, a searching spirit which does
not find what it needs most — a firm and clear philosophy of life.

Hartleben's selected works are published in three volumes by
S. Fischer in Berlin. The little satire *Der bunte Vogel* is taken by
permission of the publisher from volume II of the *Ausgewählte
Werke*.

Das letzte Haus auf der Landspitze, das schon ganz in der
Nähe des Leuchtturms lag, bewohnte ein alter graubärtiger
Seemann, der von den andern Seeleuten der Gegend nicht
anders als der Weise benannt wurde.

Er hatte sein ganzes Leben stets so klug eingerichtet, daß   5
er jetzt, wo er bereits ein schönes Alter erreicht hatte, eines=
teils doch noch ein rüstiger und gesunder Mann war und
andernteils auch ein gutes Stück Geld als Erspartes hinter

sich liegen hatte. So konnte er sich seines Alters ruhig er=
freuen.

Weib und Kind hatte er nie gehabt; seine liebste Beschäfti=
gung und sein eigentliches Glück war immer das Denken
5 gewesen. Er sagte sich: „Entweder ist ein Weib meinem
Denken förderlich, dann ist es unnötig, sie zu ehelichen, denn
was ich von ihr gewinnen will, vermag ich auch so mühelos
aus ihrem Gespräche zu ziehen — oder aber sie ist meinem
Denken nicht förderlich, dann hieße es eine Torheit, sie zum
10 Weibe zu nehmen, denn sie möchte mich leicht von meinen
Gedanken abbringen und mir mein Glück zerstören."

Sein Glück war es aber, an schönen Tagen, wenn das
Meer ruhte, sein Boot zu besteigen und langsam hinauszu=
fahren, ganz allein mit seinen klugen und geliebten Gedanken.
15 Er führte weder Waren an die nächste Küste, noch warf er
das Netz nach Fischen aus; er saß still am Steuer und dachte
in einem fort.

Da geschah es eines Tages, als die Sonne schon tiefer
am Himmel stand und ihre Lichter auf den Wellen lagen,
20 wie Goldflitter auf einem dunklen Maskenkleide, daß sich ein
großer, doch zierlicher Vogel, etwa von der Gestalt eines
Reihers, vorn auf das Schiff des weisen Seemanns nieder=
setzte. Dieser bemerkte zuerst den Schatten, den der Vogel
vor ihm auf den Boden des Schiffes warf, und sah dann auf.
25 Nach einem langen Nachsinnen, während dessen er den
Vogel unverwandt betrachtete, sagte der Seemann: „Du
scheinst mir ein Vogel zu sein, denn du hast zwei Beine und
zwei Flügel und bist am ganzen Körper mit Federn bedeckt."

Der Vogel erwiderte: „Deine Gedanken haben dich zu
30 einer richtigen Erkenntnis geführt, ich bin allerdings ein
Vogel und bitte dich, mich gastlich auf deinem Schiffe
aufzunehmen."

Der Seemann wunderte sich, daß der Vogel reden konnte und sprach: „Gern begrüß' ich dich als meinen Gast. Ich habe bisher noch keine Gelegenheit gehabt, einen Vogel reden zu hören und vermute daher, daß ein Gespräch mit dir meinem Denken wohl förderlich sein möge. Nur mache ich dich darauf aufmerksam, daß du als ein Gast meines Schiffes dich auch der Ordnung wirst fügen müssen, die auf ihm herrscht und die ich als ein Ergebnis meines vielfältigsten, Jahre, lange Jahre währenden Nachdenkens hochhalten muß."

Der Vogel nickte mit dem Kopfe: „Sprich nur," sagte er, „was gehört zu dieser Ordnung?"

„Zu ihr gehört, daß man sich nicht auf ein Bein stelle, wie du das tust, denn wollte ich ein Gleiches versuchen, so würde ich alsbald in dem schwankenden Boote umfallen oder wohl gar über Bord in das Meer hinausstürzen. Da ich es aber nicht kann, sollst auch du es nicht tun: denn es sieht wie eine Überhebung aus."

Der Vogel streckte geduldig das zweite Bein hervor und setzte es auf den Schiffsrand: „Weshalb soll ich nicht auch einmal auf zwei Beinen stehn?"

Nachdem der Seemann den Vogel wieder eine Zeitlang betrachtet und beobachtet hatte, sagte er: „Du hast zwar einen weißen Bauch wie viele andere Vögel und wie ihn von Natur auch die Menschen meistens besitzen, aber was ich sonderbar finde und keineswegs begreifen kann, ist, daß du auf dem Rücken ganz bunt, grün, rot und golden gefiedert bist, so daß die Sonne sich ordentlich zu freuen scheint, wenn sie auf deinen Flügeldecken blinkt und schillert und einen gelben Saum um deine Gestalt zieht. Die Menschen, die doch das klügste Geschlecht auf der Erde sind, pflegen sich mit einem schwarzen oder grauen oder braunen oder sonst einem schwach gefärbten Rocke zu bekleiden und die Vögel sind im allge=

meinen wenigstens so gescheit, es den Menschen nachzutun.
Wenn du nun dahingegen in einem so fremdartig bunten
und auffallend scheckigen Aufzuge daherkommst, so scheinst
du mir damit wider die gemeine Bescheidenheit aller Kreatur
5 gröblich zu verstoßen, und mich dünkt, du tätest besser, wenn
du solcherlei törichten und hochmütigen Firlefanz von dir
legtest. Bedenke wohl, daß selbst der Vogel Strauß, mit
dessen Federn doch ein so großer und schwunghafter Handel
betrieben wird, nur in zwei oder drei höchst einfachen Farben
10 umherläuft. Bedenke auch ferner, ob es wohl klug und
besonnen sei, also durch sein Äußeres vor den anderen hervor=
zustechen und bald den Neid, bald den Spott, immer aber
eine besondere Aufmerksamkeit auf sich zu lenken!"

　　　Der Vogel riß den langen, spitzen Schnabel weit auf —
15 aber ohne ein Wort zu sagen, klappte er ihn wieder zu. Seine
kleinen, grauen Augen leuchteten wie vor innerem Vergnügen,
er legte den Kopf etwas auf die Seite und blinzelte den alten
Seemann freundlich an.

　　　Dieser fuhr fort: „Und ganz besonders verdreht erscheinen
20 mir nun noch diese beiden langen, dünnen, gewundenen
Federn, die auf deinem Kopfe hin und her schwanken, als
wollten sie alles, was fest steht, verhöhnen! Diese wirst du
dir jetzt zu allererst einmal schleunigst abschneiden lassen."

　　　„Meinst du?" fragte der Vogel. „Und was müßte ich
25 dann wohl tun?"

　　　„Das will ich dir sagen. Ich habe hier einen guten und
nützlichen Teer, mit dem ich die Bretter meines Schiffes
überziehe, damit sie nicht faulen. Mit dem will ich deine
Flügel bestreichen und so ihre leuchtenden Farben auslöschen.
30 Du hast dann die Farbe des Raben — so magst du mir dann
als Gast auf meinem Schiffe bleiben, denn noch manches
hätte ich mit dir zu bereden."

Da sprach der Vogel: „Habe Dank für deinen guten
Willen und klugen Rat! Ich bin ein höflicher und friedsamer
Vogel und würde mich gewiß gern der Ordnung fügen, die
hier auf deinem Schiffe und in deinem nachdenksamen Kopfe
herrscht — wenn ich es nötig hätte und darauf angewiesen   5
wäre. Doch bedarf ich deiner Gastfreundschaft länger nicht
mehr. Schon, dieweil wir uns so klug miteinander be=
sprachen — hab' ich genug gerastet und zu neuem Fluge
sind meine Kräfte gesammelt. Leb' wohl!"

Und mit einem übermütigen Krählaut dehnte der bunte   10
Vogel seine langen, schimmernden Flügel aus, schwang sich
auf und flog in den blauen Abendhimmel hinaus.

Der Seemann war ganz verdutzt. Er wollte dem Vogel
nachschauen, aber er vermochte es nicht: die Sonne blendete
seine Augen.   15

Da legte er den Finger an seine Nase und nachdem er
heftig nachgedacht hatte, sprach er zu sich: „Merkwürdig, wie
leichtfertig diese Vögel sind. — Ich denke mir aber: es
wird das davon kommen, daß sie fliegen können."

Der Guckkasten

Von Georg Hermann

When Georg Hermann (1871–) published his *Jettchen Gebert* in 1906 and its sequel *Henriette Jacoby* in 1908, he became one of the most popular novelists of modern Germany. This novel in two parts was conceived and carried out on such a high level of excellence that it ranks with Thomas Mann's *Die Buddenbrooks* among the best family novels in German literature. "It affords not only an unequalled picture of the Berlin of the thirties but unfolds a touching and powerful story of inter-racial relationship, Jew and Gentile, the equal of which it would not be easy to name."

Slowly and leisurely the author depicts two generations of Jews with different aims and aspirations grouped around the heroine, Jettchen Gebert. The place of the action is Berlin, its time 1839 and 1840. On the one hand, there is the old Germanized patrician family of Gebert with its highly cultured background, love of art and the finer things in life; on the other, the less cultured, ungermanized, more materialistic Jacobys from the eastern Polish provinces. The changes that the city of Berlin underwent as a result of the growth of industrialism are paralleled within the small circle of these Jewish Buddenbrooks. Step by step the old cultured and idealistic generation has to yield to the proponents of the rising industrial materialism, and the lovely Jettchen Gebert is a victim in the struggle between the two generations. She loves the Christian, Friedrich Kössling, but cannot resist the racial and family traditions so strongly rooted in the Jewish people. Accordingly, she is forced to marry Julius Jacoby because he is well-to-do and has a prosperous business, whereas Kössling has nothing but his title of Doctor of Philosophy and his poetic inclinations. Immediately following the wedding ceremony she runs away, throws herself into the arms of her lover and soon after kills herself.

Since the appearance of *Jettchen Gebert* Hermann has written *Kubinke* (1910), *Die Nacht des Doktor Herzfeld* (1912), *Heinrich Schön* (1915), *Schnee* (1920) and other novels all of a high merit, but in none has he quite attained the standard of excellence which he set for himself in *Jettchen Gebert*. He has also written several volumes of fine and interesting stories, sketches, and four dramas. But he is best known as a novelist. All his works are characterized by a simplicity that appeals directly to the heart. He is above all the novelist of Berlin, his native city, to which he is devoted with his whole soul. ,,Seit Fontane sind Berlin und die Berliner nie wieder so lebenswahr eingefangen worden. Hermann ist grade darum der würdige Nachfolger des Meisters [Fontanes], dass er ganz er selbst, dass er ehrlich und echt ist. Einer der wichtigsten und stärksten deutschen Künstler unserer Zeit."

Hermann's *Gesammelte Werke* are available in an excellent and inexpensive edition of five volumes, published by Die Deutsche Verlags-Anstalt in Stuttgart. *Der Guckkasten* is taken with permission of the publishers from volume V of the *Gesammelte Werke*.

Ich weiß es noch, als ob es gestern gewesen wäre, trotzdem es jetzt nun schon eine gute Weile her ist. Acht Tage lang hatte man nur von ihm gesprochen, und endlich kam er auch — der Onkel aus Fürstenberg. Ein ganz echter Onkel, wie Onkel Paul, war er ja nun nicht, sondern eigentlich nur 5 so ein angeheirateter Schwager von Mutters Schwester. Ich sah heimlich aus dem Fenster; Onkel stieg aus dem Wagen und zankte sich mit dem Kutscher über den Fahrpreis, während Anna seinen Koffer herauftrug.

Gott, was war das für ein merkwürdiger Onkel! Klein 10 und rund, wie mein Gummiball, sah er aus. Und sein Gesicht nun erst; es glänzte ja, wie unsere Messingkessel!!

Endlich fuhr der Kutscher schimpfend fort und Onkel kam herauf und sagte Mutter „guten Tag" und Vater „guten Morgen," mich nahm er auf den Arm und tanzte 15 mit mir im Zimmer herum, daß sich alles — die Möbel,

die Fenster, die Gardinen, Papa und Mama — nur so im
Kreise drehten und ich hinfiel — der Länge nach — sowie
ich wieder Boden unter den Füßen spürte.

Drinnen hatte Mutter schon decken lassen. Nein — wie-
5 viel Onkel essen konnte! So etwas hatte ich noch nicht
gesehen, und Mutter, anstatt ihm kurzweg zu sagen, daß er
nun endlich genug haben könnte, tat ihm immer wieder und
wieder von dem guten, dampfenden Gänsebraten auf. Aber,
als ich noch etwas nachhaben wollte, da hieß es ganz einfach,
10 ich sollte mich zufrieden geben.

Am Nachmittage spielte ich gerade unter dem Eßtische
mit Murmeln, als Onkel zu Mutter sagt:

„Bäschen," — so nennt sie auch Onkel Paul immer —
„zieh' mir den Jungen fein an, ich will mit ihm ins Opern-
15 haus gehen."

Dann kriecht Onkel zu mir unter den Tisch, greift mich
mit beiden Händen um den Leib und schüttelt mich ordentlich.

„Bist du schon mal im Opernhause gewesen, Junge?
Na, du wirst ja staunen, so etwas Schönes kannst du dir
20 gar nicht vorstellen. Denke nur, eine richtige Königin tritt
da auf — mit einer goldenen Krone und ein Ritter mit einer
Rüstung aus lauter Kuchenbretzeln. Da gehen wir — wir
beide jetzt hin."

Und wirklich, Anna zieht mir den blauen Samtanzug
25 mit den Ankerknöpfen an. Die Matrosenmütze muß ich
aufsetzen, und sogar die Schuhe werden mir noch einmal
geputzt. Und Mama nickt uns aus dem Fenster nach.

Wie ich mich aber freue, ich hüpfe, nur so neben Onkel
her. Onkel geht ganz langsam, setzt die Füße nach aus-
30 wärts und pustet bei jedem Schritt. Was das aber
heute für eine weiche Luft ist, und der Himmel: ganz
hellblau sieht er aus. Die Linden haben wohl gestern erst

ihre Blätter entfaltet; fast so hübsch sind sie, wie die, welche
mir Mutter immer aus grünem Seidenpapier ausschneidet.
Um die Domkuppel jagen sich schreiende Schwalben. Alle
Leute schlenkern vergnügt mit den Armen, und so viel
pfeifenden Laufburschen bin ich auch noch nie begegnet.   5

„Höre mal, mein Söhnchen," beginnt Onkel kleinlaut,
„eigentlich hast du ja noch kein Verständnis für die Oper.
Es ist ja sehr nett da, aber sie singen alles. Ich will dir
einen besseren Vorschlag machen, mein Junge, wir gehen
zusammen ins Schauspielhaus, da ist es noch viel schöner, da   10
kommen zwanzig Soldaten auf die Bühne, richtige, lebendige
Soldaten."

„Ach ja, Onkel, ins Schauspielhaus!" stimmte ich mit
Freuden zu. — Ich bin von jeher mit allem zufrieden
gewesen.   15

An der nächsten Ecke bleibt Onkel stehen.

„Weißt du ‚König Lear,' das ist ja eigentlich noch gar
nichts für dich; dafür bist du noch viel zu klein. Und sieh
mal, morgen hast du alles wieder vergessen — — — aber,
Georg, ich will dir eine wirkliche Freude machen, von der   20
du was hast. Wir beide kaufen uns jetzt beim Konditor
Weise einen Marzipanpapagei."

„Einen Marzipanpapagei!" Ich schreie vor Vergnügen.

Wie oft habe ich schon die Tiere im Schaufenster baumeln
sehen, mit ihren schwarzen Augen und ihren blauen und   25
roten Schwanzfedern. Und wenn nun gar Frau Weise
die Ringe angestoßen hatte, daß sie alle durcheinanderwippten,
das war erst eine Pracht. — Es gab kleine und große.
Natürlich würde er einen großen kaufen.

Seelenvergnügt hüpfe ich neben Onkel her.   30

Plötzlich bleibt er wieder stehen, legt mir beide Hände auf
die Schultern und sieht mir in die Augen.

„Sage mal! Sage mal! Hast du denn eigentlich schon bei Kranzler Eis gegessen? — Nein? Dann gehen wir zu Kranzler. Vanilleeis ist ja das Feinste vom Feinen, das schmeckt tausendmal besser wie das beste Marzipan; aber du darfst es nicht kauen und mußt nur ganz kleine Stückchen nehmen und die dann ganz langsam auf der Zunge zergehen lassen. Das Eis von Kranzler ist ja so berühmt, da läßt sich sogar der Kaiser von China alle Jahr tausend Pfund schicken."

Eis! Eis! Ja, davon hatte ich schon viel gehört — es sollte ja so wunderbar schmecken. — Das war gewiß nur etwas für sehr reiche Leute.

All die Menschen, die heute auf den Beinen sind, so noble Damen mit großen bunten Hüten und die Herren mit Zylindern und in feinen Anzügen: wie glücklich sie alle aussehen; sie wollen gewiß auch zu Kranzler gehen und Eis essen.

Plötzlich hält Onkel an, als ob er sich noch auf etwas sehr Wichtiges besänne.

„Höre mal, mein lieber Junge," er legt mir väterlich die Hand auf den Kopf — „eben fällt mir ein, wir können ja gar nicht zu Kranzler gehen. Eis ist nämlich noch gar nicht gesund für dich. Da erkältest du dir nur den Magen, und deine Mutter, Georg, die macht mir ewige Vorwürfe, wenn du krank würdest. Die Verantwortung darf ich keinesfalls übernehmen."

Ich ziehe ein Gesicht.

„Und dann, Herrgott, daß ich das vergessen konnte. Kinder unter fünfzehn Jahren dürfen ja gar nicht zu Kranzler; das hat vorigen Monat die Polizei verboten! Paß' auf, wenn wir zu Kranzler gehen, kommt der Schutzmann und nimmt dich mit. Und das willst du doch nicht, aber" — er ging mit mir über den Damm — „hast du denn schon

einmal in einen Guckkasten gesehen? — Ach, das ist ja
wunderschön, noch viel, viel schöner, als die ganze Oper und
das ganze Theater — wie das Schneewittchen da im Glassarg
liegt und die böse Stiefmutter sich in dem Spiegel sieht.
Nein, das muß man sehen, das kann man sich so gar nicht 5
vorstellen."

Ja, so ein Guckkasten, das wäre schon etwas!

Drüben steht ein uralter Mann mit einem schneeweißen
Bart, wie der liebe Gott. Er hat nur ein richtiges Bein
und einen Stelzfuß. Vor ihm ist so eine Art schwarzer 10
Leierkasten auf einem Holzstühlchen aufgebaut. Eine Unmenge Kinder umringen ihn in lautloser Erwartung.

Ehrfürchtig machen sie vor Onkel und mir Platz, der
alte Mann nickt mir so recht vergnügt zu und dreht eilfertig
an einer Schraube seines Kastens. 15

„Kann der Kleine mal hier in den Guckkasten sehen?"

„Jawoll! Jawoll!"

„Was kostet es denn?"

„Man eenen Froschen!"

Onkel dreht sich ganz schnell auf den Hacken herum. 20
„Äh! Is mich zu teuer!!"

Die Großmutter

Von Marie von Ebner-Eschenbach

Marie von Ebner-Eschenbach (1830–1916), one of the foremost novelists in the German tongue, was over fifty before she attained her full powers and produced her profoundest studies of life. On her father's side she descended from ancient and aristocratic Bohemian stock and on her mother's side from an old German, Protestant family in Saxony. At eighteen she married her cousin, Freiherr von Ebner-Eschenbach, a brilliant engineer and captain in the Austrian army. Marie's literary bent manifested itself early and was stimulated by the performances at the Burgtheater in Vienna, where the family generally spent the winters. Her ambition to become the Shakespeare of the nineteenth century led her to a long series of dramatic attempts which brought her only bitter disappointments. Gradually, however, she realized that the historical drama was not her field and turned to the depiction of life and types of character with which she had been acquainted from her childhood. But the marked originality of her genius was not revealed until 1884 when her first volume of *Dorf- und Schloss-geschichten* appeared. From then on her novels and stories followed in rapid succession. In 1887 appeared *Das Gemeindekind*, which attracted the attention of the literary world of both Austria and Germany. A tale of village life in her native Moravia, it depicts the struggles of a poor, homeless child, who, in the face of the most adverse conditions, gradually fights his way to a position of independence and respectability. In *Unsühnbar* (1889) she turns to the aristocracy of her native district and describes the terrible remorse of a woman of the nobility, who in an unguarded moment yields to the passion of a former suitor for whom she had a deep love. This novel has been aptly characterized as the German *Anna Karenina*. But her most characteristic work are the numerous short stories which she herself grouped in seven volumes under the title of *Dorf- und Schlossgeschichten*. The Austrian nobility with

82

their Slavo-German dependents in the Moravian villages consti-
tute the world of most of her fiction. With sure tact she depicts
the haughtiness, the foibles and weaknesses of her own class, and
with a feeling heart she portrays the poverty and wretchedness of
the peasants. She is as much at home in castle and peasant hut of
her native Moravia as Peter Rosegger among his peasants of Styria.

Frau Ebner's fame grew as the years went by. Her seventieth
and eightieth birthdays were celebrated throughout the German-
speaking world. As a crowning distinction the University of
Vienna conferred upon her in 1900 the degree of Doctor of Philosophy. She was the first woman thus honored. The patent of
her academic nobility begins: "To Marie von Ebner-Eschenbach,
the incomparable story-teller, the greatest woman-writer in the
German tongue, the first among living writers in Austria, the
wise and charitable judge of life."

Although Frau Ebner may have had no understanding of
socialism in the political sense, she deals with social problems in
her works. Since she judges everything from a moral viewpoint,
her sympathies are naturally with the lower classes. ,,Sie steht,"
writes Albert Soergel, ,,auf Seiten der Machtlosen, Gedrückten,
Armen, Elenden gegen den Adel, den Besitz, die Macht. Den
Menschen in der Magd, im Bauer, im verachteten Sohn des Raub-
mörders hebt sie heraus, die von Mitleid überwältigte, gütige
Frau." She is a singular combination of feminine kindliness and
masculine vigor, and all her works reveal goodness without effemi-
nacy, sympathy without sentimentality. Perhaps as good characterization of her as any are the words she herself once placed in
the mouth of her favorite poet Schiller: ,,Die Welt ist mein Haus,
die Menschheit meine Liebe."

The sketch *Die Tafel der Reichen* is taken from *Altweibersommer*
with the permission of the publishers, Gebrüder Paetel in Berlin;
the story *Die Grossmutter* by permission of the publishers, Cot-
ta'sche Buchhandlung Nachfolger in Stuttgart.

Zum zehntenmal an diesem Vormittage wurde gepocht
an der Tür des Laboratoriums, in dem der Assistent der
pathologischen Anatomie arbeitete.

Ungeduldig über die neue Störung rief er dem eintretenden
Diener zu: „Was wollen Sie denn wieder? Habe ich
Ihnen nicht befohlen, mich in Ruhe zu lassen?"

„Freilich," bestätigte der Diener gleichmütig, „aber es
5 ist ein altes Weib draußen, mit dem Sie sprechen werden."

„Ich werde? — So?" fragte der Doktor, „und warum?"

„Weil sie anders nicht wegzubringen ist," fuhr der Diener
fort, „weil sie sich einmal nicht abweisen läßt."

„Versuchen Sie's doch; seien Sie so gut. Hören Sie?"
10 Die letzten Worte, mit Strenge gesprochen, taten ihre
Wirkung. Der Diener, obwohl achselzuckend, schickte sich
an, das Zimmer zu verlassen, als die Tür von außen plötz=
lich geöffnet wurde.

Auf der Schwelle stand ein hochgewachsenes Weib, dessen
15 kräftige Gestalt das Alter und die Arbeit nur wenig gebeugt
hatten.

„Was untersteht Sie sich?" herrschte der Diener sie an
und suchte sie zu verhindern, näher zu treten. Doch sie,
ohne Notiz von den Schmähungen zu nehmen, in die er
20 nun ausbrach, schob ihn mit einer einzigen Bewegung ihres
Armes zur Seite und ging rasch auf den Doktor zu, der
dem zudringlichen Besuche mit einem zornigen Ausrufe
entgegentrat.

Die Frau blieb stehen und faltete die harten Hände. Ihr
25 Blick richtete sich mit dem Ausdrucke so folternder Seelen=
qual und so inbrünstigen Flehens auf ihn, daß er es nicht
über sich gewann, seine Drohung, sie hinausschaffen zu
lassen, wenn sie nicht augenblicklich ginge, zu wiederholen.
Das Mitleid, in das seine Entrüstung sich verwandelt hatte,
30 wurde durch den halb bittenden, halb gebieterischen Ton nicht
vermindert, in dem die Alte ausrief: „In dieses Haus
werden die Leichen der Verunglückten gebracht, nicht wahr?"

Der Doktor bejahte es.

„So lassen Sie mich hinführen, wo die Toten liegen, gleich, Herr! — gleich!" sagte sie mit keuchendem Atem.

Es war schwer, ihr begreiflich zu machen, das sei unmöglich, sie müsse bis zur Einlaßzeit warten.   5

Dieses Wort brachte sie außer sich.

„Warten?" schrie sie mit schneidender Verzweiflung — „ich kann nicht mehr warten — ich warte seit zwei Tagen . . . Seit zwei Tagen ist er nicht nach Hause gekommen!"

„Wer?" fragte der Assistent, „von wem sprechen Sie?"   10

„Von wem, — mein Gott! von meinem Lukas — von meinem Enkel. Er dient bei einem Flößer an der Donau, — seine Leute wissen nichts von ihm. Er ist vielleicht ertrunken, Herr!"

Sie beugte sich vor, ihre Augen ruhten forschend auf dem 15 Gesichte des Doktors und ihre Finger legten sich wie Eisen- klammern um seinen Arm.

Ihr Jammer erschütterte den jungen Mann, wie gewöhnt er auch an den Anblick menschlicher Leiden war, und wie entschlossen, ihnen mit Gleichmut entgegenzutreten.   20

„Gehen Sie hinab," sprach er zum Diener, „und sobald die Herren fertig sind, melden Sie mir's."

Der Diener entfernte sich, die Frau wollte ihm nachstürzen, mit Mühe gelang es dem Doktor, sie davon abzuhalten. Er wies ihr einen Stuhl an, und mit kurzem Dankeswort ließ 25 sie sich darauf nieder.

Er indes begann von neuem sich mit seinem Mikroskop zu beschäftigen. Allein über das Instrument hinweg wanderte sein Blick, mächtig angezogen, immer wieder zu seinem traurigen Gaste hinüber.   30

Das Weib hielt die Arme über der Brust verschränkt und regte sich nicht. Unverwandt und trotzig starrte sie die Tür an und horchte mit leidenschaftlicher Spannung nach dem Gange hin.

Sie saß da, ein Bild des Schmerzes, der Armut und der Not. Nicht jener Not jedoch, die sich dem Elend unterwirft, nein, der, die mutig mit ihm kämpft, die ihm immer ins Auge blickt und es immer besiegt, die nicht durch das Mitleid mit sich selbst entnervt, nicht von der Sorge um die Zukunft niedergebeugt wird.

Wie es war, so wird es sein, es gibt keinen Wechsel, nur der Tod kann ihn bringen, und den ruft sie nicht herbei. Der tätigen Kraft, der ringenden Stärke graut vor seiner ewigen, ohnmächtigen Ruhe.

Eine peinliche Viertelstunde verging. Der Doktor unterbrach endlich das Schweigen. Er fragte nach der Beschäftigung der Greisin, nach ihren Verhältnissen, er wollte wissen, ob der Enkel, den zu suchen sie hierher gekommen war, ihr einziger sei.

Sie sah ihn verwundert an.

„Hab' ich's denn nicht schon gesagt? — Mein einziger! Ich hab' niemanden als ihn. Mein Mann, Gott sei gelobt! ist tot. Von den Kindern —" setzte sie dumpf und wie zu sich selbst redend hinzu — „hoff' ich, daß sie's sind."

„Wie?" rief der Doktor. „Sie hoffen es?"

„Alle sind ihm nachgeraten, die Söhne Trunkenbolde, die Töchter nichtsnutzig. Natürlich. Der Vater war beides. Mit ihm hielten es die Kinder, nicht mit der Mutter, die Fleiß verlangte und Ehrbarkeit. So ging eins nach dem andern. Die Jüngste ließ mir noch zuvor das Kind. Im Anfang hab' ich ihr deshalb geflucht, dann sie dafür gesegnet. Der Junge wurde, was ich mir nicht hätte träumen lassen — brav; und ich hab' meine Freude an ihm gehabt."

Sie hatte ohne Bitterkeit und ohne Wehmut gesprochen,

so ruhig, als erzähle sie eine fremde Geschichte. Doch lag
etwas in ihrem Tone, das tiefer ergriff, als die Klage
ergreifen kann, eine stille, schlichte Größe. Den jungen,
stolzen Gelehrten, dessen kurze Laufbahn schon so mancher
Triumph bezeichnete, überkam's wie Ehrfurcht vor dem 5
alten, armen, unwissenden Weibe.

Der Diener erschien und machte dem Assistenten eine
kurze Meldung.

Die Greisin schnellte von ihrem Sitze auf.

„Darf ich nun gehen?" fragte sie rasch und hastig und 10
warf einen erwartungsvollen Blick auf den Diener, der
sich anschickte, ihr den Weg zu weisen.

Allein der Doktor hatte sich schon erhoben. „Ich werde
Sie führen," sagte er.

Sie stiegen einige Treppen hinab und standen vor einem 15
gewölbten Gemache, aus dem ihnen ein eigentümlicher, naß=
kalter Hauch entgegendrang.

Vor Aufregung zitternd, drängte sich das Weib voran.

In dem weitläufigen Raume lagen teils bedeckt, teils
unbedeckt, die Leichen der in den letzten vierundzwanzig 20
Stunden Verunglückten. Ohne ein Zeichen von Grauen
oder Scheu ging die Frau von einer zur andern und blickte
teilnahmlos in ihre starren Gesichter. Manchmal murmelte
sie ein Gebet, machte dem und jenem das Zeichen des Kreuzes
auf die Stirn. 25

Plötzlich hielt sie inne in ihrer trostlosen Wanderung.

Sie hatte in einer Ecke des Saales den Körper eines etwa
vierzehnjährigen Knaben entdeckt, auf den stürzte sie mit
herzzerreißendem Aufschrei zu, und vor ihm auf die Kniee
nieder. 30

So blieb sie mit gerungenen, an den Mund gepreßten
Händen, wie versteinert.

Sie berührte die Leiche nicht, keine Träne quoll aus ihren
weitgeöffneten Augen, kein Laut drang aus ihrer Kehle.
Dem Doktor schauderte vor der Gewalt dieses Schmerzes,
dem die Wohltat der Äußerung versagt war.

5 Er näherte sich der Greisin, erfaßte sie beim Arm und ver=
suchte sie aufzurichten.

Bei seiner Berührung zuckte sie zusammen, erhob und
wendete sich.

Wie gejagt eilte sie nach dem Ausgange hin. Dort aber
10 blieb sie stehen und kehrte wieder zu dem entseelten Kinde
zurück.   Noch einmal betrachtete sie es stumm und lange.
Endlich entschloß sie sich zu scheiden, und ihr Begleiter atmete
auf.

Da sah er, daß sich ihr Blick von der Leiche weg und mit
15 großer Spannung auf einige Gegenstände, die an der Wand
hingen, gerichtet hatte.

Es waren die Kleider des Ertrunkenen.

„Den guten Rock,“ sagte die Alte, „den ich ihm erst habe
machen lassen, den geben Sie mir mit. Der Junge braucht
20 ihn nicht mehr und ich kann ihn verkaufen.“

Der Doktor sah sie an.   Die Teilnahme, die ihn eben
erfüllt hatte, wich einer Empfindung des Widerwillens.

„O die Armut,“ dachte er, „die bittere, häßliche Not!“

Ohne ein Wort zu sagen, nahm er den Rock des Knaben
25 und reichte ihn der Großmutter.

Sie streckte beide Hände danach aus, empfing ihn mit
leisem, aufschluchzendem Wimmern und drückte ihn an
ihre Brust.

Sie bedeckte das Kleid des Enkels mit Küssen, sie sprach
30 zu ihm, sie drückte ihr Gesicht in seine Falten.

Ihr Schmerz hatte einen Ausdruck gefunden, sie weinte.

Meine erste Liebe

Von Ludwig Thoma[1]

An den Sonntagen durfte ich immer zu Herrn von Rupp
kommen und bei ihm Mittag essen. Er war ein alter Jagd=
freund von meinem Papa und hatte schon viele Hirsche bei
uns geschossen. Es war sehr schön bei ihm. Er behandelte
mich beinahe wie einen Herrn, und wenn das Essen vorbei 5
war, gab er mir immer eine Zigarre und sagte: „Du kannst
es schon vertragen. Dein Vater hat auch geraucht wie eine
Lokomotive." Da war ich sehr stolz.

Die Frau von Rupp war eine furchtbar noble Dame, und
wenn sie redete, machte sie einen spitzigen Mund, damit es 10
hochdeutsch wurde. Sie ermahnte mich immer, daß ich
nicht Nägel beißen soll und eine gute Aussprache habe. Dann
war noch eine Tochter da. Die war sehr schön. Sie gab
nicht acht auf mich, weil ich erst vierzehn Jahre alt war, und
redete immer von Tanzen und Konzert und einem gottvollen 15
Sänger. Dazwischen erzählte sie, was in der Kriegsschule
passiert war. Das hatte sie von den Fähnrichen gehört, die
immer zu Besuch kamen und mit den Säbeln über die
Stiege rasselten.

Ich dachte oft, wenn ich nur auch schon ein Offizier wäre, 20
weil ich ihr dann vielleicht gefallen hätte, aber so behandelte
sie mich wie einen dummen Buben und lachte immer, wenn
ich eine Zigarre von ihrem Papa rauchte.

Das ärgerte mich oft, und ich unterdrückte meine Liebe

[1] For sketch of the author, see Gretchen Vollbeck.

zu ihr und dachte, wenn ich größer bin und als Offizier nach
einem Kriege heimkomme, würde sie vielleicht froh sein.
Aber dann möchte ich nicht mehr.

Sonst war es aber sehr nett bei Herrn von Rupp, und
5 ich freute mich furchtbar auf jeden Sonntag und auf das
Essen und auf die Zigarre.

Der Herr von Rupp kannte auch unsern Rektor und
sprach öfter mit ihm, daß er mich gern in seiner Familie
habe, und daß ich schon noch ein ordentlicher Jägersmann
10 werde, wie mein Vater. Der Rektor muß mich aber nicht
gelobt haben, denn Herr von Rupp sagte öfter zu mir:
„Was treibst du denn in der Schule, daß die Professoren so
auf dich loshacken? Mach' es nur nicht zu arg." Da ist
auf einmal etwas passiert.

15 Das war so. Immer wenn ich um acht Uhr früh in
die Klasse ging, kam die Tochter von unserem Hausmeister,
weil sie in das Institut mußte.

Sie war sehr hübsch und hatte zwei große Zöpfe mit roten
Bändern daran. Mein Freund Raithel sagte auch immer,
20 daß sie ein feiner Backfisch sei.

Zuerst traute ich mich nicht, sie zu grüßen; aber einmal
traute ich mich doch, und sie wurde ganz rot. Ich merkte
auch, daß sie auf mich wartete, wenn ich später daran war.
Sie blieb vor dem Hause stehen und schaute in den Buchbinder=
25 laden hinein, bis ich kam. Dann lachte sie freundlich, und
ich nahm mir vor, sie anzureden.

Ich brachte es aber nicht fertig vor lauter Herzklopfen;
einmal bin ich ganz nahe an sie hingegangen, aber wie ich
dort war, räusperte ich bloß und grüßte. Ich war ganz
30 heiser geworden und konnte nicht reden.

Der Raithel lachte mich aus und sagte, es sei doch gar
nichts dabei, mit einem Backfisch anzubinden. Er könnte

jeden Tag drei ansprechen, wenn er möchte, aber sie seien
ihm alle zu dumm.

Ich dachte viel darüber nach, und wenn ich von ihr weg
war, meinte ich auch, es sei ganz leicht. Sie war doch bloß
die Tochter von einem Hausmeister, und ich war schon in der 5
fünften Lateinklasse. Aber wenn ich sie sah, war es ganz
merkwürdig und ging nicht. Da kam ich auf eine gute Idee.
Ich schrieb einen Brief an sie, daß ich sie liebte, aber daß
ich fürchte, sie wäre beleidigt, wenn ich sie anspreche und es
ihr gestehe. Und sie sollte ihr Sacktuch in der Hand tragen 10
und an den Mund führen, wenn es ihr recht wäre.

Den Brief steckte ich in meinen "Caesar de bello gallico"
und ich wollte ihn hergeben, wenn ich sie in der Frühe wieder
sah.

Aber das war noch schwerer. 15

Am ersten Tag probierte ich es gar nicht; dann am nächsten
Tag hatte ich den Brief schon in der Hand, aber wie sie kam,
steckte ich ihn schnell in die Tasche.

Raithel sagte mir, ich solle ihn einfach hergeben und fragen,
ob sie ihn verloren habe. Das nahm ich mir fest vor, aber 20
am nächsten Tag war ihre Freundin dabei, und da ging es
wieder nicht.

Ich war ganz unglücklich und steckte den Brief wieder in
meinen Cäsar.

Zur Strafe, weil ich so furchtsam war, gab ich mir das 25
Ehrenwort, daß ich sie jetzt anreden und ihr alles sagen und
noch dazu den Brief geben wolle.

Raithel sagte, ich müsse jetzt, weil ich sonst ein Schuft
wäre. Ich sah es ein und war fest entschlossen.

Auf einmal wurde ich aufgerufen und sollte weiterfahren. 30
Weil ich aber an die Marie gedacht hatte, wußte ich nicht
einmal das Kapitel, wo wir standen, und da kriegte ich

einen brennroten Kopf — Dem Professor fiel das auf, da er immer Verdacht gegen mich hatte, und ging auf mich zu.

Ich blätterte hastig herum und gab meinem Nachbar einen Tritt. „Wo stehen wir?" Der dumme Kerl flüsterte
5 so leise, daß ich es nicht verstehen konnte, und der Professor war schon an meinem Platz. Da fiel auf einmal der Brief aus meinem Cäsar und lag am Boden.

Ich wollte schnell mit dem Fuße darauf treten, aber es ging nicht mehr. Der Professor bückte sich und hob ihn auf.

10 Zuerst sah er mich an und ließ seine Augen so weit heraus= hängen, daß man sie mit einer Schere hätte abschneiden können. Dann sah er den Brief an und nahm ihn langsam heraus. Dabei schaute er mich immer durchbohrender an und man merkte, wie es ihn freute, daß er etwas erwischt
15 hatte.

Er las zuerst laut vor der ganzen Klasse.

„Innig geliebtes Fräulein! Schon oft wollte ich mich Ihnen nahen, aber ich traute mich nicht, weil ich dachte, es könnte Sie beleidigen."

20 Dann kam er an die Stelle vom Sacktuch, und da murmelte er bloß, daß es die andern nicht hören konnten.

Und dann nickte er mit dem Kopfe auf und ab, und dann sagte er ganz langsam:

„Unglücklicher, gehe nach Hause. Du wirst das Weitere
25 hören."

Ich war so zornig, daß ich meine Bücher an die Wand schmeißen wollte, weil ich ein solcher Esel war. Aber ich dachte, daß mir doch nichts geschehen könnte. Es stand nichts Schlechtes in dem Brief; bloß daß ich verliebt war.
30 Das geht doch den Professor nichts an.

Aber es kam ganz dick.

Am nächsten Tag mußte ich gleich zum Rektor. Der hatte

sein großes Buch dabei, wo er alles hineinschrieb, was ich
sagte. Zuerst fragte er mich, an wen der Brief sei. Ich
sagte, er sei an gar niemand. Ich hätte es bloß so geschrieben
aus Spaß. Da sagte er, das sei eine infame Lüge, und ich
wäre nicht bloß schlecht, sondern auch feig.   5

Da wurde ich zornig und sagte, daß in dem Briefe gar
nichts Gemeines darin sei, und es wäre ein braves Mädchen.
Da lachte er, weil ich mich verraten hatte. Und er fragte
immer nach dem Namen. Jetzt war mir alles gleich, und
ich sagte, daß kein anständiger Mann den Namen verrät,   10
und ich täte es niemals. Da schaute er mich recht falsch an
und schlug sein Buch zu. Dann sagte er: „Du bist eine
verdorbene Pflanze in unserem Garten. Wir werden dich
ausreißen. Dein Lügen hilft dir gar nichts; ich weiß recht
wohl, an wen der Brief ist. Hinaus!"   15

Ich mußte in die Klasse zurückgehen, und am Nachmit=
tag war Konferenz. Der Rektor und der Religionslehrer
wollten mich entlassen. Aber die andern halfen mir, und
ich bekam acht Stunden Karzer. Das hätte mir gar nichts
gemacht, wenn nicht das andere gewesen wäre.   20

Ich kriegte einige Tage darauf einen Brief von meiner
Mama. Da lag ein Brief von Herrn von Rupp bei, daß
es ihm leid täte, aber er könne mich nicht mehr einladen,
weil ihm der Rektor mitteilte, daß ich einen dummen Liebes=
brief an seine Tochter geschrieben habe. Er mache sich nichts 25
daraus, aber ich hätte sie doch kompromittiert. Und meine
Mama schrieb, sie wüßte nicht, was noch aus mir wird.

Ich war ganz außer mir über die Schufterei; zuerst
weinte ich, und dann wollte ich den Rektor zur Rede stellen;
aber dann überlegte ich es und ging zu Herrn von Rupp.   30

Das Mädchen sagte, es sei niemand zu Hause, aber das
war nicht wahr, weil ich von draußen die Stimme der Frau

von Rupp gehört habe. Ich kam noch einmal, und da war
Herr von Rupp da. Ich erzählte ihm alles ganz genau, aber
wie ich fertig war, drückte er das linke Auge zu und sagte:
„Es liegt mir ja gar nichts daran, aber meiner Frau." Und
5 dann gab er mir eine Zigarre und sagte, ich solle nun ganz
ruhig heimgehen.

Er hat mir kein Wort geglaubt und hat mich nicht mehr
eingeladen, weil man es nicht für möglich hält, daß ein Rektor
lügt.

10   Man meint immer, der Schüler lügt.

Ich bin lange nicht mehr lustig gewesen. Und einmal bin
ich dem Fräulein von Rupp begegnet. Sie ist mit ein paar
Freundinnen gegangen, und da haben sie sich mit den Ellen=
bogen angestoßen und haben gelacht. Und sie haben sich noch
15 umgedreht und immer wieder gelacht.

Wenn ich auf die Universität komme und Korpsstudent
bin, und wenn sie mit mir tanzen wollen, lasse ich die Schnee=
gänse einfach sitzen.

Das Rotschwänzchen

Von Gustav Schröer

Gustav Schröer (1876–) is a Silesian by birth. At the age of twenty he went as a teacher to Eszbach, a small village in Thuringia where he lived for nearly twenty-five years in seclusion, experiencing the outer and inner struggles that fall to the lot of a lonely teacher's life. It was during these years that Schröer became acquainted with the peasants and their needs, and the thorough insight which he gained into the longings of their souls, as well as the sympathetic understanding of their joys and sorrows, make him the foremost writer of the modern German peasant novel.

Schröer began his literary career comparatively late in life. In 1913, at the age of thirty-seven he published his first novel, *Der Freibauer*. From then on his works followed in rapid succession. In addition to *Der Freibauer* some of his longer works are *Der Heiland vom Binsenhofe*, *Das Wirtshaus zur Kapelle*, *Die Leute aus dem Dreisatale*, *Der Schulz von Wolfenhagen*, *Der Hof im Neid*, *Die Bauern von Siedel*, *Der Schuss auf den Teufel*, *Die Flucht aus dem Alltag*. Besides these he wrote numerous sketches and stories for newspapers and journals, and *Die Flucht von der Murmanbahn*, which is one of the best stories of the late war. The productivity of Schröer during the last twelve years is perhaps unrivalled in literature, and all his works are of a high standard of excellence. „Schröer gehört zu den Naturen, die spät reifen, dann aber mit einer Fülle von Gestalten zu kämpfen haben, dass es ihnen schwer wird, all das unterzubringen, was sie drängt."

Der Heiland vom Binsenhofe is considered his masterpiece. The novel does not deal with religious questions as might be expected from the title, but treats a social problem. Jakob Sindig is the hired man of a rich peasant in an outlying village. This peasant is selfish, greedy, superstitious, unfeeling toward the distress of others, and cruel in his exploitation of the people dependent on him. The wise and warm-hearted Jakob Sindig becomes the champion of the oppressed workers. They greet him with great joy, regard him as their savior and expect him to deliver them from their oppression. But as he is unable to fulfil their hopes, the joy with which he had been greeted changes to persecution and crucifixion. Yet, despite his suffering, his life and personality transfigure his death. „Nur die Liebe macht uns frei. Darum geht unter der Liebe, seid Menschen, nicht Knechte, alle untereinander." This gospel of love, unselfishness, self-sacrifice, and truth forms an essential part of all Schröer's works.

There is also another side of Schröer, his deep love for children, that has endeared him to many readers and gained for him the distinction of having written some of the finest stories of children in modern German literature. Whenever he writes of children, it is with a love and sympathy and understanding that have rarely been equalled. „Wenn die Kinder am Morgen die Augen aufmachen," he tells us in *Des Hauses Sonnenschein*, „dann geht dem Hause die Sonne auf, und wenn sie am Abend die Augen schliessen, dann geht die Sonne unter ... Solange ein Heim zugleich Kinderland ist, solange ist es auch ein Sonnenland ... Ein hartes Wort, dem Kinde ins Gesicht geschleudert, ist Sünde, die nie vergeben werden kann."

Das Rotschwänzchen is taken from the volume *Kinderland* with permission of both the author and the publisher, Philipp Reclam in Leipzig.

Grüngoldenes Sonnenlicht liegt über dem Klassenzimmer und flimmert über den Köpfen der zehnjährigen Mädchen.

Es ist schwer, in Licht und Duft auf die schwarzbefrackten Buchstaben achtzuhaben und sich sagen zu lassen, was die
5 Landstraße an Traurigem zu erzählen weiß, wenn draußen die Freude auf allen Gassen Galopp reitet.

Die Mädchen werfen doch gehorsam nur dann und wann einen sehnsüchtigen Blick in den Sonnentag. Sie zwingen die lustig pochenden Herzen unter das ernste Muß der Arbeit.
10 Klara Neuberg, die Lehrerin, spränge selber viel zu gerne

hinaus aus Staub und Mühsal. Wenn man fünfundzwan=
zig Jahre ist und das Leben jauchzend durch die Adern rollt!
Sie sieht die sehnenden Blicke, aber sie übersieht sie. Es
geht so wunderschön voran, und was man einem Sonnen=
tag opfert, das holt man an Regentagen doppelt wieder ein. 5
Es geht lustig vorwärts. Wenn nur das Sorgenkind nicht
wäre!

Ein hageres Körperchen und ein unordentlicher Wuschel=
kopf. Barfuß, ein einziges Kittelchen auf dem Leib. Im
Gesicht zwei große, schwarze Augen und in den Augen einen 10
herben Trotz. Altkluge Augen, denen die Liebe ein Märchen
ist. Augen, die nur den schmutzigen, liebeleeren Alltag der
verwahrlosten Dachkammer kennen.

Anna Ziegler ist niemals bei der Sache. Es gibt kein
Fach, das sie zu fesseln vermöchte, aber es gibt auch keine 15
Stunde, die nicht einen überraschenden Augenblick brächte.
Auf einmal fliegt ein Funke in die Kindesseele, eine Flamme
zuckt auf. Irgend etwas Unerwartetes geschieht. Eine
ungewöhnlich reife Antwort, ein Widerspruch, eine Frage
aus frühreifem Kindergemüt. 20

Anna Ziegler sieht zum Fenster hinaus. Nicht einen
Augenblick, nein, sie geht den Buchstaben überhaupt nicht
nach.

Die Lehrerin ruft sie. Das Kind sieht ihr trotzig ins Ge=
sicht. Dreimal, viermal. Es steht hinter der Tafel in der 25
Ecke und starrt gegen die Wand.

Das Sorgenkind! Wenn es der jungen Lehrerin nur
nicht so leid täte, wenn sie nur nicht ahnte, daß dennoch
Edelgut in dem Kinde liegt. Alle erlernte Weisheit versagt.
Die Kindesseele sitzt in einem Gefängnis. Wo ist der 30
Schlüssel dazu? —

Lachen und Jagen im Schulhof. Anna Ziegler lehnt

allein an der Mauer.   Sie sucht keine Freundschaft und
bringt keine dar.

Die Lehrerin steht im Kreise der Kollegen.   Da bringt
der jüngste ein Rotschwänzchen, das ein Beinchen brach.

5 „Das ist doch was für Sie, Fräulein Neuberg?"

Sie hat das Tierchen in der Hand, sie nimmt es mit ins
Klassenzimmer, um es hernach heimzutragen und ihre Kunst
an ihm zu versuchen.

Bevor sie aufs neue unterrichtet, zeigt sie das Tierchen
10 ihren Mädchen.

„Seht doch einmal, Kinder, so was Niedliches.   Was
das arme Tierchen vor uns großen Menschen für Angst
haben mag!   Und wir wollen es doch bloß liebhaben.   Ich
will versuchen, ihm das Beinchen zu heilen, und dann lassen
15 wir es fliegen."

Die Schule ist aus, die Kinder gehn.   Anna Ziegler
stockt.

„Nun, Kind?"

„Die andern müssen erst draußen sein."   Dann: „Ich
20 möchte den Vogel gerne mit heimnehmen."

Dabei ein Paar ganz tiefe, dunkle Augen.   Die Lehrerin
stutzt: hat sie den Schlüssel zu dem Gefängnis der Kindes=
seele in der Hand?

„Was willst du denn mit dem Tierchen, Anna?"

25 „Ich werde ihm das Bein einbinden."

Klara Neuberg nimmt das Kind an der Hand.   „Komm'
mit mir, wir wollen das zusammen machen."

Sie treten in die Wohnung der Lehrerin.

Das Kind läßt die Augen rundum gehn und befühlt das
30 blanke Klavier mit scheuen Fingern.

„Es ist fein bei Ihnen, Fräulein."

Anna Ziegler hat geschickte Hände.   Das Beinchen ist

geschient, die Schienen sind mit Heftpflaster umklebt und gewickelt.

„Wollen wir das Tierchen nicht doch lieber hier lassen?" Da ist die Sonne in den Kindesaugen erloschen.

„Nein, Kind, wenn du es liebhaben willst, dann nimm es mit."

Am andern Morgen, ganz heimlich und vertraut: „Fräulein, es hat siebzehn Fliegen gefressen."

„Hast du es denn lieb?"

Anna Ziegler nickt und wird rot. Kein Mensch hat ihr je vom Liebhaben geredet. Sie hat niemand liebhaben dürfen. Liebhaben gehört nicht in eine Dachkammer.

Da wohnt die grausame Nüchternheit. In der ist immer Winter, auch wenn die Dächer glühen. Den Tag lang das Reich eines Kindes, um das keine Seele sorgt, am Abend die Herberge zweier Menschen, die ewig unzufrieden sind, vor denen sich das Kind ins Bett stiehlt, die es niemals vertraute Zwiesprache halten hört, vor denen es sein Geheimnis, seine Liebe, verbirgt. —

„Fräulein, es kann schon ganz gut auftreten. Hüpfen tut es auch schon."

„Wieviel Fliegen hat es denn gestern gebraucht?"

„Dreiundsechzig! Och, was das überhaupt frißt!"

„Du möchtest es wohl gerne behalten?"

„Nee. Im Winter sind keine Fliegen da und . . ." Das Gesichtchen wird grau. Die liebeleere, kalte Dachkammer und ein so herziges, kleines Tierlein!

„Nicht traurig sein, Kind. Die Tierlein m ü s s e n frei sein. Noch drei oder vier Tage, dann lassen wir es fliegen."

„Aber bei Ihnen, Fräulein."

„Ja, bei mir."

In all den Tagen war kein hartes Wort nötig. Das

Kind ging unter dem Segenshauch des Liebhabens. Die
Gefängnistür war aufgesprungen, und siehe, dahinter
glitzerte und gleißte es von lauter hellwacher Freude.

„Das Rotschwänzchen ist geheilt. Heute nachmittag komme
5 ich, Fräulein.“

„Ist es ganz gesund?“

„Ganz, und es frißt mir aus der Hand und fliegt mir
auf den Kopf.“

Die Nachmittagssonne malt lauter feine Ringe auf die
10 Tassen; Klara Neuberg hat Schokolade gekocht. Anna
Ziegler und das Rotschwänzchen sind ihre Gäste. Das
Vöglein fliegt im Zimmer hin und her, es setzt sich auf des
Kindes Scheitel und nimmt ihm Krümchen aus der Hand.
Ganz Sonne ist das Mädchen und, wahrhaftig, sein Kittel-
15 chen ist sauber, und seine Haare sind gestrählt. Es geht
ans Scheiden. Ein feierlicher Augenblick. Die Lehrerin
hat das Fenster weit geöffnet. Das Kind tritt mit vor-
sichtigen Schritten heran, das Vögelchen sitzt ihm auf dem
Scheitel. Husch, das Rotschwänzchen badet sich im Sonnen-
20 licht und fliegt auf den Dachfirst. Ziwitt, hab’ Dank! Da
ist es über die Dächer geflogen.

Ganz still steht das Kind, ganz still und starr, und die
Lehrerin fühlt ihr Herz klopfen. Schlägt die Gefängnistür
wieder zu?

25 Anna Ziegler wischt hastig über die Augen. Als sie
sich wendet, hat sie wieder das abweisende, schmerzhaft-
nüchterne Kindergesicht.

„Nu will ich wieder gehn.“

„Nein, Kind, jetzt plaudern wir erst noch ein wenig.“

30 Klara Neuberg setzt sich und legt den Arm um die schmalen
Schultern des Kindes.

„Du hast das Vögelchen liebgehabt?“

Das Mädchen nickt, und seine Lippen zucken.

„Das Vöglein hast du hingegeben, ich weiß zwei, die dir bleiben, die du auch noch viel lieber haben kannst als das Tierchen. Du hast Vater und Mutter."

Da weint das Kind ungestüm laut auf. Der hagere 5 Körper schüttert. Im lauten Weinen wirft es die Arme um der Lehrerin Hals: „Fräulein, ich möchte dich gerne liebhaben!"

Klara Neuberg küßt die heißen Kinderaugen.

„Kind, du liebes, armes!"   10

Es ist ein Leben vom Erfrieren gerettet.

Die Menſchen und die Sonne

Von Ottomar Enking

Ottomar Enking (1867–) is gaining but slowly the recognition
he deserves as one of the best writers of novels of small-town life
in German literature. He had published several works before attracting the attention of the press and the reading public by his
masterly story, *Familie P. C. Behm.* In this novel Enking reveals
himself as a supreme master in the portrayal of small-town life, a
field in which he is doing his most characteristic work. In the
household of the small merchant, P. C. Behm, the life and activity of a whole town in Schleswig-Holstein is depicted.

Anna Behm, a charming young girl, is in love with a young
physician and together they take excursions into the fields and
the forests. The townspeople are jealous of her happiness and
begin to spread all sorts of gossip concerning her. The physician
decides to visit her in her parents' home, but there he meets with
the petty provincialism and depressing narrowmindedness so
characteristic of the small town. The fear that Anna, too, might
become like her parents and townspeople drives him away and he
never returns. In her sorrow and disappointment she thinks of
becoming a sister of mercy, but while attending religious gatherings
she meets a "pious" hypocrite who gradually steals his way into
her heart and she marries him. He soon ruins her father's small
business by dishonest speculation and runs away leaving her in
shame and distress. Once more she seeks happiness in matrimony
and marries a former student who likewise proves a bitter disappointment to her. His drunkenness drives poor Anna to despair.
Her attempt at suicide by jumping out of the window leaves her
a cripple to the end of her unhappy days.

Around this girl's tragic fate, which stirs us to our inmost
depths, the author has grouped the various types of people of
the provincial town. The book is full of deep pessimism, but it
is full of action and is true to life.

In *Patriarch Mahnke, Momm Lebensknecht, Wie Truges seine Mutter suchte, Kantor Liebe, Matthias Tedebus der Wandersmann,* and other novels the author did not quite achieve the success of *Familie P. C. Behm.* But all his works bear witness to his remarkable genius. A deep humor and quiet sadness runs through them all, a humor that smiles through tears.

„Die kleinen Nichtigkeiten des Alltags," writes Wilhelm Lobesien, „die aber für die Beteiligten so grosse Bedeutung gewinnen, all die Sorgen, Wünsche, Gebrechen und engen Interessen des kleinstädtischen deutschen Philistertums weiss Enking wunderbar deutlich und klar zu schildern und humoristisch herauszuheben, ohne dabei jemals platt und öde zu werden. Er kann es, weil er selber weiss, wo diesen Leuten in Wahrheit das Herz weh tut, weil er weiss, wieviel Gesundes, Starkes und Liebenswertes in ihnen steckt, weil er weiss, wo ihre wunde Stelle ist. Er hat ja viele Jahre mitten unter ihnen gestanden und Freude und Leid mit ihnen geteilt, an ihrem tiefsten Leben teilgenommen."

Die Menschen und die Sonne is reprinted by permission of the author from the volume *Heine Stölting und andere Erzählungen,* published by Philipp Reclam, Leipzig.

Was ich euch jetzt erzählen will, geschah alles in einem fernen, fernen Lande. In diesem Lande wurde es eines Morgens nicht hell, sondern es blieb dunkel, ganz dunkel, ganz düsterdunkel. Erst sagten die Menschen, als sie aufgewacht waren: „Nun? Will es denn heute gar nicht Tag werden? Und wir sind doch schon im März!" — Nach einer Stunde meinten sie: „Das ist ja sonderbar!" — Und abermals nach einer halben Stunde wurde ihnen ängstlich zu Mute, und sie fragten einander: „Sollte die Sonne nicht aufgehen wollen?" — Und wieder nach einer halben Stunde überkam sie grosse Furcht, und sie sahen einander an und fragten zitternd: „Ob wohl die Sonne vom Himmel verschwunden sein kann?"

Und je länger es düster blieb, desto bänger wurde ihnen

zu Sinne, und endlich schrie einer, der sonst immer tat, als
sei er der Allermutigste: „Weh über uns! Die Sonne ist
nicht mehr da; nun müssen wir alle erfrieren, erfrieren!"

Und alle schrien jetzt gleich ihm: „Die Sonne ist nicht
5 mehr da! Schrecklich! Schrecklich! Erfrieren!"

Die reichen Leute wollten Kohlen und Holz auf Vorrat
kaufen, aber sie waren nicht mehr für Gold feil. Und so
viele Lichter und Flammen auch überall brannten und glühten,
um die Nacht zu verscheuchen: die Menschen in ihrer Angst
10 um die Sonne sahen nicht den Glanz; es war ihnen dunkel,
dunkel vor den Augen ...

Sie stürmten zu den Sternwarten und riefen: „Seht
doch, ihr Sterngucker, seht doch, ob ihr nicht die Sonne ent=
decken könnt!" — Aber die saßen und starrten durch ihre
15 Rohre und erwiderten: „Wir sehen nichts. Wir sehen nur in
schwarze, schwarze, tote Leere. Die Sonne ist verschwunden."
Und heulend und zähneklappernd flehten die Menschen: „O
wenn doch die Sonne schiene, nur ein einziges Mal noch!"

So war im ganzen Lande großer Jammer und großes
20 Wehklagen um die verlorene Sonne. Alle Menschen dachten
an den Tod, der jetzt kam, und Reue rann ihnen mit dem
Blute durch die Adern, und es war ihnen, als wolle ihnen
das Blut davon stocken, so quälte sie das böse Gewissen um
das Gewesene, um das Vergangene.

25 Da eilte der Geliebte zu seiner verlassenen Braut: „O,
wenn es doch wieder hell würde, ich wollte dir ja treu sein,
mein ganzes Leben lang!" — Da warf der reiche Geizhals
seine Geldsäcke von sich: „O, wenn nur wieder die Sonne
schiene, was wollte ich für Gutes tun!" — Da beugte der
30 Träge weinend das Haupt über die Bücher: „Wie wollte
ich beim Tageslicht arbeiten, arbeiten und tüchtig werden!"
— Da flog die Dame der Welt an die Wiege ihres Kind=

chens, das sie kaum kannte: „Ach, wenn die Sonne wieder
strahlte, was wollte ich für eine gute, liebevolle Mutter
sein!" — Da brach der König sein Zepter entzwei: „Mein
armes Land! O, wenn nur die Sonne wieder leuchtete, wie
gerecht wollte ich walten und die Schmeichler und Schranzen 5
verstoßen!" — Da sank der hohlwangige Mönch mit der
brennenden Fackel in der Hand neben dem Scheiterhaufen
auf die Knie: „Ach, Gott, laß die Sonne wieder schimmern,
— wie milde, wie freundlich will ich sein gegen die, welche
anderen Glaubens sind, denn ich bin!" — Da irrte der 10
Ungläubige in der finsteren Kirche umher, tastete sich bis
zum Altar, warf sich nieder und stöhnte: „Licht, Licht, Son=
nenlicht! O, wie fromm, wie gottselig will ich dann wan=
deln!" — Da lallte der Trinker, dessen Antlitz vor Schrecken
weiß war: „Nur wieder Sonnenschein! Wie will ich für 15
meine Lieben sorgen — kein Glas soll mir mehr den Sinn
berauschen!"

So schluchzte und betete und wimmerte es um= und
durcheinander im Elend — alle, alle wollten sie besser,
wollten sie edel, wollten sie herrlich werden: wenn nur wieder 20
die Sonne schien!

Und auf einmal ... auf einmal brauste ein furchtbarer
Sturmwind einher, und die Ufer des Meeres traten über,
und der Schaum und Gischt davon spritzte über die Städte
hinweg, und Schaum und Gischt mischten sich mit dem Regen 25
aus zerbrochenen Wolken und mit großen, großen Hagel=
stücken, und die Menschen stürzten sich voller Verzweiflung
platt auf die Erde hin und wehklagten nicht mehr laut, —
nur ein leises Winseln war noch durch den Wind zu hören.
Sie erwarteten alle mit stockendem Herzen das Ende, das 30
Ende der Dinge und lagen wie in Krämpfen da, und ihre
Glieder flogen vor Zittern.

Der Sturm aber wuchs und wuchs, und das Unwetter
wurde immer grausamer, immer fürchterlicher, Bäume und
Häuser hielten ihm nicht stand — und da — ganz plötzlich —
gab es einen entsetzlichen Orkanstoß und da ... da wurde
es hell ... und Licht drang den fast zu Tode geängsteten
Menschen durch die geschlossenen, auf die Erde gepreßten
Augenlider.

Sie wagten nicht aufzusehen. Sie meinten, es seien
Flammen, was ihnen da schimmerte, Weltuntergangs-
flammen.

Aber es wurde stiller um sie, stiller und heller, und einer
nach dem andern vermaß sich schließlich, seitwärts zu schie-
len, und was sie sahen: das schien kein Feuer, das schien
Tageshelle.

Dann rief einer: „Die Sonne ist wieder da! Seht, seht!
Es waren nur dichte, dichte Wolken, die sie verhüllten, ganz
dichte, dunkle Wolken. Seht! Sie ist wieder da!"

Alle sprangen auf und erhoben die Augen: wahrhaftig!
Durch zerrissene Wolkenränder blickten sie wie durch eine
finstere Schlucht hinauf, und dahinter war es hellblau, da
blitzte schon ein Strahl, ja, da brach das ganze große Gestirn
des Tages hervor und drängte die Wolken weiter auseinander und überströmte die Menschen mit Licht, die Menschen,
die dastanden mit wirren Haaren, zerfetzten Kleidern, blut-
losen Lippen, aufgesperrten Augen, ja, mit Augen, die die
Sonne ganz aussaugen, ganz verschlingen wollten.

„Die Sonne ist wieder da!" Und Jubel und Erlösung
zog in die Herzen ein, und sie umfaßten und küßten einander
und jauchzten und sprangen und tanzten wie rasend herum
und riefen sich gegenseitig immer wieder zu: „Die Sonne ist
da! Die Sonne ist nicht verschwunden! Die Sonne!"

Der aber, der vorhin am allererstem und allerärgsten:

„Weh uns, die Sonne ist nicht mehr da, wir müssen erfrieren!"
geschrien hatte, der faßte sich jetzt auch zuallererst wieder,
stellte sich spöttisch hin und fragte: „Habt ihr denn wirklich
geglaubt, daß die Sonne einfach aus der Welt verschwinden
könne? Ich meinerseits muß sagen, ich habe nie daran 5
gezweifelt, daß es sich hier nur um ein interessantes Wolken=
phänomen handelte. Ja, unangenehm war das Wetter
ja, — aber seid ihr tatsächlich so dumm gewesen, an eine
plötzliche Änderung der Naturgesetze zu glauben?"

Die anderen stutzten und besannen sich und nahmen sich 10
zusammen und fingen an, sich zu schämen, weil sie töricht
gewesen seien, und setzten gleichgültige Mienen auf und
heuchelten einander etwas vor: „Nein, nein, natürlich! Wie
sollten wir denn etwas anderes gedacht und geglaubt haben
als jener? Es konnte ja gar nichts anderes sein als ein 15
Wolkenphänomen . . . ein sehr interessantes . . . Das hatten
wir uns gleich gesagt. Ha, das war eigentlich ein Spaß,
was? Ein Spaß! Da hat sich aber manch einer ins
Bockshorn jagen lassen. Nein, war das komisch!"

Sie lachten und konnten kein Ende im Lachen finden über 20
den ungeheuer großen Spaß, der so viele Leute in Schrecken
gesetzt habe.

Sie gingen nach Hause und brachten wieder in Ordnung,
was Sturm und Wasser ihnen an den Wohnungen zerzaust
und verspült hatten. An das aber, was sie noch vor kurzer 25
Zeit gelobten, dachte keiner mehr oder wollte keiner mehr
denken, denn wer es erfüllte, der kam ja in den lächerlichen
Ruf, an das Verschwinden der Sonne geglaubt zu haben.
Es war ja auch in Wirklichkeit gar keine Gefahr gewesen, aus
der sie sich jetzt gerettet fühlten: und für solche Kleinig= 30
keiten, wie etwas Wind und Regen, konnte man schließlich
nicht sein ganzes Leben ändern.

Verlassen und vergrämt saß die einsame Braut; die
Geldsäcke im stählernen Schranke wurden immer voller
und runder; die Bücher verstaubten und wurden von
Würmern zerfressen; das Kindlein schrie in der Wiege
5 vergeblich nach seiner Mutter; die Schmeichler bogen sich
den Rücken krumm und ließen sich vom König die Ordens=
bänder um den Hals hängen; der Scheiterhaufen loderte
und erstickte mit seinem Qualm das laute, inbrünstige
Gebet des sterbenden Ketzers; die Kirchentür stand offen,
10 aber der Ungläubige sah sie gar nicht einmal; der Strom
des Berauschenden drängte sich weiter und spülte Men=
schenglück und Menschenkraft hinweg: alles, alles blieb wie
es gewesen war, bevor der Schrecken jäh über das Land fiel.

Die große, milde Sonne aber hatte noch nie so strahlend,
15 so gütig lächelnd, so warm verzeihend auf das kleine, kleine
Menschengeschlecht herabgeschienen wie an diesem Tage.

Die Lerche
Von Waldemar Bonfels[1]

Eine Lerche verflog sich auf die Waldwiese, es war noch
sehr früh, aber Onna, die Bachstelze, war schon auf und
sah die Lerche fallen.

„Wie ist es?" sagte sie zu ihr, „wollen Sie hier bleiben,
ich meine, wollen Sie immer hier bleiben, wollen Sie sich 5
hier auf unserer Wiese niederlassen, oder wie ist es?"

„Guten Morgen," sagte die Lerche.

Onna erwiderte den Gruß und nickte auf ihre wirklich
entzückende Art, wie nur Bachstelzen es können. Ihre
Bewegungen waren viel anmutiger als ihre Worte. Dann 10
meinte sie, um nichts freundlicher:

„Es ist hier wenig Aussicht zu gedeihlicher Ansiedelung,
man findet wohl, was man braucht, aber nicht viel mehr.
Im trockenen Schilf wohnt Josa, die Ringelnatter, von der
Eule in der Linde schweige ich, Sonne kommt auch nicht 15
eben viel her; also nun sagen Sie, was Sie wollen."

„Ich will wieder fort," sagte die Lerche. „Entschuldigen
Sie, daß ich gestört habe, aber ich war sehr hoch am Himmel,
und das Licht der Sonne hat meine Augen geblendet. Ich
war so entzückt vom Glanz und der Kühle, daß ich nicht mehr 20
recht wußte, wo ich mich niederließ, es war wie ein heller,
seliger Taumel, wissen Sie."

„Taumel . . .?" wiederholte die Bachstelze und wippte,
„und was reden Sie da nur sonst noch, die Sonne ist ja
noch gar nicht aufgegangen?"   25

[1] For sketch of the author, see Biene Majas Gefangenschaft bei der
Spinne.

„Doch," sagte die Lerche, „hoch oben schien sie schon."

„Aber Liebe! Wozu diese Übertreibung? Wir sind hier unten einfache und ehrliche Leute und haben nicht viel für Fremde übrig, die aufschneiden. Schauen Sie doch
5 hinauf in den Wipfel unserer Linde, Sie werden sich rasch davon überzeugt haben, daß die Sonne noch nicht aufgegangen ist. Schön sind Sie übrigens auch nicht gerade."

„Nein," sagte die Lerche, „ich bin nicht schön."

„Nun, wenigstens darin sind Sie ehrlich, aber das mit
10 der Sonne hat mir nicht gefallen. Ich habe einmal ein Falkenpaar belauscht, das in der Linde Rast hielt, und da hörte ich, daß die Falken höher fliegen, als die Kugel des Jägers reicht, ja, daß sie sich so hoch emporschwingen können, daß sie, die doch große Vögel sind, wie kleine Punkte am
15 Himmel erscheinen."

Die Lerche nickte. „O ja," sagte sie nachdenklich, „die Falken fliegen sehr hoch."

„Ja, nun, und — —? Wollen Sie etwa sagen, daß Sie höher fliegen können als die Falken?"

20 Die Lerche schwieg, aber die Bachstelze gab sich nicht zufrieden, denn man mußte nach ihrer Meinung sehen, daß man überall recht behielt, wo es sich irgend einrichten ließ.

„Wie ist es denn mit dem Singen, meine Gute?" sagte sie, „haben Sie es jemals zu einer rechten Melodie ge=
25 bracht?"

Die Lerche schüttelte den Kopf. „Ich muß immer jubeln," sagte sie.

„Jubeln? Nun ja... Haben Sie mal unser Rotkehl= chen singen hören?"

30 „Doch," antwortete die Lerche, „es hat mich sehr glücklich gemacht."

„Nicht wahr? Sehen Sie, so was finden Sie bei uns

auf der Waldwiese. Und nun wollen Sie sich also hier
ansiedeln?"

„Nein, ich fliege in die Saat zurück, aber vielleicht erlauben
Sie, daß ich etwas Tau nehme?"

„Gut," sagte Onna, „nehmen Sie also." Und sie schaute 5
zu, wie die Lerche trank, und es bereitete ihr Freude, sich
so gut und gastfreundlich gegen einen fremden Vogel zu
benehmen, der weder ehrlich zu sein schien, noch schön war,
noch etwas Rechtes im Singen zuwege brachte.

Als die Lerche sich anschickte, davonzufliegen, kam durch 10
die Blumen der Elf. Sein lichter Schein begleitete ihn; wo
er dahinschritt, blinkte der Tau der Gräser in der Morgen=
kühle auf, und die erwachenden Blumen grüßten ihn mit
seinem Läuten und frischem Duft.

„Ach," rief die Lerche entzückt und voll höchsten Erstaunens, 15
„haben Sie hier einen Blumenelfen?"

„Das will ich meinen," sagte die Bachstelze und trat etwas
zurück, damit die Fremde den Elfen besser sehen konnte.

Aber da gewahrte auch der Elf die Lerche im Gras, und
plötzlich breitete er seine Arme aus, und mit erhobenen 20
Flügeln eilte er auf sie zu:

„O du! o du!" rief er, und sein Gesicht leuchtete vor
Glück. „Ist es denn wahr, eine Lerche ist zu uns gekommen?
O sei gesegnet, du Himmlische im Blauen, du liebliche
Verkünderin der Morgenfreude, o du, die Sorgen und alle 25
Traurigkeit der Nacht aus der strahlenden Höhe her ver=
scheucht, wie glücklich bin ich, daß ich dich sehe."

Und er legte seine schimmernden Arme um den Hals des
Vogels und barg sein goldhaariges Haupt an der Brust der
Lerche. Dabei brach er in ein so leidenschaftliches Schluch= 30
zen der Freude aus, als sei ihm das größte Glück widerfahren,
das nur immer einem Elfen auf der Erde begegnen kann.

„Ja, Herrgott," sagte die Bachstelze leise und kraute sich betroffen im Nacken, „das muß mir passieren, also gerade mir . . ." Aber sie sollte noch ganz andere Dinge er=
fahren.

5 „Ich liebe dich, du schöner Vogel," sagte der Elf zur Lerche, und sein Lächeln, das durch die Tränen brach, war voll heißen Danks. „Du bist es gewesen, die mich getröstet hat, als ich im Morgenrot den Weg in meine Heimat nicht mehr fand, durch dein Lied ist der Glaube in mein Herz zurück=
10 gekehrt, daß ich ihn einst wiederfinden würde. Ich sah den Menschen, der sein Tagewerk auf dem Acker begann, wie er seine Augen gläubig zu dir emporhob, dein Jubel segnete seine Arbeit und begleitete sein Gebet in die Regionen der Herrlichkeit Gottes empor. So fällt dein Gesang mit dem
15 Tau durch die Frische zu uns Irdischen nieder, von deiner Freude klingt die Morgenluft, die das Gemüt von den Schatten der Nacht erlöst. Ich segne dich, du Verkündigerin des Lichts, ich danke dir aus Herzensgrund."

„Aber bitte," sagte die Lerche, beschämt vom Glück des
20 Elfen, „Sie sind wirklich sehr freundlich zu mir. Ich tue ja nur, was ich muß, ich kann nicht anders."

„Ich weiß es," antwortete der Elf, „aber mein Herz muß lieben, alles was berufen ist, die Schönheit der Welt in ihrem Sinn zu offenbaren, ich lobe den Schöpfer, wenn ich dich
25 lobe, du kleiner Vogel."

Jetzt war Onna, die Bachstelze, doch gerührt; sie trat ein wenig vor und meinte:

„Man hätte das gar nicht gedacht, daß die Lerche soviel bedeutet, wenigstens ich nicht. Wie sie da so saß, im
30 Gras . . . unerfahrene Leute hätten sie für einen Spatzen gehalten. Aber, es ist ja wahr, sie jubelt morgens."

Der Elf lächelte auf so holdselige Art, wie nur er lächeln

konnte, und Onna sagte sich darauf innerlich: Mein Irrtum kann so schlimm nicht gewesen sein, sonst würde der Elf nicht lächeln. Da sagte er zu ihr:

„Eine Lerche kann sich im Gras nicht bewähren, so wenig wie ein Falke im Käfig, oder wie eine Blume im Schatten. Wenn du die Wesen der Schöpfung, wie auch den Menschen, erkennen willst, so mußt du sie in ihrer Freiheit aufsuchen. Die Lerche fliegt höher als alle anderen Vögel, nur die Adler schwingen sich so weit empor wie sie, und nur im Fliegen vermag sie zu singen. So ist sie uns von Gott zur frohen Botschaft der Hoffnung gesetzt, die, früher als die Sonne, die Seligkeit am neuen Tag verkündet."

„Alle Achtung," meinte Onna, „ich brächte das nicht fertig, aber ich habe es nicht schlimm gemeint vorhin. Wer glaubt aber auch ohne weiteres, daß ein so kleiner Vogel höher fliegen kann als die Falken? Sie soll sich denn also ruhig hier ansiedeln, die Lerche."

„Das tut sie nicht, sie wohnt im Korn," meinte der Elf und die Lerche nickte und breitete ihre Flügel aus. Aber sie konnte sich noch nicht vom Elfen trennen, immer mußte sie ihn ansehen, als würde alles in der Welt reich und gut durch seine Nähe.

„Wenn du einst heimfliegst, will ich singen," sagte sie endlich, und sie nahmen voneinander Abschied; auch Onna wippte höflich und winkte der Lerche nach, die mit einem hellen Triller der aufgegangenen Sonne entgegenflog.

Da der Elf den Bach hinaufschritt, um Assap, den Frosch, zu besuchen, der schwer mit dem Leben zu kämpfen hatte, blieb Onna zurück, um nachzudenken. So rasch wird man innerlich nicht mit einem Ereignis fertig, das das Herz bewegt hat, man beschäftigt sich am besten noch eine Weile damit, dann wird das Gemüt ruhiger.

Aber als die Bachstelze gefrühstückt und ihr Bad im Bach genommen hatte, vergaß sie darüber nachzudenken, auch trug sie kein Verlangen mehr nach anderen Dingen, als im Glanz der warmen Sonne am Wasser zu sitzen und überall
5 umher zuzuschauen, wie schön das Leben war.

Gretchen Vollbeck

Von Ludwig Thoma

The Bavarian, Ludwig Thoma (1867–1921), well known as editor of *Simplicissimus*, did not receive during his lifetime the recognition that he deserved. The reasons are easily explained. For years he waged a relentless war against reaction in state and church and always stood on the side of the common people. He hated militarism, was a bitter opponent of war, and a fearless critic of the subsidized press. „Es wird mir deutscher ums Herz," he writes, „wenn ich einen schlichten Arbeiter sehe oder einen Bauern, dem die Hand am Pfluge hart geworden ist, als wenn mir der schönste General begegnet." Regarding war: „Wenn es genug ist, ziehen die Sieger heim; überall ist es eine grosse Freude, dass der Krieg vorbei ist, und alle Menschen gehen in die Kirche, um Gott dafür zu danken. Wenn aber einer denkt, dass es noch gescheiter gewesen wäre, wenn man gar nicht angefangen hätte, so ist er ein Sozialdemokrat und wird eingesperrt." He was, moreover, one of the severest critics of Wilhelm II at a time when it was considered high treason openly to criticize the Emperor. „Ich treibe mit dem Höchsten Spott," Thoma said. In a review of the published speeches of the Kaiser, he wrote: „Es ist Geschmacksache, vielen Banketten beizuwohnen, und es ist Geschmacksache, bei jedem Bankett eine Rede zu halten . . . Will man nun diese Reden beurteilen, so muss man gleich hervorheben, dass sie durchaus inhaltlos sind. Nirgends neue Gedanken, aufregende Gedanken, ja nicht einmal die Versuche dazu . . . Von dem, was unser Leben reicher macht, von dem, was Wissenschaft erforscht und erfindet, von dem, was Fleiss und Können schaft, und von den Sorgen und Mühen des Volkes, von seiner friedlichen Arbeit und seinen friedlichen Erfolgen, von alledem steht wenig in diesen Reden."

It was Thoma's liberal and anti-Prussian views, his independent and fearless stand on all questions of state and church, that militated against his receiving his merited share of recognition. He was decried as a traitor, as an enemy of the state, and was several times imprisoned. But with unabated vigor he attacked sham and hypocrisy wherever he found them. In him the German people had a champion in all questions pertaining to state and church. It was not the Catholic religion itself, nor any other form of religion that he fought against, but the misuse of religion for political intrigue and worldly advantages. Thoma is already well known as an eminent author. His verses, stories, novels, and dramas are already being widely read and appreciated in and outside of Germany. It would indeed be difficult to find more superb humor and more vivid characterization than in his *Lausbubenge-schichten*. In these autobiographical stories Thoma depicts the reactions of a healthy, "bad" boy to the false conceptions of his elders. In reality he is much wiser and uses better judgment than they do and has more character than his teachers. The lad who refuses to mention the name of the girl of his youthful fancy is more respectable than the headmaster who insists on knowing it. The stories are told in the naïvely impudent language of the schoolboy, and the author succeeds in making the boy think and speak and act like a boy.

Thoma was thirty years old when he published his first work, but all the more fruitful were the remaining twenty-five years of his life. Five large novels, thirteen volumes of stories, fourteen plays, six volumes of verse, and several volumes of essays — all came from his pen and all are of high intrinsic merit. Fritz Dehnow aptly characterizes him: „Wenn Dichter, die heute die Gunst der literarischen Welt und der massgebenden Literaturkritik geniessen, längst vergessen werden, wenn aus der Literatur unserer Tage aller Plunder verschwunden sein und nur das Gold bestehen bleiben wird, dann wird Ludwig Thoma bleiben. Er ist einer der grossen Erzähler der deutschen Literatur; einer aus der Reihe, in der Keller und Storm stehen, und vielleicht grösser als sie. Aus dem Künstlertum unserer Tage ragt er weit hinaus, einer der Gesündesten von allen, in seinen besten Schöpfungen ein Klassiker."

The two stories, *Meine erste Liebe* and *Gretchen Vollbeck*, reprinted in this volume are taken from the *Lausbubengeschichten* by special arrangement with the publisher, Albert Langen in Munich.

Von meinem Zimmer aus konnte ich in den Vollbeckschen
Garten sehen, weil die Rückseite unseres Hauses gegen die
Korngasse hinausging.

Wenn ich nachmittags meine Schulaufgaben machte, sah
ich Herrn Rat Vollbeck mit seiner Frau beim Kaffee sitzen, 5
und ich hörte fast jedes Wort, das sie sprachen.

Er fragte immer: „Wo ist denn nur unser Gretchen so
lange?" und sie antwortete alle Tage: „Ach Gott, das arme
Kind studiert wieder einmal."

Ich hatte damals, wie heute, kein Verständnis dafür, 10
daß ein Mensch gerne studiert und sich dadurch vom Kaffee=
trinken oder irgend etwas anderem abhalten lassen kann.
Dennoch machte es einen großen Eindruck auf mich, obwohl
ich dies nie eingestand.

Wir sprachen im Gymnasium öfters von Gretchen Voll= 15
beck, und ich verteidigte sie nie, wenn einer erklärte, sie sei eine
ekelhafte Gans, die sich bloß gescheit mache.

Auch daheim äußerte ich mich einmal wegwerfend über
dieses weibliche Wesen, das wahrscheinlich keinen Strumpf
stricken könne und sich den Kopf mit allem möglichen Zeug 20
vollpfropfe.

Meine Mutter unterbrach mich aber mit der Bemerkung,
sie würde Gott danken, wenn ein gewisser Jemand nur halb
so fleißig wäre, wie dieses talentierte Mädchen, das seinen
Eltern nur Freude bereite und sicherlich nie so schmachvolle 25
Schulzeugnisse heimbringe.

Ich haßte persönliche Anspielungen und vermied es daher,
das Gespräch wieder auf dieses unangenehme Thema zu
bringen.

Dagegen übte meine Mutter nicht die gleiche Rücksicht, und 30
ich wurde häufig aufgefordert, mir an Gretchen Vollbeck
ein Beispiel zu nehmen.

Ich tat es nicht und brachte Ostern ein Zeugnis heim,
welches selbst den nächsten Verwandten nicht gezeigt werden
konnte.

Man drohte mir, daß ich nächster Tage zu einem Schuster
5 in die Lehre gegeben würde, und als ich gegen dieses ehrbare
Handwerk keine Abneigung zeigte, erwuchsen mir sogar da=
raus heftige Vorwürfe.

Schließlich sagte meine Mutter, sie sehe nur noch ein
Mittel, mich auf bessere Wege zu bringen, und dies sei der
10 Umgang mit Gretchen.

Vielleicht gelinge es dem Mädchen, günstig auf mich
einzuwirken. Herr Rat Vollbeck habe seine Zustimmung
erteilt, und ich solle mich bereit halten, den Nachmittag mit
ihr hinüberzugehen.

15 Die Sache war mir unangenehm. Man verkehrt als
Lateinschüler nicht so gerne mit Mädchen wie später, und
außerdem hatte ich begründete Furcht, daß gewisse Gegen=
sätze zu stark hervorgehoben würden.

Aber da half nun einmal nichts, ich mußte mit.

20 Vollbecks saßen gerade beim Kaffee, als wir kamen;
Gretchen fehlte, und Frau Rat sagte gleich: „Ach Gott, das
Mädchen studiert schon wieder, und noch dazu Scheologie.“
Meine Mutter nickte so nachdenklich und ernst mit dem Kopfe,
daß mir wirklich ein Stich durchs Herz ging und der Gedanke
25 in mir auftauchte, der lieben alten Frau doch auch einmal
Freude zu machen. Der Herr Rat trommelte mit den
Fingern auf den Tisch und zog die Augenbrauen furchtbar
in die Höhe.

Dann sagte er: „Ja, ja, die Scheologie!“

30 Jetzt glaubte meine Mutter, daß es Zeit sei, mich ein
bißchen in das Licht zu rücken, und sie fragte mich aufmun=
ternd: „Habt ihr das auch in eurer Klasse?“

Frau Rat Vollbeck lächelte über die Zumutung, daß anderer Leute Kinder derartiges lernten, und ihr Mann sah mich durchbohrend an, das ärgerte mich so stark, daß ich beschloß, ihnen eines zu geben.

„Es heißt gar nicht Scheologie, sondern Geologie, 5 und das braucht man nicht zu lernen," sagte ich.

Beinahe hätte mich diese Bemerkung gereut, als ich die große Verlegenheit meiner Mutter sah; sie mochte sich wohl sehr über mich schämen, und sie hatte Tränen in den Augen, als Herr Vollbeck sie mit einem recht schmerzlichen Mitleid 10 ansah.

Der alte Esel schnitt eine Menge Grimassen, von denen jede bedeuten sollte, daß er sehr trübe in meine Zukunft sehe.

„Du scheinst der Ansicht zu sein," sagte er zu mir, „daß man sehr vieles nicht lernen muß. Dein Osterzeugnis soll 15 ja nicht ganz zur Zufriedenheit deiner beklagenswerten Frau Mutter ausgefallen sein. Übrigens konnte man zu meiner Zeit auch Scheologie sagen."

Ich war durch diese Worte nicht so vernichtet, wie Herr Vollbeck annahm, aber ich war doch froh, daß Gretchen ankam. 20 Sie wurde von ihren Eltern stürmisch begrüßt, ganz anders wie sonst, wenn ich von meinem Fenster aus zusah. Sie wollten meiner Mutter zeigen, eine wie große Freude die Eltern gutgearteter Kinder genießen.

Da saß nun dieses langbeinige, magere Frauenzimmer, das 25 mit ihren sechzehn Jahren so wichtig und altklug die Nase in die Luft hielt, als hätte es nie mit einer Puppe gespielt.

„Nun, bist du fertig geworden mit der Scheologie?" fragte Mama Vollbeck und sah mich herausfordernd an, ob ich es vielleicht wagte, in Gegenwart der Tochter den 30 wissenschaftlichen Streit mit der Familie Vollbeck fortzu= setzen.

„Nein, ich habe heute abend noch einige Kapitel zu erledigen;
die Materie ist sehr anregend," antwortete Gretchen.

Sie sagte das so gleichgültig, als wenn sie Professor darin
wäre.

5 „Noch einige Kapitel?" wiederholte Frau Rat, und ihr
Mann erklärte mit einer von Hohn durchtränkten Stimme:

„Es ist eben doch eine Wissenschaft, die scheinbar gelernt
werden muß."

Gretchen nickte nur zustimmend, da sie zwei handgroße
10 Butterbrote im Munde hatte, und es trat eine Pause ein,
während welcher meine Mutter bald bewundernd auf das
merkwürdige Mädchen und bald kummervoll auf mich
blickte.

Dies weckte in Frau Vollbeck die Erinnerung an den
15 eigentlichen Zweck unseres Besuches.

„Die gute Frau Thoma hat ihren Ludwig mitgebracht,
Gretchen; sie meint, er könnte durch dich ein bißchen in
den Wissenschaften vorwärtskommen."

„Fräulein Gretchen ist ja in der ganzen Stadt bekannt
20 wegen ihres Eifers," fiel meine Mutter ein. „Man hört so
viel davon rühmen, und da dachte ich mir, ob das nicht
vielleicht eine Aufmunterung für meinen Ludwig wäre. Er
ist nämlich etwas zurück in seinen Leistungen."

„Ziemlich stark, sagen wir, ziemlich stark, liebe Frau
25 Thoma," sagte der Rat Vollbeck, indem er mich wieder
durchbohrend anblickte.

„Ja, leider etwas stark. Aber mit Hilfe von Fräulein
Gretchen, und wenn er selbst seiner Mutter zuliebe sich
anstrengt, wird es doch gehen. Er hat es mir fest versprochen,
30 gelt, Ludwig?"

Freilich hatte ich es versprochen, aber niemand hätte
mich dazu gebracht, in dieser Gesellschaft meinen schönen

Vorsatz zu wiederholen. Ich fühlte besser als meine herzens=
gute, arglose Mutter, daß sich diese Musterfamilie an meiner
Verkommenheit erbaute. Inzwischen hatte die gelehrte
Tochter ihre Butterbrote verschlungen und schien geneigt,
ihre Meinung abzugeben.

„In welcher Klasse bist du eigentlich?" fragte sie mich.

„In der vierten."

„Da habt ihr den Cornelius Nepos, das Leben berühmter
Männer," sagte sie, als hätte ich das erst von ihr erfahren
müssen.

„Du hast das natürlich alles gelesen, Gretchen?" fragte
Frau Vollbeck.

„Schon vor drei Jahren. Hie und da nehme ich ihn
wieder zur Hand. Erst gestern las ich das Leben des Epami=
nondas."

„Ja, ja, dieser Epaminondas!" sagte der Rat und trom=
melte auf den Tisch. „Er muß ein sehr interessanter Mensch
gewesen sein."

„Hast du ihn daheim?" fragte mich meine Mutter, „sprich
doch ein bißchen mit Fräulein Gretchen darüber, damit sie
sieht, wie weit du bist."

„Wir haben keinen Epaminondas gelesen," knurrte ich.

„Dann hattet ihr den Alcibiades oder so etwas. Cor=
nelius Nepos ist ja sehr leicht. Aber wenn du wirklich in
die fünfte Klasse kommst, beginnen die Schwierigkeiten."

Ich beschloß, ihr dieses „wirklich" einzutränken, und
leistete heimlich einen Eid, daß ich sie verhauen wollte bei
der ersten Gelegenheit.

Vorläufig saß ich grimmig da und redete kein Wort.
Es wäre auch nicht möglich gewesen, denn das Frauenzimmer
war jetzt im Gang und mußte ablaufen wie eine Spieluhr.

Sie bewarf meine Mutter mit lateinischen Namen und

ließ die arme Frau nicht mehr zu Atem kommen; sie leerte
sich ganz aus, und ich glaube, daß nichts mehr in ihr darin
war, als sie endlich aufhörte.

Papa und Mama Vollbeck versuchten, das Wunder=
mädchen noch einmal aufzuziehen, aber es hatte keine Lust
mehr und ging schnell weg, um die Scheologie weiter zu
studieren.

Wir blieben schweigend zurück. Die glücklichen Eltern
betrachteten die Wirkung, welche das alles auf meine Mutter
gemacht hatte, und fanden es recht und billig, daß sie voll=
kommen breitgequetscht war.

Sie nahm in gedrückter Stimmung Abschied von den
Vollbeckschen und verließ mit mir den Garten.

Erst als wir daheim waren, fand sie ihre Sprache wieder.
Sie strich mir zärtlich über den Kopf und sagte: „Armer
Junge, du wirst das nicht durchmachen können."

Ich wollte sie trösten und ihr alles versprechen, aber sie
schüttelte nur den Kopf.

„Nein, nein, Ludwig, das wird nicht gehen."

Es ist dann doch gegangen, weil meine Schwester bald
darauf den Professor Bindinger geheiratet hat.

Die geblendete Schwalbe

Von Jakob Boßhart

The works of Jakob Bosshart (1862–1924) are not such as to take the hearts of his readers by storm. They remind us of Goethe's lines in *Faust:*

> Was glänzt ist für den Augenblick geboren;
> Das Echte bleibt der Nachwelt unverloren.

Slowly Bosshart gained recognition first in his native Switzerland and then in Germany and there seems no doubt now that he will gradually take his place with the greater German story-writers of the nineteenth century. ,,Bosshart ist einer von den Auserwählten, die in nächste Nähe von Gottfried Keller zu stellen sind. Würde Bosshart gelesen, viel gelesen, so wäre das ein herrliches Zeichen für uns."

He was the child of Swiss peasants, and, although he later left the farm and directed his energies for the greater part of his life to the teaching profession in Zurich, he goes back in his best stories to the scenes and the experiences of his childhood. Yet, he did not wish to be regarded merely as a *Heimatkunstdichter.* ,,Meine Stoffe habe ich zum kleinen Teil der Geschichte meines Landes, sonst dem Sturm des Lebens entnommen ... Gewiss stelle ich meistens Gestalten aus meiner Heimat in den Mittelpunkt meiner Erzählungen; aber es kommt mir viel weniger auf das Heimatliche als auf das Menschliche an, und da ich dieses in den Bauern unverfälschter und vor allem naiver als in den Städtern finde, so mache ich sie gern zu Trägern meiner Probleme und Handlungen."

Bosshart wrote only during his spare hours, and these were few, for his professional duties required most of his energies. In 1899 he was called to Zurich as principal of the Gymnasium. ,,Das neue Amt brachte mir sehr viel Arbeit. Daneben konnte ich meine schriftstellerische Tätigkeit, die mir immer mehr zum Lebensbedürfnis geworden war, nicht aufgeben. Ich merkte erst, als es zu spät war, dass man eine Kerze nicht an beiden Enden anzünden darf. Ich hatte eben den Novellenband, *Durch Schmerzen empor*, herausgebracht, als ich im Frühjahr 1903 zusammenbrach ... Ich bin also durch Leiden gegangen und gehe diesen Weg immer noch." In 1916 he had to resign his position on account of ill-health. In vain he travelled from one health resort to another in the hope of regaining his strength. He died of consumption contracted from overwork and lack of proper nourishment during his student days.

Bosshart was a conscious artist and a great master of form. In this respect he shows the influence of his thorough training in the Romance languages and literatures. One of his chief efforts was to attain the greatest simplicity of style. „Wenn ich von einem Grundsatze sprechen soll," he wrote in 1915, „der mich bei meinem Schaffen leitet, so möchte es vor allem der sein, mit möglichst wenig und einfachen Mitteln meinen Zweck zu erreichen ... Es gehört ja überhaupt zum Wesen der Kunst, das Leben aus dem Trüben ins Durchsichtige zu erheben. Wer so nach Einfachheit strebt, verzichtet natürlich von vorneherein auf einen grossen Teil der Leserwelt. Alle, die das Aufgeputzte, Salonmässige, oder dann das Überheizte und Spannende lieben, werden die Befriedigung ihres Geschmackes bei anderen suchen, und sie haben von ihrem Standpunkt aus ja ganz recht."

This effort to attain his goal by the simplest means leads him to adopt the concentrated form of the *Novelle* as his best vehicle of expression, and in that form he is surpassed by few authors. In the volumes of stories, *Durch Schmerzen empor, Frühvollendet* (1912), *Erdschollen* (1913), *Opfer* (1920), *Neben der Heerstrasse* (1923), and *Römerstrasse* (published after his death) the author depicts unforgettable human characters. Each story is a masterpiece.

Quite unexpectedly Bosshart published his first and only long novel, *Ein Rufer in der Wüste* (1921). This work received the first Gottfried Keller prize and the Swiss Schiller prize in 1922. „Wie kaum ein zweites Werk erhebt, erleuchtet, zwingt, befreit und erschüttert das Buch. Es umfasst und gibt eine Welt; Bosshart steht mit ihm als Mensch und Dichter auf einer gewaltigen, wahrhaft ehrfurchtgebietenden Höhe."

Die geblendete Schwalbe is taken from *Erdschollen* by special arrangement with Grethlein & Co., in Zurich and Leipzig, publishers of Jakob Bosshart's works.

Der erste Mensch, den ich sich zum Sterben rüsten sah, war unser Knecht Domini. Seither weiß ich, daß wir in der letzten Stunde strenges Gericht über uns halten.

Es war an einem Frühlingsnachmittag. Ich schlenderte von der Schule nach unserem Hofe zurück, stand unter jedem 5 Birn= und Kirschbaum still, und horchte auf das Summen der Bienen, die oben in den Kronen ihr geschäftiges Wesen trieben. Auf einmal hörte ich Gezwitscher über mir. „Die Schwalben sind da, nun wird sich der Domini freuen,“ dachte ich und spähte ins Blaue, wo sich etwas Dunkles 10 wie ein Schmetterling schaukelte. Rasch lief ich die Halde hinunter, um die frohe Botschaft zu verkünden.

Domini war lange Jahre Knecht in unserem Hause gewesen, wir betrachteten ihn fast wie unsern Großvater. Und er verdiente unsere Liebe, denn er meinte es immer gut, 15 nicht nur mit den Menschen, sondern auch mit den Tieren. Wenn er in den Stall trat, ging von vorn bis hinten eine Bewegung, und kein Stück versäumte es, ihm Hand oder auch Gesicht zu belecken, wenn sich eine Gelegenheit dazu bot. Auch den übrigen Haustieren, dem weißen Spitzhund 20 und den Katzen, war er ein guter Freund. Er duldete es nicht, daß wir sie unfreundlich behandelten. Plagte einer von uns einen seiner Schützlinge und er kam dazu, so nahm er den Bösewicht am Arme und mit dem Finger auf den Mißhandelten deutend, sagte er regelmäßig ernst und ein= 25 dringlich: „Siehst, Bübchen, da drin ist auch etwas.“ Wir verstanden nicht ganz, was er meinte und machten uns in übermütiger Laune manchmal über sein „Da drin ist auch etwas“ lustig. Heimlich aber sannen wir oft über das uns rätselhafte Wort nach.   30

Seine eigentlichen Lieblinge unter den Tieren waren die Schwalben. Ihre Ankunft im Frühling war für ihn ein

großes Fest; ihr Wegzug im Herbst brachte ihm traurige
Tage.   Wehmütig sah er den letzten Zügen nach, die nach
Süden zogen und sich über dem Hof, wie ihm zulieb, noch
einmal im Spiel ergingen.   In seiner Kammer, an den
5 Balken, die die Decke trugen, klebten zwei Nester; in jedem
wurde Jahr für Jahr zweimal gebrütet, wurden zweimal
Junge groß gefüttert und fliegen und sich in der Welt tum=
meln gelehrt.   Domini nahm Anteil an den Alten und den
Jungen, als wäre es seine eigene Familie gewesen.   Mißriet
10 eine Brut, so ging ihm das zu Herzen wie eines Menschen
Sterben, flogen die Jungen zum erstenmal aus, war er in
beständiger Angst, es möchte eines in die Krallen der Katze
oder des Habichts fallen, und erst wenn sie gezeigt hatten,
daß sie sich im Leben zurechtfanden, wurde er wieder ruhig.

15   Noch nie hatte Domini die Ankunft der Schwalben so
sehr ersehnt wie diesmal.   Als sie im Herbst fortgezogen
waren, hatte er traurig gesagt: „Wenn sie wiederkommen,
bin ich nicht mehr da!"   Er mochte fühlen, daß seine Kräfte
schwanden.   Wirklich fing er bald darauf an zu kränkeln
20 und zusammenzuschrumpfen, und seit dem Neujahrstage
hatte er das Bett nicht mehr verlassen.

    Als ich in die Stube trat, hörte ich oben in der Kammer
mit einem Stock auf den Boden klopfen; so tat Domini,
wenn er wünschte, daß man nach ihm sehe, denn er duldete
25 nicht, daß beständig jemand um ihn sei.   Man denke doch,
es war Frühling und da bedurften Acker und Weinberg
eher menschlicher Hilfe als der kranke Domini!   Ich stieg
die Treppe empor.   Schon ehe ich die Tür geöffnet hatte,
rief er mir mit seiner matten Stimme zu: „Bübli, die
30 Schwalben sind da, mach' ihnen das Fenster auf!"   Sein
Gesicht strahlte und er murmelte vor sich hin: „Nun hab' ich's
doch noch erlebt!"   Bald aber wurde er unruhig, die Schwal=

ben flogen nicht herein, wie sie sonst zu tun pflegten, hie und da
kam freilich eine an die Fensteröffnung, hielt sich darin einen
Augenblick schwebend, guckte herein und schwirrte dann wieder
davon, ohne Dominis Zuruf: „Komm nur, Tschitschi!" zu
beachten.   „Geh' hinunter, Bübli, sie scheuen dich!" sagte er   5
zu mir, und ich entfernte mich.   Von der Hofseite aus sah
ich, daß die Schwalben nicht mich gescheut hatten, denn sie
trieben noch immer das gleiche unentschlossene Spiel.

Als gegen Abend meine Eltern und Geschwister vom Felde
heimgekehrt waren, stiegen wir alle zu Domini hinauf.   Er   10
war ganz trostlos, daß ihn seine Schwalben, nach denen er
sich so lange gesehnt hatte, flohen.   „Nun," sagte er, „sie
merken eben, daß der Tod in der Kammer steht."   Mein
Vater suchte ihm den Gedanken auszureden, er aber schüttelte
den Kopf, womit er sagen wollte, daß er es anders wisse   15
und die Schwalben wohl auch.   Nach einiger Zeit bat er,
man möchte ihn allein lassen, nur mich, den Jüngsten, wollte
er bei sich haben.   Es verstrich eine geraume Zeit, ohne
daß einer ein Wort sprach; mir ward fast unheimlich.
Dominis Augen waren stets nach dem Fenster gerichtet,   20
wo von Zeit zu Zeit noch eine Schwalbe sich flüchtig zeigte.

Endlich, als die Kammer sich schon mit Dämmerlicht
füllte, schwebte eine herein, flatterte ein paarmal über das
Bett und dann wieder zum Fenster hinaus.   „Tschitschi,
komm! komm!" flehte Domini, und wirklich, sie kam wieder,   25
um sich diesmal auf den Rand eines Nestes zu setzen, wobei
sie wie zum Gruß einen kurzen munteren Pfiff ausstieß.
„Schließ das Fenster, aber ganz leise," flüsterte mir Domini
zu, und seine Stimme bebte, als er für sich weiterfuhr:
„So ist doch eine dabei, wenn ich sterbe!"   Ich wollte gehn,   30
denn das Wort ‚Sterben' erweckte mir Grauen; er aber
hielt mich zurück und sagte: „Ich will dir etwas beichten,

Bübli, es kann dir nützen und ich kann's nicht hinübernehmen.
Sieh, ich war einmal ein grober Bub, wie ihr auch manchmal
seid; ich hatte einen Kameraden, der war es noch mehr.
Er hatte Schwalben in seiner Kammer, und an einem Sonn=
5 tagnachmittag überkam uns der Übermut, das Fenster zu
schließen und eine zu fangen. Es war eine wilde Jagd.
Das geängstigte Vöglein schwirrte hin und her, schoß immer
gegen das Fenster und stieß sich schier den Kopf ein, seine
kleine Brust hob und senkte sich wie im Fieber, wenn es
10 an der Scheibe hing; wir aber wurden bei dem Werk immer
wilder und ruhten nicht, bis das arme Tierchen in unsern
Händen zappelte. Da kam dem Sepp ein teuflischer Ge=
danke. Er sagte zu mir: ‚Wir stechen ihr die Augen aus!‘
Damit zog er sein Sackmesser hervor. ‚Öffne es, ich halte
15 sie und du stichst zu.‘ Mir schauderte, aber er war der
ältere und dazu der Meisterssohn und befahl mir, zu tun,
wie er gesprochen. Ich griff zum Messer und öffnete die
Klinge. Es ging ihm zu langsam, und er schrie mich un=
geduldig an: ‚Nun, wird's bald?‘ Ich sagte, daß ich es
20 nicht tun könne, ich wolle lieber den Vogel halten, er
solle das andere machen. Nun griff er nach dem Messer
und ich nahm das arme, geängstigte Vöglein in die Hand.
Da ich vor Aufregung mit den Händen zitterte, packte Sepp
den Schnabel mit seiner Linken und mit der Rechten stieß
25 er die Messerspitze rasch in das kleine schwarze Auge. Es
floß wie eine Träne daraus und rollte über die Federn auf
meine Hand. Ich habe den Anblick nie vergessen. Das
Vöglein schrie auf wie ein Kind, sah mit dem Auge, das
ihm noch blieb, nach mir und dann wieder nach ihm, und
30 flehte uns in seiner Todesangst an, ich merkte, wie sein
Herzchen zum Zerspringen klopfte. Es war mir gerade,
als hätte Sepp mir selber ins Auge gestochen, ich fühlte den

brennenden Schmerz und wartete den zweiten Stoß nicht
ab, sondern eilte zum Fenster, riß es auf und warf den Vogel
in die Freiheit. Er schlug sich einmal über, nahm dann den
Flug über den Speicher und immer höher hinauf, bis er
uns entschwand. Er wollte recht weit von uns wegfliehen, 5
dem Lichte zu, das wir ihm halb geraubt hatten. In jenem
Augenblick verstand ich, daß ein Tier nicht ein Tier ist, so
nämlich wie man meint, sondern daß noch etwas anderes
drin steckt.

In der Nacht drauf habe ich mehr geweint als geschlafen 10
und den Entschluß gefaßt, kein Tier mehr zu quälen oder
auch nur unsanft zu behandeln. Ich habe mein Wort
gehalten und sie haben es mir vergolten. Merkst du jetzt,
Bübli, warum es mir leid gewesen wäre, wenn mich die
Schwalben im Sterben alle geflohen hätten? Es wär' 15
mir wie ein Gericht gewesen. Ich danke der einen dort, daß
sie gekommen ist. Du aber, Bübli, tu' Tieren nie etwas
zuleid. Menschen können Übeltäter verklagen und strafen,
die Tiere müssen alles still über sich ergehen lassen und nicht
einmal alle können zum Himmel hinauf schreien. Ich habe 20
mir jenes Augenstechen bis zur Stunde nicht verziehen und
ich hätte nicht sterben können, ohne es einem Menschen
gebeichtet zu haben. Nun dünkt mich, es sei mir leichter."

Domini griff nach meiner Hand und drückte sie, so gut
es in seiner Schwäche noch ging, und ich drückte sie wieder 25
und von da an lebte seine Liebe zu den Tieren auch in mir.

Am folgenden Tag beim Frühstück erfuhr ich, der Domini
sei in der Frühe gestorben. Mein Vater hatte bei ihm ge=
wacht und berichtete uns von seinem Ende. Als der Tag
anbrach und die Fenster sich erhellten, fing die Schwalbe 30
in ihrem Neste kräftig ihr Morgenlied zu singen an. Da
öffnete Domini, der von Stunde zu Stunde mehr zusam=

mengesunken war, nochmals die Augen, wie aus einem Traum
erwachend, und suchte damit den Sänger über sich. Sobald
er ihn gefunden hatte, sank er mit einem Lächeln tiefer ins
Kissen zurück und entschlummerte.

5 Ich stieg in die Kammer hinauf. Domini lag an der
Wand auf einer Bank ausgestreckt, er war wenig verändert
und schien zu schlafen, der lange weiße Bart deckte seine
Brust. Wie ich ihn anschaute und von Schauern ergriffen
wurde, flog eine Schwalbe herein, setzte sich über dem
10 Toten auf den Nestrand und fing an, auf ihn hinab zu
singen, was ihr aus der Kehle mochte. Das nahm die
Beklemmung von mir und nun erst bemerkte ich, daß der
gute Domini lächelte. Mir schien, er lausche, und ich lauschte
mit ihm und dachte bei der Weise, die die Schwalbe ihrem
15 toten Freunde sang, was er selber etwa gedacht hätte: „In
dem Lied ist auch etwas."

NOTES

Parabel

Page 3. — Line 1. **fahrende,** *roving.* Participles are used as adjectives with complete declension. — **Gesellen,** *journeymen;* before the development of trade schools young men were apprenticed to the master of a trade for a term of years (usually seven). They then travelled as journeymen and secured employment in various cities to complete their training. — **eines frühen Morgens,** *early one morning;* adverbial genitive used to indicate indefinite time.

4.—5. **als stünde er** = als ob er . . . stünde. **Als ob,** *as if,* requires transposed word order; **als** used alone in this sense requires inversion.

11. **laß** = lasse; **ziehn** = ziehen; unaccented e is often omitted especially in the spoken language.

19. **ächzend,** *groaning.* Participles like other adjectives may be used as adverbs without inflection.

22. **die Kirchstufen heruntersteigen,** *coming down the church steps.* The accusative is used to denote various adverbial relations such as way, time, or measure.

24. **welcher von ihnen wohl recht hätte,** *which one of them might be right;* subjunctive used in indirect statement.

5.—5. **ging seines Weges,** *went on his way.* The adverbial genitive is used to indicate place.

Die Tafel der Reichen

6.—1. **die Reichen,** *the rich.* Adjectives used as nouns retain their inflectional endings and are capitalized. — **es ist so verschwenderisch angerichtet worden,** *food has been served so lavishly.* When **werden** is employed as the auxiliary in the passive voice the past participle drops the prefix **ge-.**

5. **was,** *what* or *whatever;* compound relative pronoun. Relative pronouns introduce dependent clauses and therefore take transposed word order.

12. **war . . . gefüllt,** *was filled with* or *full of.* Note that this refers

to the condition of the basket and not to the process of filling, which would be expressed by the passive; wurde ... gefüllt, *was (being) filled*.

19. **die,** *they;* demonstrative pronoun.

Apportel

9.—12. **Der Hund ins Waſſer** = Der Hund ſprang ins Waſſer. The verb is often omitted in vivid narration when an adverb or adverbial phrase is the important element in the predicate.

21. **ein im Waſſer Verſunkener (verſunkener Hund)** = ein Hund, der im Waſſer verſunken iſt, *a dog (which has) gone down in the water.* In German the participle is preceded by its modifiers, for example: ein ſeine Kinder liebender Vater, literally: a his children loving father; *a father who loves his children* or *a father loving his children.*

29. **Wer der junge Herr war?** *You would like to know, who the young man was?* An indirect question may depend upon an implied inquiry.

Hinterm Gartenbuſch

12.—1. **Es werden Schulen gegründet,** *Schools are being established;* passive voice; the introductory es is omitted in translation.

9. **das ſei gerecht** = daß das gerecht ſei. Normal word order is used in indirect statements when the conjunction daß is omitted.

12. **Übernehmen ſie unſere Arbeit?** *Will they take over our work?* The present tense is often used for the future in both English and German.

Eine Abelsberger Katze

13.—1. **ihrer drei,** *three of them;* partitive genitive.

6. **dem Pfarrer auf dem Schoß,** *on the pastor's lap.* In German the possessive dative commonly replaces the genitive referring to a person, for example: er band mir die Hände, *he bound my hands.*

9. **ob wohl in Salz und Schmalz das richtige Verhältnis obwalte,** literally: whether the proper relation exists between salt and fat; *whether the food is seasoned properly.*

18. **Gemeinde= und Hauswesen** = Gemeindewesen und Hauswesen. When two or more compound nouns have the same final member, only the last noun is written in full; the others have a hyphen to indicate the unexpressed element.

14.—21. **der Herr Pfarrer,** *the pastor.* Herr and Frau are used in German with names of professions or titles, but are not translated.

15.—10. **aber kaum die Katze dieses in seiner Hand erblickt** = aber kaum daß . . . , *but scarcely does the cat see it in his hand, when . . .*

Würste und Häute

16.—14 (Introd.). **Gustav Freytag** (1816–1895), German author whose best known novel, *Soll und Haben,* deals with the joys and sorrows of the merchant class.

17.—10. **Augen auf fürs offene Leben,** *Keep your eyes open to the world about you.* Elliptical expressions are very common in the spoken language. Here the verb halten or haben is omitted.

14. **der Köglmaier,** *Mr. Köglmaier.* When the definite article is used instead of Herr or Frau, it usually implies familiarity, intimacy or contempt. The meaning may often be preserved by inserting *our friend* or *old.*

Zwei redliche Finder

27.—15. **Ich küss' die Hand,** *I thank you;* a polite salutation commonly used in Austria as an expression of gratitude or when taking leave.

18. **trägst du** = wenn du trägst. An adverbial clause is ordinarily introduced by a subordinating conjunction requiring transposed word order. When the conjunction is omitted the inverted word order is used.

28. **davon** = ging er davon.

28.—6. **gewesen** = gewesen war. The auxiliary at the end of a dependent clause is often omitted.

23. **er hat ja von mir den Finderlohn zu bekommen!** *Why, I must give him the reward!*

29.—3. **alles, was vorhanden** (war), *all that was there.*

4. **wäre fortgetragen worden,** *had been carried away.*

Wo sind sie denn?

32.—13. **auf das Rathaus,** *to the town hall.* The preposition auf is used with many nouns in the sense of *to* or *into* when the object was originally situated at some height, cf. auf das Schloß, auf die Universität, auf die Post.

Die Tanzjungfern

36.—8. **nach dem langen Kriege;** perhaps referring to the Thirty Years'
War, since Löns was particularly interested in that period of German
history.   See introduction to this story.

37.—13. **eines der Mädchen,** *one of the girls;* partitive genitive.

38.—26. **Draußen aber pfiff und flötete, sang und klang es,** *Outside,
however, there was a whistling and fluting, a singing and ringing.*   A
weird or ghostly impression is often produced by the impersonal construction when the verb is usually associated with a definite subject.

Der weise Mann

40.—16 (Introd.). *Se non è vero,* the first part of a well-known Italian
proverb: Se non è vero è ben trovato, freely translated; *If it is not the
truth it is at least good fiction.*

41.—3. **so kann man den wüsten Hetzereien der Aufwiegler begegnen,**
thus one can counteract the rabid agitations of the revolutionists.

28. **Woher ward Ihnen so hohe Weisheit?** *How did you attain such
great wisdom?*

Die Hühnereier

45.—27. **kam geflogen,** *came flying.*   The past participle is used with
kommen to indicate manner of motion.   In English this idea is expressed
by a present participle, for example: er kommt gelaufen, *he comes running.*

28. **der,** *it;* nominative case of the demonstrative pronoun.   The
word order is normal.

29. **den,** *it;* accusative case of the demonstrative pronoun.   Inverted
word order is used here since a predicate word is placed at the beginning
of the sentence.

46.—8. **der Grimm schnürte ihm die Kehle zusammen,** *he was choking
with rage.*

Der Stille Ozean

48.—12 (Introd.). **Gerhart Hauptmann** (1862–) became the leader
of the naturalistic school in Germany with his plays *Vor Sonnenaufgang,*

Das Friedensfest, Einsame Menschen, Die Weber, Fuhrmann Henschel. These works reflect the influence of Zola, Ibsen, and Tolstoy in their realistic protest against social conditions.

50.—11. ... war mir, ... *was, I can tell you.* A dative pronoun is often used in the sentence to denote the person who is interested or affected. It is usually omitted in translation.

19. Sonntags, *on Sunday* or *Sundays;* adverbial genitive used to indicate recurrent time.

Adam und das Hündchen

54.—6. damit es ja nicht geschähe, *so that it should not happen.* The subjunctive is used in a purpose clause but is not absolutely required after verbs in the present tense.

8. in Adams Nähe, an der es sich freute, *near Adam where it was happy.*

Der Rotschimmel

59.—22 (Introd.). **John Ruskin** (1819–1900), English author, art critic, and social reformer had a profound influence upon his contemporaries.— **Thomas Carlyle** (1795–1881), English essayist, historian, and philosopher, likewise exercised an unrivalled influence on English literature during the nineteenth century and on the contemporary moral, religious, and political beliefs. His critical biographical essays were the first to place the riches of modern German thought before the English-reading world. Both Carlyle and Ruskin held up to censure England's absorption in worldly success, as opposed to spiritual success and preached that truth, justice, and sincerity were the only worthy objects of human endeavor. They were convinced that both art and man degenerate in a mechanical and materialistic age.

26 (Introd.). **Jeremias Gotthelf,** pseudonym for Albert Bitzius (1797–1854), Swiss pastor and author, is noted chiefly for his stories illustrating the life of the Swiss peasantry. Historically, he is the father of the German *Dorfgeschichte* (a type of story dealing with village and peasant life).

59.—2. der neusten Erfindung; dative case. The preposition von is understood.

13. Ende der achtziger Jahre, *at the end of the eighties.* Ende is accusative, indicating definite time.

60.—14. ich, der ich, *I who;* when a relative clause modifies a pronoun in the first or second person, the pronoun is repeated and the verb in the relative clause agrees with it.

61.—6. **ein ſchön Stück Geld** = ein ſchönes Stück Geld. Adjective endings are often omitted in poetry, dialect, familiar language, and set expressions, but the omission is usually limited to the nominative and accusative neuter strong endings.

14. **fortmußte** = fortgehen mußte. A verb of action is commonly omitted after a modal auxiliary.

15. **ließen** is subjunctive since it is used in a conditional clause.

62.—21. **Tat ich das nicht** = Wenn ich das nicht tat.

63.—4. **Straßburg** is the capital of Alsace and has been an important center of Germanic culture from the time of the early Middle Ages. It was ceded to France by the treaty of Versailles in 1918.

64.—1. **Es überkommt mich . . . ſolche Reue,** *Such regret overwhelms me.* The uninflected **es** is the grammatical subject and points forward to the logical subject Reue. It is omitted in translation.

Das Gartenmeſſer

67.—7. **wo es anders hätte ſein können,** *where else it could have been;* subjunctive in indirect question.

69.—1. **Dem alten Herrn fiel das Blut,** literally: the old man's blood fell *or* subsided, *the old man's heart seemed to stop beating.*

Der bunte Vogel

72.—5. **Er ſagte ſich,** *He said to himself;* the reflexive pronoun ſich is here the indirect object and therefore dative case.

73.—7. **wirſt fügen müſſen,** *will have to submit.* In a subordinate clause the auxiliary verb stands before an infinitive or participle when two or more uninflected verbal forms come together at the end of the clause. This usage is, however, gradually giving way to the formal rule for word order which requires the personal part of the verb to stand at the end. Cf. Curme, *A Grammar of the German Language,* revised edition (1922), 392–3.

Der Guckkaſten

76.—5 (Introd.). **Thomas Mann** (1875–) is one of the foremost of contemporary novelists. He achieved an international reputation with his *Die Buddenbrooks* (1901) which presents with graphic, truthful detail the decline of a Lübeck patrician family.

77.—6. **Mutters Schwester,** *mother's sister;* **Mutter,** although a feminine noun which does not change in the singular, is here colloquially inflected in analogy with proper nouns.

77.—10 (Introd.). **Theodor Fontane** (1819–1898) achieved great success with his realistic novels dealing with the contemporary life of Berlin society such as *Irrungen und Wirrungen, Frau Jenny Treibel, Der Stechlin,* and his masterpiece, *Effi Briest.*

14. **sagte Mutter „guten Tag" und Vater „guten Morgen"** = sagte der Mutter „guten Tag" und dem Vater „guten Morgen."

80.—8. **tausend Pfund,** *a thousand pounds.* Masculine and neuter nouns and some feminines not ending in **e**, have no plural ending when used in a collective sense to express weight, measure, extent, and quantity.

13. **All** may remain uninflected before an article.

81.—3. **das Schneewittchen,** *Little Snow-White,* a fairy-tale with several episodes and many variations. The most popular version is the one by Jakob and Wilhelm Grimm. Little Snow-White lives with her stepmother. The mirror tells the latter that she is not the most beautiful woman in the land, and that this title belongs to her stepdaughter. After various attempts to take the girl's life the envious woman gives her a poisoned apple, and as soon as Little Snow-White tastes the apple she apparently falls dead. But when the glass coffin in which she lies is being carried over a rough road, the piece of poisoned apple drops from her mouth and she revives. She marries a powerful prince and the stepmother is duly punished.

17. **Jawoll! Jawoll!** = Jawohl! Jawohl!   Berlin dialect.

19. **Man eenen Froschen!** = Nur einen Groschen!   A groschen is a ten pfennig piece worth about two and one half cents.

21. **Äh! Is' mich zu teuer!** = Ach!   Das ist mir zu teuer!

Die Großmutter

82.—28 (Introd.). **Anna Karenina,** a novel by the Russian author and social reformer Count Leo Tolstoy (1828–1910). The heroine, a beautiful Russian noblewoman, is married to a man much older than herself for whom she feels no affection. She falls in love with a young officer and the story deals with her struggle against temptation, her yielding, her terrible remorse, her despair, and final suicide.

83.—28 (Introd.). **Friedrich Schiller** (1759–1804), German poet and dramatist, is recognized as second only to Goethe in German literature. He ranks among the greatest of all writers of the drama. One of his best known works is *Wilhelm Tell.*

1. **Zum zehntenmal ... wurde gepocht,** *For the tenth time ... someone rapped.* An impersonal construction with es, either expressed or understood, is found in the passive of many intransitive verbs.

84.—17. **Was untersteht Sie sich?** *How dare you?* Er and Sie (with verb in third person singular) were in the eighteenth century very polite forms of address. This usage is now rarely found except in jest or derision.

24. **Ihr Blick richtete sich mit dem Ausdrucke so folternder Seelenqual und so inbrünstigen Flehens auf ihn,** *She looked at him with an expression of such extreme anguish and fervent pleading.*

85.—2. **So lassen Sie mich hinführen,** *Then have someone take me.*

Meine erste Liebe

90.—3. **Aber dann möchte ich nicht mehr,** *But then I should no longer care for her.*

23. **wenn ich später daran war,** *when I came along later than usual.*

91.—12. **Caesar de bello Gallico,** *Caesar's Gallic Wars;* memoirs of his campaigns in the region which is now western Germany, France, and England, 58–50 B.C.

93.—6. **daß in dem Briefe gar nichts Gemeines darin sei,** *that there was absolutely nothing bad in the letter.* A prepositional phrase is frequently emphasized by repeating the preposition with da– or dar–.

94.—7. **Er hat mir kein Wort geglaubt,** *He didn't believe a word I said.*

Das Rotschwänzchen

97.—6. **Wenn nur das Sorgenkind nicht wäre!** *If only the child of sorrow did not spoil it all!*

98.—11. **Was das arme Tierchen vor uns großen Menschen für Angst haben mag!** *How the poor little creature must fear us big people!*

99.—15. **um das keine Seele sorgt,** *for whom no one cares.*

20. **Hüpfen tut es auch schon,** *It even hops already.* Tun is here colloquially used as an auxiliary verb.

28. **Nicht traurig sein, Kind** = Du solltest nicht traurig sein, Kind.

Die Menschen und die Sonne

104.—7. und so viele Lichter und Flammen auch überall brannten und glühten, *and although a great many lights and flames burned and glowed everywhere.*

107.—3. Habt ihr denn wirklich geglaubt, *Is it possible that you really believed;* denn often implies mild surprise on the part of the speaker and is frequently very difficult to render into English.

Die Lerche

110.—9. aber das mit der Sonne, *but what she said about the sun.*

28. Haben Sie mal unser Rotkehlchen singen hören? *Did you ever hear our robin red-breast sing?*

Gretchen Vollbeck

116.—32 (Introd.). **Gottfried Keller** (1819–1890), German-Swiss author, has been characterized as the Shakespeare of the German short story and is rated as the greatest master of narrative prose since Goethe. His most important works are *Der grüne Heinrich*, which ranks with the best autobiographical novels in the world's literature, and *Die Leute von Seldwyla*, a series of stories depicting Swiss provincial life and including *Romeo und Julia auf dem Dorfe*, one of the most powerful short stories in the German language. Few story writers have united such fancy and imagination with such uncompromising realism, or such tragic earnestness with such abounding humor.— **Theodor Storm** (1817–1888), North German poet and short story writer, achieved his first great success with *Immensee*. This was followed by numerous other stories, all of a very high intrinsic merit. He is at his best when dealing retrospectively with episodes and incidents of his earlier experiences.

117.—5. Herrn Rat Vollbeck, *Mr. Vollbeck* or *Counselor Vollbeck.*

118.—19. ich mußte mit = ich mußte mitgehen.

119.—15. Dein Osterzeugnis soll ja nicht ganz zur Zufriedenheit deiner beklagenswerten Frau Mutter ausgefallen sein. *I am informed* or *they say that your Easter report did not turn out to the entire satisfaction of your poor mother.*

121.—8. **Cornelius Nepos,** Roman historian, flourished at the time of

Julius Caesar. His only extant work, *Vitae Excellentium Imperatorum*, is held in high esteem as an educational classic. It is a series of biographies, based mainly on Greek sources.

14. **Epaminondas,** Theban general and statesman, born about 418 B.C. He was one of the noblest characters in Grecian history. His biography was written by Cornelius Nepos.

23. **Alcibiades,** Athenian general, born at Athens, 450 B.C. He was educated at the house of his uncle, the famous Pericles, and was a pupil of the philosopher Socrates. After a most distinguished military career in Greece and Persia he was put to death at the request of the thirty tyrants of Athens, 404 B.C.

Die geblendete Schwalbe

123.—3 (Introd.). **Johann Wolfgang von Goethe** (1749–1832), foremost German author, was so versatile and initiated so much that it is difficult to say in what he was greatest. *Faust* is undoubtedly the crowning achievement of his literary life. In it he appears at once the representative and the prophet of the modern spirit.

125.—18. **und kein Stück** = und kein Stück Vieh, *and none of the cattle.*

29. **Heimlich aber sannen wir oft über das uns rätselhafte Wort nach,** *But secretly we often pondered with regard to the meaning of the expressions which seemed to us so enigmatic.*

126.—25. **Man denke doch,** *Let it be remembered* or *it must be borne in mind.*

Biene Majas Gefangenschaft bei der Spinne

131.—30 (Introd.). **Dostojewskij,** Fyodor Dostoevsky (1821–1881), famous Russian novelist, served a long term of enforced labor in Siberian mines because of his liberal tendencies. His masterpiece, *Crime and Punishment,* is one of the most powerful realistic works of modern fiction.

132.—22 (Introd.). **Novalis,** pseudonym of Friedrich von Hardenberg (1772–1801), German author of the Older Romantic School, of which he was the best lyric poet. His lyrics in prose, *Hymnen an die Nacht,* and the romance *Heinrich von Ofterdingen* describing the search for the blue flower are his most important works.

136.—15. **Kassandra** is an old, experienced bee, Maya's nurse and adviser in the hive. She warns Maya to beware of possible enemies, especially of spiders and hornets, while outside of the hive. Maya, however, is so delighted with the beautiful world of sunshine and flowers that she fails to gather honey and to return in the evening as required. The whole book (*Die Biene Maja und ihre Abenteuer*) is the story of Maya's varied experiences and adventures, of which the present selection is typical. One day she is caught by the hornets and while waiting for her death sentence, she learns that they are preparing to attack her hive and to kill the bees. She makes a most daring escape and hastens home to tell of the impending danger. In the grim battle that follows, the bees are victorious, thanks to Maya's timely warning. She is forgiven by the queen for her failure to return and is gratefully welcomed and honored for her heroism, wisdom, and loyalty which saved the hive from destruction.

138.—25. **Maja ſchüttelte es ordentlich vor Entſetzen,** *Maja actually trembled with horror.* **Maja** is accusative case, object of the verb **ſchüttelte.**

32. **Aufgepaßt!** *Look out!* The past participle is used as an abrupt imperative.

141.—3. **den Miſtkäfer Kurt, den ſie damals bei der Grille Iffi belauſcht hatte,** *the dung-beetle Kurt whom she had overheard at the home of Iffi, the cricket.* Maya was resting on a flower near Iffi's home while Kurt was making love to the latter. After she rejected him he accidentally fell upon his back and Maya helped him on his feet again. He was very meek at the time in sharp contrast to his customary boastfulness.

EXERCISES

I

Parabel

A. Fragen

1. Was ist ein Städtchen? 2. Wer kam in das Städtchen?
3. Wann kamen sie an? 4. Welche Jahreszeit war es? 5. In
welches Gebäude traten die Gesellen? 6. Warum gingen sie
hinein? 7. Was begann zu tönen? 8. Welches Lied hörte der
eine? 9. Was tat er? 10. Welches Bild erschien vor seiner
Seele? 11. Was hörte der zweite? 12. Wann traten die beiden
wieder ins Freie? 13. Wen sahen sie bald? 14. Wo sahen sie
ihn? 15. Was fragten sie ihn? 16. Was für Orgeln hatte er
schon gehört? 17. Mit welchem der beiden Gesellen sprach er
zuerst? 18. An wen wendete er sich dann? 19. Wozu können sich
verlorene Töne verbinden? 20. Welcher von den beiden hatte
recht? 21. Wohin ging der Greis?

B. Zur Besprechung

1. An welchem Tage traten die beiden Gesellen in die Kirche?
2. Was hörten sie, ehe sie ihr Gebet verrichteten? 3. Was tat
der eine, als ihm warm ums Herz wurde? 4. Woran dachte der
zweite Geselle? 5. Wohin gingen die beiden nach der Messe?
6. Worüber konnten sie nicht einig werden? 7. Wen baten sie
um eine Entscheidung? 8. Was sagte dieser über die Orgel?
9. Erzählen Sie diese Geschichte von dem Standpunkte des ersten
Gesellen; des zweiten; des alten Mannes.

C. Übungen

1. Geben Sie die Grundformen von folgenden Zeitwörtern:
haben, fragen, sehen, beginnen, hineingehen (z. B. geben (er gibt),
gab, hat gegeben).

157

2. Geben Sie die Mehrzahl von folgenden Hauptwörtern: der Mann, der Tag, die Kirche, das Städtchen, das Herz, das Lied (z. B. der Mann, die Männer).

3. Bilden Sie Sätze mit folgenden Ausdrücken: an etwas denken, über etwas einig werden, warm ums Herz werden, recht haben.

D. Translation

1. Early one morning two journeymen enter an old church. 2. One is deeply moved, because he hears the old Easter-song. 3. He thinks of his sweetheart and believes he is standing with her at the altar. 4. The other hears neither a beautiful song nor the words of a speaker. 5. Since the two cannot agree, they begin to wonder about one another. 6. Both are right; the organ was poor, but the melody of the old song was beautiful. 7. They see an old man coming down the church steps. 8. The old man had often heard better organs. 9. After their new friend had spoken these words, he went away.

II

Die Tafel der Reichen

A. Fragen

1. Wer sitzt an der Tafel? 2. Was wird nur halb geleert? 3. Wohin bringt man die Schüsseln? 4. Wer war für den Tag aufgenommen? 5. Was will sie für ihren Hund haben? 6. Wer schiebt ihr die Teller zu? 7. Womit wird ihr Korb gefüllt? 8. Wohin ging sie damit? 9. Wer wartete auf der Türschwelle? 10. Für wen hatte sie das Essen erbettelt? 11. Was leerte sie in eine Schüssel? 12. Wem setzte sie die Schüssel vor? 13. Was schlich heran? 14. Wohin setzte es sich? 15. Womit eröffnete es das Gespräch? 16. Was für Augen hatte es? 17. Auf wen richtete es die Augen? 18. Was warf man ihm zu? 19. Was für Zähne hatte es? 20. Wie schmeckte es ihm?

B. Zur Besprechung

1. Was tun die Diener, während die Reichen an der Tafel sitzen? 2. Weshalb werden die Schüsseln nur halb geleert? 3. Was wollte die arme Frau für ihre Kinder mitnehmen? 4. Warum erzählte sie von einem Hunde? 5. Was tat sie, als sie zu Hause ankam? 6. Woher kam das Hündchen? 7. Wie sah es aus? 8. Wie zeigte es, daß es Hunger litt? 9. Beschreiben Sie die Mahlzeit der Reichen; der Dienerschaft; der armen Familie; des Hundes. 10. Wem schmeckte das Essen am besten?

C. Übungen

1. Geben Sie die Grundformen von folgenden Zeitwörtern: sitzen, bringen, leeren, zermalmen, aufnehmen.

2. Geben Sie die Einzahl (mit dem Artikel) von: Zähne, Knochen, Kinder, Gäste.

3. Bilden Sie Sätze mit folgenden Ausdrücken: übrig lassen, Hunger leiden, sich setzen, sich freuen, auf jemand warten, einer nach dem andern.

D. Translation

1. The servants ate what the guests left in the dishes. 2. The children of the poor woman were suffering from hunger. 3. She was ashamed of her poverty whenever she thought of it. 4. The servants fill her large basket with all kinds of leavings. 5. She finds her two little children at home on the door-step. 6. They had not yet eaten, for there was nothing in the house. 7. They like the morsels which their mother sets before them. 8. The neighbor's black dog approaches and sits down in front of them. 9. They give the hungry dog one bone after another. 10. He can crush them because his teeth are very strong.

III

Apportel

A. Fragen

1. Wann ging der Herr spazieren? 2. Wie war der Strand=
weg? 3. Wer ging vor dem Herrn her? 4. Was hatte dieser bei
sich? 5. Wer spielte Apportel? 6. Was brach der Bursche vom
Gesträuch? 7. Wohin warf er sie? 8. Wie schnell lief der Hund?
9. Wer schien sich zu ergötzen? 10. Was brach er dann? 11. Wohin warf er es? 12. Was machte der Hund dann? 13. Wie sah
der Fluß aus? 14. Was schalt der Bursche den Hund? 15. Wo
war das Wasser seicht? 16. Wann stoben die Tropfen? 17. Wohin warf der Bursche den nächsten Ast? 18. Was machte der Hund
im Wasser? 19. Wann schmiegte er sich an die Beine des Burschen?
20. Wie nannte dieser den Hund? 21. Wohin warf er das
letzte Holzstück? 22. Wo verschwand der Hund? 23. Was hatte
der Herr dem Burschen zugerufen? 24. Wer lief davon?

B. Zur Besprechung

1. Wo ging der Herr spazieren? 2. Wen sah er da vor sich
hergehen? 3. Wie spielt man Apportel? 4. Warum wollte der
Hund zuerst nicht in den Fluß springen? 5. Was ist ein reißender
Fluß? ein Feigling? 6. Wie weit warf der junge Herr das erste
Ästlein ins Wasser? das zweite? 7. Weshalb kam der Hund das
letzte Mal nicht wieder? 8. Warum lief der Bursche davon?
9. Woran dachte er wohl während der Nacht? 10. Erzählen Sie
die Geschichte.

C. Übungen

1. Geben Sie die Grundformen und das Präsens von folgenden
Zeitwörtern: sein, werden, tun, halten, hinwerfen, arbeiten.

2. Deklinieren Sie (Einzahl und Mehrzahl): der junge Herr,
der treue Hund, das dürre Ästlein, die große Welle.

3. Bilden Sie Sätze mit folgenden Präpositionen: durch, für,
gegen, ohne, um.

D. *Translation*

1. The older man was glad because the bank of the stream was deserted. 2. The happy dog brought back one dry twig after another. 3. In this manner the young lad amused himself for a time. 4. When he threw a heavier twig into the river, the dog barked loudly. 5. He sprang into the water and swam toward the branch. 6. With all his might he worked his way to the place where he had espied the wood. 7. The boy paid no attention to the whining and panting of his brave dog. 8. He looked once more at the waves in which Sultan had disappeared. 9. The boy, whose dog did not reappear, took to his heels. 10. Whether he will play *Apportel* again we do not know. It is probable, however.

IV

Hinterm Gartenbuſch

A. Fragen

1. Was für eine Rebe wächſt am Hauſe? 2. Wann bedeckt ſie die weiße Wand? 3. Welche Vögel ſieht man dort? 4. Woran kann man ſich ergötzen? 5. Was holen ſie ſich aus dem Acker? 6. Was für ein Lärm war eines Abends im Buſche zu hören? 7. Wer war nun in der Mehrzahl? 8. Wer ſollte aus dem Garten? 9. Wer wollte ihre Neſter nehmen? 10. Was ging dann los? 11. Was piepte ein junger Knirps? 12. Welche Worte ſchrillte ein fetter Spatz? 13. Wo war der Blutfink? 14. Wie ſang er? 15. Wer antwortete ihm? 16. Was für Federn ſollen die Sing= vögel nicht mehr tragen? 17. Wie ſollen ſie von heute ab ſingen? 18. Wer will ſie aus allen Gärten vertreiben? 19. Wer wird dann die Raupen fangen? 20. Wie viele Äpfel werden auf den Bäumen zu finden ſein? 21. Wie viele Raupen kann ein Vogel in einem Tage fangen? 22. Was macht er damit?

B. Zur Besprechung

1. Wo wächst eine Rebe? 2. Was bauen sich die Spatzen?
3. Wann zwitschern sie am lautesten? 4. Wie gefallen diese Vögel
dem Dichter? 5. Welche Vögel führten eines Abends das Wort?
6. Was sollten alle Vögel jetzt werden? 7. Warum wollten die
Spatzen nun alle Singvögel abschaffen? 8. Was wollten die
Spatzen lernen? 9. Welche Meinung hatten die Singvögel
davon? 10. Beschreiben Sie die neuen Zeiten im Vogelreiche.
11. Wie sind die Vögel dem Menschen nützlich? 12. Welche Vögel
kennen Sie?

C. Übungen

1. Geben Sie die Grundformen und das Präsens von: lernen,
kennen, antworten, wachsen, vertreiben, fortgehen.

2. Deklinieren Sie: ein junger Vogel, eine weiße Wand, mein
neues Haus.

3. Bilden Sie Sätze mit folgenden Präpositionen: aus, bei,
mit, nach, von, zu.

D. Translation

1. The author enjoys the sparrows and their chirping. 2. He
understands what they say to one another. 3. One young
sparrow wants to become a canary bird. 4. Then they all think
they want to be canary birds. 5. Soon one of them chirps that
canary birds must become sparrows. 6. The chorus of sparrows now roars: "Bravo, he is right." 7. No beautiful bird
will be permitted to wear colored feathers hereafter. 8. All
birds must learn to chirp if they want to remain in the garden.
9. The sparrows, however, can not do the work of the finches.
10. They do not bring their children any caterpillars. 11. They
will never become more sensible, because a sparrow remains a
sparrow. 12. After a hundred years they will not be able to
fly like doves.

V
Eine Abelsberger Katze [CAT]

A. Fragen

1. Wer saß im Pfarrhofe immer bei Tische? 2. Wo saß die Katze am liebsten? 3. Was schob der Pfarrer ihr zu? 4. Wer verreiste auf einige Zeit? 5. Was hatte der Kaplan zu verwalten? 6. Gegen wen schmiedete er Ränke? 7. Wem waren die Hände gebunden? 8. Wer wird bald nach Hause kommen? 9. Wohin wird er zuerst blicken? 10. Wer hat seine Wohnstätte dort? 11. Wo hing das Kruzifix? 12. Wann bemerkte der Kaplan eine Peitsche? 13. Von wem kaufte er sie? 14. Wann setzte er sich allein zu Tische? 15. Wohin ging die Katze? 16. Was nahm der Kaplan in die rechte Hand? 17. Womit schlug er die Katze? 18. Was tat diese sofort? 19. Wer kam nach einigen Tagen heim? 20. Wie war ihm zu Mute? 21. Wohin setzten sich die beiden Männer? 22. Was fiel dem Pfarrer auf? 23. Was für eine Katze fürchtet sich vor einem Kruzifix? 24. Wonach langte der Pfarrer? 25. Wie benahm sich die Katze? 26. Was wurde aus ihrer Haut geschnitten?

B. Zur Besprechung

1. Warum brauchte die Katze kein Besteck? 2. Wo saß sie gern während der Mahlzeit? 3. Warum hatte der Kaplan die Katze nicht lieb? 4. Was schmeckte ihr am besten? 5. Welche Pflichten (*duties*) hatte der Kaplan, nachdem der Pfarrer abgereist war? 6. Wie behandelte der Kaplan die Katze? 7. Was tat die Katze, als sie so behandelt wurde? 8. Wie lange dauerte es, bis sie gar nicht mehr zu Tisch kam? 9. Von welchem Aberglauben sprach der Kaplan? 10. Woran dachte die Katze, als der Pfarrer ihr das Kruzifix vorhielt? 11. Was ist aus der Katze geworden? 12. Erzählen Sie die Geschichte in der ersten Person von dem Standpunkt des Kaplans.

C. Übungen

1. Geben Sie die Grundformen und das Präsens von: sich fürchten, sich setzen, verstehen, widerstehen, anblicken, zuschieben.

2. Deklinieren Sie: der feinste Löffel, der erste Bissen, kein besseres Mittel.

3. Bilden Sie Sätze mit den Präpositionen: an, auf, in, neben, über, vor, zwischen.

D. Translation

1. There were always three of them at the table, a superstitious pastor, a young assistant, and a grey cat. 2. The assistant often had his eye on the morsels which the pastor pushed to the cat. 3. It sometimes happened that the cat sat in the middle of the table. 4. The pastor had to be away from home for several days. 5. The assistant wondered how he was to (sollte) keep the cat away from the table. 6. His eye fell upon the crucifix which the pastor had hung on the wall. 7. After the assistant had said a prayer in the old church, he took a walk through the town. 8. When the cat came to the table, the assistant held the crucifix in his right hand. 9. The pastor, who returned home after a few days, did not believe in ghosts. 10. He is surprised that the cat does not come to the table. 11. What people say about a cat and a crucifix occurs to him. 12. It is obvious that the assistant will never tell what he had done.

VI

Würste und Häute

A. Fragen

1. Welche Frage besprachen die Studenten? 2. Wie nannte man den Luxus in den Vordebatten? 3. Wen blickten die Studenten an, als sie müde waren? 4. Was sollten sie während der Ferien tun? 5. Wer schrieb keine Zeile? 6. Wann traf er einen Kollegen?

7. Wohin führte er ihn? 8. Welche Frage stellte dieser? 9. Wie antwortete Köglmaier? 10. Wie spitzte er die Ohren? 11. Wer saß an den Nachbartischen? 12. Was aßen sie? 13. Wer schlug auf einmal auf den Tisch? 14. Was hatte er gefunden? 15. Wie hatte er es erlebt? 16. Was für Arbeiten schrieben einige Studenten? 17. Welcher Student hatte keine Arbeit eingeliefert? 18. Wie wollte dieser vortragen? 19. Wohin schaute der Professor? 20. Wieviel Zeit war noch übrig? 21. Wie lange wollte Köglmaier vortragen? 22. Was erzählte er? 23. Wie benahmen sich seine Kollegen? 24. Was sagte der Professor über seine Lösung?

B. Zur Besprechung

1. Was ist ein Seminar? eine Seminararbeit? der Luxus? 2. Über welche Frage debattierten die Studenten? 3. Warum wurden sie nicht einig darüber? 4. Wann sollten die Studenten ihre Arbeit einliefern? 5. Wie verbrachten die meisten Studenten ihre Ferien? 6. Worauf verließ sich Köglmaier? 7. Worüber wunderte sich sein Freund? 8. Was ereignete sich im Münchner= kindlkeller? 9. Wann gab der Herr Professor die Arbeiten zurück? 10. Was sagte er über die Lösung der Frage? 11. Warum gratu= lierte der Herr Professor Herrn Köglmaier? 12. Welche Meinung haben Sie über diese soziale Frage?

C. Übungen

1. Geben Sie die Grundformen, das Präsens, und das Imper= fekt von: wissen, zurückkehren, einliefern, können, trinken, sprechen.

2. Steigern Sie: gut, viel, hoch, alt, klar.

3. Bilden Sie Sätze mit folgenden Ausdrücken: sich auf etwas verlassen, jemandem zusehen, satt werden, über etwas nachdenken, an etwas glauben, jemandem gratulieren.

D. Translation

1. A student at a university always has much work to do. 2. The young men in this German seminar debated social questions. 3. In the preliminary debates on 'Luxury' several

had shown their ignorance (sich blamieren). 4. They had not as yet thought the question over sufficiently. 5. They depended on what they had heard and seen. 6. On the last day of vacation Köglmaier went with a friend into a wine room where they sat down at a table. 7. Both of them suddenly pricked up their ears, for they heard an old inhabitant of Munich speak. 8. A portly man who was eating sausages had a lean dog to which he tossed one skin after another. 9. If it does not occur to the man that the poor animal is hungry, it will not have enough to eat (satt werden). 10. Köglmaier had not written his work because he wanted to give it orally. 11. The student who had handed in the largest work was silent when Köglmaier took his seat. 12. Will the professor congratulate the student whose work is short and clear? That depends on his solution.

VII

Der Hahn

A. Fragen

1. Warum weinte das Kind? 2. Wer fuhr im Bette auf? 3. Wie pflegte dieser zu arbeiten? 4. Was verdiente er? 5. Wovon hielt er nicht viel? 6. Wen konnte er nicht leiden? 7. Was für ein Geschäft hatte er? 8. Mit wem mußte er kämpfen? 9. Wen rief das kranke Kind? 10. Wer hörte es? 11. Wann fing dieser an zu träumen? 12. Was sah er an den Wänden hängen? 13. Womit waren diese bedeckt? 14. Wo lag ein Haufen Steine? 15. Was fing der Mann an zu tun? 16. Wo fand er den hölzernen Hahn? 17. Wen sah er auf einmal? 18. Wann war sie wieder verschwunden? 19. Wann ging er in eine Spielwarenhandlung? 20. Was wollte er kaufen? 21. Wo fand er endlich, was er wollte? 22. Was war ihm ganz gleichgültig? 23. Wohin ging er am Abend mit dem Päckchen? 24. Für wen hatte er es gekauft? 25. Wem gab er es? 26. Warum lief er dann die Treppe hinunter?

B. Zur Besprechung

1. Was tat der Mann, als er das Kind aufschreien hörte?
2. Weshalb konnte er die Kinder nicht leiden? 3. Wo mußte der
Mann jeden Tag mit aller Anstrengung arbeiten? 4. Was für ein
Zimmer sah er im Traume? 5. Erklären Sie auf Deutsch, was
folgende Wörter bedeuten: häßlich, angstvoll, hölzern. 6. Was fand
der Mann unter dem Steinhaufen? 7. Woran dachte er nun auf
einmal? 8. Welche Bedeutung hatten die Nullen an der Wand?
9. Wohin ging er am anderen Morgen? 10. Welche Farben mußte
der hölzerne Hahn haben? 11. Wem reichte der Mann das Päckchen,
ehe er nach Hause ging? 12. Wer war die kleine alte Frau, die
ihn geschickt hatte?

C. Übungen

1. Mit welchen Infinitiven sind folgende Wörter verwandt:
Traum, Kampf, Geschäft, Handlung, Päckchen, Ton, endlich,
gültig?

2. Deklinieren Sie folgende Fürwörter: ich, du, er, sie, es, der
(relativ), dieser, wer (interrog.).

3. Bilden Sie Sätze, worin folgende Bindewörter vorkommen:
daß, aber, als, wenn, wie, ob, wo, ehe, denn, und.

D. Translation

1. A neighbor's child was so ill that it did not sleep at all
during the night. 2. A tired man heard it scream just at the
moment when he was going to sleep. 3. During the day he had
to work hard in order to earn money. 4. He had a large business, but his competitors were shrewd men whom he could not
endure. 5. Before he saw his mother in the dream, he had little
regard for children. 6. He saw a heap of gray stones lying in
the middle of a bare room. 7. He was glad when he found the
wooden rooster which his mother had given him. 8. On the
following day he deserted his business in order to search for a
rooster that could crow. 9. Although the owner of the store
shrugged his shoulders, he finally sold the man what he wanted.

10. When the mother of the sick child opened the door, the man was ashamed to say who he was. 11. He went away quickly before he had answered her question. 12. The little boy improved more and more, but he never saw the good woman who sent him the rooster.

VIII

Zwei redliche Finder

A. Fragen

1. Wer hatte den Ring verloren? 2. Wo machte sie den Verlust bekannt? 3. Wann stellte sich der Finder ein? 4. Warum ging die Frau in das Nebenzimmer? 5. Wie viele Gulden wollte sie dem Finder geben? 6. Warum hatte der Ring besonderen Wert für sie? 7. Wieviel Geld gab sie dem Manne als Finderlohn? 8. Weshalb hatte er nicht schlafen können? 9. Warum hatte er den Ring nicht am Finger getragen? 10. Was für ein Mann war er? 11. Wessen Sohn war gestorben? 12. Wieviel Geld hatte er hinterlassen? 13. Wohin wollte sie es tragen? 14. Was mußte sie unterwegs besorgen? 15. Wem wurde der Verlust gemeldet? 16. Wo zeigte sie ihn an? 17. Wer kam am nächsten Tage in ihre Wohnung? 18. Was gab er für sie ab? 19. Wer erzählte ihr davon? 20. Was hatte er über sich selber gesagt? 21. Wie war er wieder fortgegangen? 22. Was für Haar hatte er? 23. Wo saß er oft? 24. Was wollte die Frau ihm geben? 25. Wo erkundigte sie sich nach ihm? 26. Wer gab ihr eine Adresse an? 27. Wohin hatte man den Greis getragen? 28. Was hatten die Ärzte konstatiert?

B. Zur Besprechung

1. Was für einen Ring hatte die Frau verloren? 2. Wer hatte ihn gefunden? 3. Warum war der Finder erregt? 4. Weshalb hatte er einem Goldarbeiter den Ring gezeigt? 5. Was hatte dieser darüber gesagt? 6. Warum gab die Eigentümerin dem

Finder zwanzig anstatt fünfzehn Gulden? 7. Woran können wir
sehen, daß dieser in Wirklichkeit ein Spitzbube war? 8. Von wem
hatte die zweite Frau ein Vermögen erhalten? 9. Wo hat sie
das Geld verloren? 10. Warum hatte sie keine Hoffnung, es
wiederzubekommen? 11. Beschreiben Sie den Mann, der ihr das
Geld brachte. 12. Wie hat die Frau seine Wohnung gefunden?
13. Was war in seiner Kammer vorhanden? 14. Was hat die
Frau dort erfahren?

C. Übungen

1. Geben Sie folgende Zeitwörter im Präsens und im Plus=
quamperfekt: verlieren, müssen, mögen, zurückgeben, anzeigen, ab=
geben, eingestehen.

2. Bilden Sie Sätze mit folgenden relativen Fürwörtern: der,
den, welche, wer, was.

3. Wann gebraucht man die Inversion in einem deutschen
Satze? Geben Sie Beispiele.

D. Translation

1. A wealthy woman lost a ring while taking (*subor. clause*) a
walk one day. 2. She had to describe it before the finder gave
it to her. 3. She wanted to reward him, but her purse was not
to be found. 4. It is obvious that the ring was very valuable
as a souvenir. 5. The finder had found out the value of the
precious stone. 6. He kissed her hand when she begged him to
accept twenty guldens. 7. He was in reality a thief, but he
was afraid to wear the ring. 8. Some time ago the only son of a
poor woman died. 9. While she was attending to various
details she lost her purse. 10. She reported the loss of her money
to the police and hoped to get it back. 11. The next day an
old man whom she had often seen left a little package for her.
12. She inquired everywhere, but no one knew where he had
gone. 13. When she finally learned his address, she went to
his room on the sixth floor. 14. We are deeply moved when we
think of the honest, gray-haired man.

IX

Wo sind sie denn?

A. Fragen

1. Wer baute sich einst feste Häuser? 2. Wie richteten sie dieselben ein? 3. Warum mußten sie kämpfen? 4. Wer hielt sie für unentbehrlich? 5. Welche Erfolge hatten sie? 6. Wo sind ihre Häuser jetzt? 7. Was ist aus ihren Feinden geworden? 8. Was machen die neuen Geschlechter? 9. Warum kann man die Spuren der Alten nicht finden? 10. Was baut sich die Wald= ameise? 11. Was wird daraus? 12. Welche Gebäude sieht man in jeder Stadt? 13. Wann war der große Brand? 14. Warum blieb das Schloß verschont? 15. Welche Bäume standen auf dem Rasenplatze? 16. Wo tanzten die Kinder? 17. Was konnte man im Kirchturm sehen? 18. Wann schlug der Hammer an die Glocke? 19. Womit kann man das Pendel vergleichen? 20. Wel= che Bedeutung hat das Steigen des Pendels? das Fallen des Pendels? 21. Wohin legt man das Korn? 22. Was wird daraus? 23. Warum graut uns vor dem Grabe? 24. Wie sollte uns zu Mute sein?

B. Zur Besprechung

1. Was haben diejenigen getan, die vor uns waren? 2. Wo sind die Häuser, in denen sie wohnten? 3. Warum hält man einen Freund für unentbehrlich? 4. Wann vergißt man ihn? 5. Ver= gleichen Sie die Spuren der Menschen mit den Wegen der Ameisen. 6. Wo findet man längst vergessene Namen verzeichnet? 7. Wel= ches Gebäude hatte das Feuer zerstört? 8. Was lag unter dem Rasenplatz? 9. Beschreiben Sie die Weltenuhr. 10. Was kündet sie an? 11. Wohin münden alle unsere Wege? 12. Was steht uns aber frei?

C. Übungen

1. Konjugieren Sie folgende Zeitwörter im Präsens und im Imperfekt: genießen, leiden, erringen, sich bücken, klug werden.

2. Mit welchen Infinitiven sind folgende Wörter verwandt: Achtung, Grab, Schloß, Viertel, Anbeginn, Rückschritt, kurzsichtig?

3. Bilden Sie Sätze mit folgenden Ausdrücken: vorhanden sein, im Stiche lassen, sich mit einem Plane tragen, vorkommen.

D. Trans¹ation

1. Our grandfathers once built themselves good houses. 2. They worked faithfully and were considered (man *and active voice*) indispensable. 3. They tilled their fields and loved, hoped, and suffered manfully. 4. They cherished many plans, for they believed in the future. 5. Now strangers live in their houses, and no one knows of their work, their cares, or their successes. 6. No trace of them is to be found, for the new generation has forgotten them. 7. Twenty years ago a great fire destroyed the town hall and the church together with the old documents. 8. The children who are playing and dancing upon the mounds in the cemetery do not stand in awe of the dead. 9. Up in the church tower one can see a great clock with long hands and a pendulum. 10. Every fifteen minutes the bell sounds, but the children continue playing. 11. High above the church tower is the world clock whose pendulum never is at rest. 12. We can not see the hands, but we hear the striking of the hammer. 13. We must put the seed into the earth if the golden head of grain is to (soll) nod in the sunshine. 14. Although we do not know what becomes of the dead, we shall go our way with peace in our hearts.

X

Die Tanzjungfern

A. Fragen

1. Wie hieß der Vollmeier? 2. Was für Männer waren die Musiker? 3. Wann fingen sie an zu spielen? 4. Welches Instrument gellte? Welches quietschte? Welches brummte? 5. Wie

viele Töchter hatte der Vollmeier? 6. Welche war hellblond?
Welche rot? Welche schwarz? Welche braun? 7. Wie tanzten
diese Mädchen? 8. Warum setzten sie manchmal aus? 9. Wann
wurden die Musiker müde? 10. Was gab man ihnen zu essen und
zu trinken? 11. Wann sollten die Mädchen Hochzeit halten?
12. Warum mochten ihre Verlobten nicht mehr tanzen? 13. Von
wo aus sahen sie den Mädchen zu? 14. Was taten diese immer
noch? 15. Wann traten vier fremde Männer ein? 16. Mit
welchem tanzte Elsebe? 17. Welcher Fremde tanzte mit Bebe?
18. Wie tanzte er mit ihr? 19. Welche Bauern ballten die Fäuste
in den Taschen? 20. Was trug jeder Fremde im Gürtel? 21. Was
warfen sie den Musikern zu? 22. Wie lange dauerte das tolle
Tanzen? 23. Wann kam der Windstoß? 24. Wie mächtig war
er? 25. Was war draußen zu sehen? 26. Was konnte man
hören? 27. Wie oft kommt ein großer Wirbelwind? 28. Was
wirft er um? 29. Was sagen die Leute darüber?

B. Zur Besprechung

1. In wessen Diele tanzten die jungen Leute? 2. Welche In=
strumente spielten die Musikanten? 3. Warum war die Ernte
so gut gewesen? 4. Woran sehen wir, daß das junge Volk sich
sehr amüsierte? 5. Mit wem tanzten Hermen Beers Töchter?
6. Wann gingen die meisten Tänzer nach Hause? 7. Warum
spielten die Musikanten immer noch? 8. Wie tanzten die Schwe=
stern, nachdem ihre Verlobten müde waren? 9. Wann mahnte der
Vater zum Schlafengehen? 10. Wie lange wollten die vier Mäd=
chen noch tanzen? 11. Beschreiben Sie die Männer, die um Mitter=
nacht eintraten. 12. Warum wollte der Vater Einspruch erheben?
13. Was ereignete sich um ein Uhr? 14. Wann glauben die
Leute im Dorfe, Beers Töchter in der Nähe zu hören?

C. Übungen

1. Konjugieren Sie folgende Zeitwörter im Präsens und im
Perfekt: sitzen, wollen, werden, aussetzen, versprechen, tanzen.

2. Deklinieren Sie: blitzendes Auge, das schönste Mädchen, roter Kopf, der Fremde, kein Fremder.

3. Welche englischen Wörter haben denselben Stamm wie: Tag, Zeit, Regen, Nagel, essen, trinken, machen, leben, halten, sehen, drei, zwei, zu?

D. Translation

1. The peasants will always remember the dancing-party on Beer's barn-floor. 2. His daughters were to be (sollten) married in May. There were four of them. 3. The young people congratulated the four couples and watched them during the first dance. 4. Then one friend after another asked each girl for a dance. 5. The musicians played on and on because mead and sausages were always at hand. 6. After the village clock had struck twelve the girls still wanted to dance, dance till morning, dance throughout eternity! 7. When they saw that their fiancés were tired, they let them stand at the doors. 8. The strangers who came in at midnight whirled the girls madly. 9. The girls left their sweethearts in the lurch because they liked the strange men. 10. The young peasants took to their heels when they caught sight of the long, sharp knives. 11. The girls' father was surprised that their fiancés had not waited for them. 12. Suddenly the large room, in which the last four couples were dancing, was empty. 13. No human being was to be seen, but there was whistling and howling in all directions. 14. Whenever a great whirlwind tears down many trees, the older people say that Hermen Beer's wild daughters are dancing again.

XI

Der weise Mann

A. Fragen

1. Von wem handelt diese Geschichte? 2. Wo lebte er? 3. Wie brachte er seine Zeit zu? 4. Wer sammelt sich ungemessene Schätze?

5. Was fehlt den ärmsten Leuten? 6. Wer treibt wüste Hetzereien? 7. Wer ist zu hochmütig? 8. Wessen Arbeit muß der Staat schützen? 9. Wann werden sich Völker gegenseitig achten? 10. Wann kann ein Staat den Frieden nicht erhalten? 11. Wie muß das Recht erhalten werden? 12. Was sollten die Menschen einander nicht antun? 13. Was für Heilmittel hatte der weise Mann gefunden? 14. Wen bat er um ein Amt? 15. Was versprach er zu tun? 16. Warum schlug der Beamte die Hände über dem Kopfe zusammen? 17. Warum weinte er bald darauf? 18. Worüber lachte der Weise? 19. Was schüttelte er von den Füßen? 20. Wem setzte er nach einiger Zeit seine Pläne auseinander? 21. Weshalb konnte ihm dieser kein Amt geben? 22. Was sagte der Beamte? 23. Wie wurde dem Weisen zu Mute? 24. Warum lachte er diesmal nicht? 25. Wohin ging er nun? 26. Was verfaßte er? 27. Worüber schrieb er? 28. Was wollte er erreichen? 29. Warum gelang es ihm nicht? 30. Wo starb er? 31. Wann hatte man ihn dorthin verbracht?

B. Zur Besprechung

1. Wie war der Mann so weise geworden? 2. Welche Tugenden besaß er? 3. Worüber sann er nach? 4. Welche Übel konnte er verhüten? 5. Wie wollte er seine Kenntnisse verwenden? 6. Was setzte er dem Würdenträger auseinander? 7. Warum konnte dieser den Weisen nicht gebrauchen? 8. Weshalb ließ er ihn schließlich hinauswerfen? 9. Wohin ging der Weise dann? 10. Warum lachte der Beamte? 11. Wie versuchte der weise Mann bald darauf, seinen Mitmenschen zu helfen? 12. Was ist aus ihm geworden? 13. Wiederholen Sie das Gespräch zwischen dem Weisen und dem Beamten. 14. Wie kann man einen Staat von Übeln und Schäden befreien?

C. Übungen

1. Geben Sie das Plusquamperfekt und das erste Futurum von: nachsinnen, verhüten, erhalten, studieren, einrichten.

2. Was ist das Gegenteil von: weise, hoch, groß, nordwärts, leicht, schwach, hassen, leben, Frieden, Glück?

3. Bilden Sie Sätze mit folgenden Ausdrücken: in einem fort, sich erinnern, Einspruch erheben, einmal um das andere, fehlen.

D. *Translation*

1. Many clever men never meditate on the evils of the state.
2. The rich possess untold wealth, but the poor must often suffer from hunger. 3. Inhabitants of cities pay too much for their food, and the farmer obtains too little for his work. 4. It is not possible to maintain justice when races and classes hate each other. 5. There can be no lasting peace if every state tries to deceive and malign its neighbors. 6. A wise man, whose name I have forgotten, lived in deep solitude a whole year. 7. He finally found a simple way to relieve the sufferings of his fellows. 8. He wanted to employ his knowledge for the welfare of humanity. 9. He had not studied law, but he cherished the hope of becoming a public servant. 10. He explained his plans to the highest official of a great state. 11. The latter was astonished but could not use a man who did not have the qualification of a military officer. 12. No one knows what became of the newspaper articles he wrote the following year. 13. The people whom he wished to serve heard of him only after he had died. 14. Such splendid thoughts! Such stupid officials! What a tragic fate!

XII

Die Hühnereier

A. Fragen

1. Wer war der König der Tiere? 2. Wer war der Kriegs= minister des Reiches? 3. Von wem waren die Schreiberposten besetzt? 4. Was für Eier legten die Hühner? 5. Wer sollte fortan Hühnereier legen? 6. Worüber entstand eine Aufregung? 7. Warum mußte man den Mund halten? 8. Wer erhob seine Stimme dagegen? 9. Warum mußte er auch fortan den Mund

halten? 10. Was sollten nun alle Tiere erklären? 11. Wo saß
der König? 12. Was hatten ihm die Schafe geschenkt? 13. Wer
las die Namen der Tiere vor? 14. Wann trat der Löwe vor?
15. Welche Frage stellte ihm der Affe? 16. Warum antwortete
der Löwe nicht sofort? 17. Was galt dem Hunde gleich? 18. Was
tat der König, als er die Worte des Hundes hörte? 19. Wer
folgte dem Beispiel des Hundes? 20. Was versprach der Fuchs?
21. Woran dachten die Vögel? 22. Was schnatterte die Gans?
23. Wie wurde ihr zu Mute, als der Ochse vorwärts trat?
24. Welche Worte rief sie aus? 25. Was tat der Adler, als
er vorgerufen wurde? 26. Wer sprang zum Thron empor?
27. Wann begriffen die Ochsen, was geschehen war? 28. Wen
frißt der Löwe, wenn er Hunger hat? 29. Was verlangt er nicht
von allen?

B. Zur Besprechung

1. Wer waren die Beamten im Tierreiche? 2. Warum liebte
der König die Hühner? 3. Welchen Befehl gab er allen Tieren?
4. Was forderte der Sperling? 5. Wie wurde er bestraft? 6. Be=
schreiben Sie den König auf seinem Throne. 7. Wer stand ihm
zur Rechten und wer zur Linken? 8. Welches Tier wurde zuerst
aufgerufen? 9. Warum wollte er Bedenkzeit haben? 10. Was
versprach der Hund? 11. Weshalb fühlte sich die Gans gekränkt?
12. Was rief der Adler, als er auch schwören sollte? 13. Was
geschah, nachdem er emporflog? 14. Erzählen Sie die Geschichte
von dem Standpunkte des Esels; des Adlers; des Löwen.

C. Übungen

1. Geben Sie das Präsens, das Imperfekt und das erste
Futurum von: befehlen, aufpflanzen, versuchen, vorlesen, sich
abwenden.

2. Was ist die Mehrzahl von: Ei, König, Hase, Wolf, Tier,
Taube, Hund, Fuchs, Vogel, Adler, Hahn, Huhn, Sperling, Löwe?

3. Bilden Sie Sätze mit folgenden Ausdrücken: vor Gericht,
jemandem beistehen, sich etwas gefallen lassen, geflogen kommen.

Exercises

D. Translation

1. Once upon a time the donkey was the king of beasts.
2. His cousins, the oxen, always gave him their support. 3. The
mighty king loved hens' eggs and demanded them from all his
subjects. 4. A great tumult arose because the animals considered it impossible to obey him. 5. The court decided to
punish the little sparrow because he had been too bold. 6. Many
animals nodded their approval when they heard what the dog
said. 7. It did not matter to the ox whether he was to lay
large or small eggs. 8. The lion, however, could not answer
at once and asked for an hour's time. 9. The goose felt insulted,
but she begged for mercy when the ox frightened her. 10. The
lion tore the donkey to pieces before his war-minister could
prevent it. 11. The latter did not really understand what was
going on, for he was an ox, you know. 12. Since that time the
lion has been the ruler of the animal kingdom. 13. His subjects
make the best of it, although he sometimes looks at them scorn-
fully. 14. When an agitator begins to malign him, everyone
cries: "No! No! He will never demand that we lay hens'
eggs."

XIII

† Der Stille Ozean

A. Fragen

1. Wer hatte die Geographiestunde gern? 2. Wie hieß der
Lehrer? 3. Was bekamen seine Schüler niemals? 4. Wann
mußten sie nachsitzen? 5. Was für Ermahnungen gab ihnen der
Lehrer? 6. Was sah ein Schüler in einem Familienjournal?
7. Beschreiben Sie Herrn Benekes Kopf; seine Augen; · seine
Stimme. 8. Welche Farbe zeigte sein Gesicht? 9. Wovon hörte
ihn der Schüler oft sprechen? 10. Wo erfüllte ihn dasselbe Staunen? 11. Wie groß ist der Stille Ozean? 12. Welche Eigenschaften hat er? 13. In welchem Stockwerk war das Klassen-

zimmer? 14. Wo saßen die alten Schüler? die neuen? 15. Wo
war das Katheder? 16. Was für Bänke waren im Zimmer?
17. Welche Farbe hatten die Wände? 18. Wo wuchs Gras?
19. Welche Tiere waren draußen zu sehen? 20. Wie gab die Kirchuhr die Zeit an? 21. Wie erholten sich die Schüler? 22. Was
wußten sie von den Häusern? 23. Von welchen Erdteilen hörten
sie Berichte? 24. Was erzählte ihnen Herr Beneke darüber?
25. Was haben sie später darüber erfahren? 26. Wie kommt man
über den Ozean? 27. Was sieht man auf einem Dampfer?
28. Welche Leute sieht man? 29. Wann sind Sie auf einem Dampfer gewesen? 30. Wohin sind Sie damals gereist?

B. Zur Besprechung

1. Warum hatten die Schüler die Geographiestunde gern?
2. Wie sah der Lehrer aus? 3. Weshalb schien er den Schülern
spaßhaft? 4. Wann hielt er ihnen Ermahnungen? 5. Wohin
stellte er sich, wenn er seine Vorträge hielt? 6. Womit spielte er
dann oft? 7. Was sagte er von dem Stillen Ozean? 8. Welche
Stimmung erweckten seine Worte? 9. Welcher Platz lag neben
der Schule? 10. Was für Bäume standen dort? 11. Welche
Gebäude konnte man draußen sehen? 12. Wie waren die Schüler
damit bekannt geworden? 13. Wen hatten sie darin kennen gelernt? 14. Warum haben sie Herrn Benekes Ozean niemals
vergessen?

C. Übungen

1. Geben Sie eine Synopsis (die dritte Person Einzahl aller
Zeitformen) von: aussehen, schneiden, bleiben, hinausgehen, erzählen.

2. Mit welchen Infinitiven sind folgende Wörter verwandt:
Umstände, Ermahnung, Vorstellung, eindringlich, Bewegung,
Eigenschaft, furchtbar?

3. Bilden Sie Sätze mit folgenden Ausdrücken: das Furchtbarste, etwas Großes, Mann und Maus, an und für sich, solch eine,
die meisten.

D. *Translation*

1. Most of the pupils who attended the elementary school liked the geography-period. 2. The lessons were not difficult, and the teacher, Mr. Beneke, was interesting. 3. Under no circumstances did the latter whip his pupils, but he occasionally kept them after school. 4. They thought a great deal of him because he was the best teacher they had. 5. One day they found the picture of a Chinese mandarin who looked like Mr. Beneke. 6. His black eyes, his peculiar nose, and his broad mouth were truly Chinese characteristics. 7. The pupils often heard him speak of a great ocean where everything was silent. 8. His words made them feel as reverent as the playing of the organ in church on Sunday. 9. The thought of perishing (*infinitive*) there was fearful but at the same time unspeakably agreeable. 10. Six pupils could sit on each of the long benches which stood in the middle of the room. 11. The older boys sat just opposite a large window very close to the entrance. 12. Since that time they have become acquainted with many people who have told them many interesting things about the world. 13. One of them was a rich man who had traveled in all directions on every continent. 14. But they will never forget Mr. Beneke's ocean and the reverent thoughts which it awakened in them.

XIV

Adam und das Hündchen

A. Fragen

1. Wann verstanden einander alle Geschöpfe? 2. Von welchem Baum durfte das Menschenpaar nicht essen? 3. Wann freute sich das Hündchen? 4. Womit spielte es? 5. Was machte dem Kätzchen Freude? 6. Wo hielt Eva sich gern auf? 7. Warum lockte der Hund seinen Herrn weg? 8. Was tat Eva immer, wenn Adam fortging? 9. Was sagte der Hund zu der Katze? 10. Welche

Antwort gab diese? 11. Was war ihr gleich? 12. Wem er=
zählte sie von diesem Gespräch? 13. Wovon ließ das Hündchen
nicht ab? 14. Wie wurde es Eva deshalb zu Mute? 15. Wor=
über schalt sie das Hündchen? 16. Wann liebkoste Adam die
Katze? 17. Wohin ging das Hündchen? 18. Was nistete dort?
19. Was versuchte diese zu tun? 20. Warum wurde das Hündchen
nicht blind? 21. Was war die Absicht der Schlange? 22. Wann
verhallte die Warnung des Hündchens? 23. Was sah das treue
Tier nicht? 24. Wann wurde es dumpf in der Luft? 25. Wo
verbarg sich das Menschenpaar? 26. Warum verkroch sich das
Hündchen? 27. Was hörten alle Tiere im Garten? 28. Wann
verließ die Katze das Menschenpaar? 29. Wie war dem Hündchen
zu Mute? 30. Warum wollte es bei dem Menschen sein? 31. Was
wollte es ihm sagen? 32. Wie konnte es alles sagen, was nötig war?

B. Zur Besprechung

1. Welchen Befehl hatte der Hund gehört? 2. Was nahm er
sich vor? 3. Worüber freute sich Adam? 4. Welche Neigung hatte
Eva? 5. Was tat der Hund, wenn sie die Früchte betrachtete?
6. Wie hätte die Katze dem Hunde beistehen können? 7. Weshalb
galt es ihr gleich, wohin die Frau wandelte? 8. Wann stieß Eva
den Hund mit dem Fuße? 9. Was ereignete sich, als er unter dem
Baume lag? 10. Wie wurde seine Sehkraft geschwächt? 11. Wann
ließ das Kätzlein seine Herrin im Stiche? 12. Warum wollte der
Hund den Menschen folgen? 13. Wiederholen Sie das Gespräch
zwischen dem Hunde und dem Engel. 14. Wie fühlte sich Adam,
ehe er das Hündchen hörte? nachdem er es gesehen hatte?

C. Übungen

1. Geben Sie eine Synopsis von: vernehmen, dahintragen,
können, sich legen, bedenken, stehen, bleiben.

2. Mit welchen einfachen Stämmen sind folgende Wörter ver=
wandt: Hündchen, Menschenpaar, Überredung, Ausweg, Wachsam=
keit, Nähe, Urteilsspruch, Mitleid, schwächen, bedünken, verhärten?

3. Bilden Sie Sätze mit folgenden Präpositionen: zu, von, in

(Dat.), in (Aff.), mit, wegen, um, an (Dat.), an (Aff.), durch, während, trotz, diesseits, anstatt.

D. Translation

1. All creatures could understand each other when they lived in paradise. 2. The clever dog scolded the cat because she liked to loiter near the forbidden tree. 3. She put up with his words, for she could not drive him away. 4. Although she became very angry, she nevertheless answered him in a friendly manner. 5. Whenever Adam came into this part of the garden, the dog leaped merrily to and fro in order to entice him away. 6. The dog's watchfulness did not please the serpent at all; it therefore dripped poison into his eyes. 7. He was but slightly injured, and the serpent did not attain its object. 8. Every day he barked again and again, but his warning finally died away. 9. Adam liked the taste of apples and therefore did not notice what the tired animal was doing. 10. When he saw it lighten so brightly, he was frightened and tried to conceal himself. 11. Before he heard the voice of the Lord, he was already ashamed of his sin (*gen.*). 12. When the great misfortune had happened, the dog knew that he was indispensable. 13. He still believed in his master, for the latter had never maltreated him. 14. When Adam heard the joyful barking, he remembered that he had a faithful friend.

XV

Der Rotschimmel

A. Fragen

1. Von welcher neuen Erfindung ist hier die Rede? 2. Warum ist aber eigentlich nichts Neues daran? 3. Wie wurde der Herr mit dem Rotschimmel bekannt? 4. An wessen Seite hüpfte das Fohlen? 5. Wie war ihm zu Mute? 6. Welche Berge konnte es in der Ferne sehen? 7. Wie gingen die Menschen an die Arbeit? 8. Was merkte das Fohlen gar nicht? 9. Wen schlug der Bauer

mit der Peitsche?   10. Weshalb versetzte er ihr Hiebe?   11. Was
machen die Eltern oftmals, während ihre Kinder fröhlich spielen?
12. Wann kam dem Fohlen das Leben immer schöner vor?   13. Wie
sprang es herum?   14. Wer liebkoste es?   15. Was gab ihm das
Weib des Bauers?   16. Welche Warnung gab ihm die Mutter?
17. Was war aus dem munteren Kälblein geworden?   18. Warum
achtete das Fohlen nicht auf diese Warnung?   19. Wo sollte es
sich ausbilden?   20. Welche Meinung hatte die Mutter über diese
Ausbildung?   21. Was sagte sie über die Tochter des Bauers?
22. Wie gefiel es dem Fohlen auf der Fohlenweide?   23. Welche Ar=
beit war ihm verhaßt?   24. Wann war es gut gelaunt?   25. Wer
warnte das Fohlen vergeblich?   26. Was ist der notwendigste Beruf
der Menschheit?   27. Was macht das Bauernpferd, wenn der Abend
kommt?   28. Wie lange muß das Herrenpferd vor Theatern war=
ten?   29. Was wird aus ihm, wenn es seinem Herrn nicht mehr
dienen kann?   30. Wer erzählte der Mutter des Fohlens von dem
Herrendienst?   31. Warum befolgte der Rotschimmel ihre Mahnun=
gen nicht?   32. Wie wird ihm zu Mute, wenn er daran denkt?

B. Zur Besprechung

1. Warum traute der Rotschimmel dem Herrn?   2. Wann kam
das Fohlen auf die Welt?   3. Wie wurde es von der Bauern=
familie behandelt?   4. Weshalb hatte es Lust am Leben?   5. Wor=
auf achtete es nicht?   6. Worüber schwieg seine Mutter?   7. Von
welchem Vorhaben sprach der Bauer eines Tages?   8. Vergleichen
Sie die alte Erziehung mit der neuen.   9. Wann fing das Unglück
des Rotschimmels an?   10. Was verlangte der Bauer von ihm?
11. Was für ein Pferd wollte er werden?   12. Nennen Sie die
Vorteile (*advantages*) eines Bauernpferdes.   13. Was erfuhr die
Mutter des Rotschimmels von ihrer Schwester?   14. Warum
konnte das Pferd seine Geschichte nicht weiter erzählen?

C. Übungen

1. Geben Sie eine Synopsis von: erblicken, achten, erfahren,
ansehen, überliefern, sich ausbilden.

2. Was ist das Geschlecht von Hauptwörtern mit folgenden En=
dungen: –heit, –ie, –ling, –lein, –chen, –ung? Geben Sie Beispiele.

3. Bilden Sie Sätze mit folgenden Ausdrücken: je ... desto,
stehen bleiben, Schaden leiden, etwas gewohnt sein, an die Arbeit
gehen.

D. Translation

1. A kind old man stopped and looked at his neighbor's
beautiful roan horse. 2. He noticed that the blanket had fallen
from the horse's back. 3. Since that day the two have had a
feeling of sympathy for each other. 4. The (Je) more the horse
pondered about his youthful happiness, the (desto) more miserable his lot seemed to him. 5. In his youth he had always gone
to work in the fields early in the morning. 6. He got along very
well until he decided to inquire about city life. 7. Whenever he
thought of common work, he began to be ashamed and wanted
to run away. 8. One day, as he was leisurely (vor sich her)
walking in the meadow, he suddenly thought of (einfallen)
something. 9. He had once seen a riding-horse whose master
was a prince. 10. Again and again his mother explained to him
why she had a poor opinion (nicht viel halten) of city work.
11. But he paid no heed to her warning and was delighted when
the peasant drove him to Strassburg. 12. Now he never has
enough to eat and must wait on the street for his master. 13. He
lacks everything he formerly possessed and no longer believes
in the benevolence of mankind. 14. When he recalls the caresses
of the peasant children, he sadly lowers his head.

XVI

Das Gartenmesser

A. Fragen

1. Wie hieß der alte Herr? 2. Warum hatte er sich von der
Welt zurückgezogen? 3. Wie lange lebte er schon von seiner Rente?
4. Wohin ging er Tag für Tag? 5. Womit arbeitete er? 6. Wo

aß er zu Mittag? 7. Wie behütete er sein Messer? 8. Warum
suchte er eines Tages danach? 9. Weshalb hatte er schlaflose
Nächte? 10. Was konnte er nicht unterscheiden? 11. Was sah er
ein? 12. Wen ließ er kommen? 13. Was brachte dieser beim
zweiten Besuch mit? 14. Wie wurde ihm zu Mute, als er es sah?
15. Was machte er damit? 16. Wie lange dauerte es, bis er auf
das alte Messer verzichtete? 17. Wie kam er sich vor, als die Sache
abgetan war? 18. Womit grub er im Frühling die Gemüsebeete
um? 19. Was machte er mit der Harke? 20. Warum sah er
nicht genau? 21. Was merkte er? 22. Was konnte er sehen?
23. Warum tastete er nach seinem Herzen? 24. Wie wurde ihm
zu Mute? 25. Wo ließ er das Messer stecken? 26. Was tat er
mit den Händen? 27. Was geschah in den nächsten Minuten?
28. Wo lag seine Mütze, als er sich wiederfand? 29. Was hatte
er in der Tasche? 30. Warum steckte er die Hand noch einmal in
die Tasche? 31. Wie war ihm jetzt zu Mute?

B. Zur Besprechung

1. Wo wohnte der alte Horn? 2. Wie verbrachte er seine Zeit?
3. Welche Gewohnheiten hatte er sonst noch? 4. Wo lag sein Gar=
ten? 5. Was für ein Messer hatte er? 6. Wann merkte er, daß er
es verloren hatte? 7. Wo suchte er danach? 8. Wie wurde ihm zu
Mute, als er es nicht finden konnte? 9. Was setzte ihm der Arzt
auseinander? 10. Warum verzichtete er auf das alte Messer?
11. Wann fand er es wieder? 12. Weshalb stand er so lange
still? 13. Wo fand er sich endlich wieder? 14. Erzählen Sie die
Geschichte in der ersten Person von dem Standpunkte des alten Horn;
des Arztes.

C. Übungen

1. Konjugieren Sie (Indikativ und Konjunktiv) das Präsens
und das Imperfekt von: sein, haben, werden.

2. Welche Infinitive sind mit folgenden Wörtern verwandt:
Mißtrauen, Fluß, Sproß, Inhalt, Verstand, Rührung, Verlust,
ruhig?

3. Bilden Sie Sätze mit folgenden Ausdrücken: sich fühlen, auf etwas verzichten, schwer fallen, sich einbilden, als ob, jemanden überzeugen.

D. Translation

1. The fine old man, who had worked for forty years, lost his garden knife one day. 2. Although he had put it in his pocket, it suddenly disappeared and was nowhere to be found. 3. Since he considered it indispensable, he hunted for it in all his clothes-presses. 4. He looked over everything (das Auge auf alles werfen) that belonged to him. 5. He had great difficulty in giving up the old knife. 6. When he could no longer depend upon his eyes, he imagined he was ill (*subj.*). 7. The physician knew how to treat him; he brought him a new knife very similar to the old one. 8. In this manner he convinced Mr. Horn that there was nothing wrong with him. 9. Soon thereafter, when the old man was taking a walk in his garden, his eye fell upon a familiar object. 10. He stopped to investigate and in the next few minutes something strange happened. 11. He knelt down and raised his hands with joy; there was his lost knife fastened between two prongs of his rake. 12. He reverently offered a prayer of thanksgiving (Dankgebet) before he took the knife in his hands. 13. We shall raise no objection if he wants to carry both knives in the same pocket. 14. Let us hope that all may be (*subj.*) well with him as long as he lives.

XVII

Der bunte Vogel

A. Fragen

1. Wo wohnte der Seemann? 2. Wer nannte ihn den Weisen? 3. Wie hatte er sein Leben eingerichtet? 4. Was hatte er erspart? 5. Unter welchen Umständen hielt er eine Frau für unnötig? 6. Wie hätte sie ihm das Glück zerstört? 7. Was machten die anderen Seeleute, wenn sie auf das Meer fuhren? 8. Was tat der alte

Seemann, wenn das Meer ruhte? 9. Was bemerkte er eines
Abends auf dem Boden des Schiffes? 10. Wie begrüßte er den
Vogel? 11. Warum sollte dieser sich nicht auf ein Bein stellen?
12. Wie war er auf dem Rücken gefiedert? 13. Womit pflegen
die Menschen sich zu bekleiden? 14. Welche Farben sollte ein ge=
scheiter Vogel tragen? 15. Was machte der bunte Vogel, als er
die Worte des Mannes hörte? 16. Wie sah er ihn an? 17. Welche
Federn schienen dem Seemann besonders verdreht? 18. Wann
sollte der Vogel sie abschneiden lassen? 19. Welche Frage stellte
der Vogel dem Seemann? 20. Was hatte dieser auf dem Boote?
21. Warum bestreicht man die Bretter eines Schiffes damit?
22. Wie wollte der Mann die bunten Farben des Vogels auslöschen?
23. Welche Farbe sollte er tragen? 24. Weshalb wollte der See=
mann ihn als Gast haben? 25. Wofür dankte dieser dem Seemann?
26. Was hatte er nicht nötig? 27. Wozu hatte er seine Kräfte
gesammelt? 28. Was sagte er, als er sich aufschwang? 29. Wohin
flog er? 30. Wie war dem Seemann zu Mute? 31. Warum
konnte er dem Vogel nicht nachschauen? 32. Was dachte er sich
darüber?

B. Zur Besprechung

1. Beschreiben Sie den Seemann. 2. Wie kam es, daß er
nicht mehr arbeitete? 3. Was hatte er immer am liebsten getan?
4. Warum hatte er nie geheiratet? 5. Wann fuhr er besonders
gern aufs Meer? 6. Wie sah der fremde Vogel aus? 7. Weshalb
betrachtete ihn der Alte so lange? 8. Woran erkannte er ihn als
einen Vogel? 9. Welche Bitte richtete der Vogel an den Seemann?
10. Worüber wunderte sich dieser? 11. Was vermutete er?
12. Worauf machte er den Vogel zuerst aufmerksam? 13. Was
gehörte zu der Ordnung, die auf dem Schiffe herrschte? 14. In=
wiefern fügte sich der Vogel?

C. Übungen

1. Konjugieren Sie (Ind. und Konj.) das Präsens und das
Imperfekt von: können, mögen, müssen, tun, erreichen, sich erfreuen.

2. Bilden Sie Sätze mit: er vermutete, daß; er erwiderte, daß; er begriff, daß; er wußte, daß.

3. Welche Farben haben im Deutschen ähnliche Namen wie im Englischen?

D. Translation

1. The old seaman whose house lay near the light-tower had arranged everything very cleverly. 2. The people who lived in that vicinity called him the wise man. 3. They believed that he had saved a large sum of money because he had always been able to work. 4. He had neither wife nor child; they might have disturbed his thinking. 5. He often meditated about his own good-fortune and the follies of his neighbors. 6. One beautiful afternoon, when the sun was still high in the heavens, he saw a large bird. 7. He finally decided to ask the bird whether he was accustomed (*perf. subj.*) to stand on one leg. 8. The bird must have been very tired, for he listened patiently while the seaman gave him useless advice. 9. The man could not comprehend why the bird did not want to imitate him in everything. 10. He did not know what to do when his guest said he was no longer in need (*subj. of* bedürfen) of hospitality. 11. It would have been foolish if the birds had complied with the seaman's wishes. 12. What would you do in order to close an unnecessary conversation? Well, that depends. 13. If the colored bird had not flown away, the seaman would have thought that his guest wanted to become a raven. 14. It probably occurred to him afterwards that birds have wings to fly with (um zu).

XVIII

Der Guckkasten

A. Fragen

1. Wann kam der Onkel auf Besuch? 2. Wie lange hatte man nur von ihm gesprochen? 3. Warum war er kein echter Onkel?

4. Was sah der Knabe durch das Fenster? 5. Wer trug den Koffer herauf? 6. Was machte der Onkel mit dem Knaben? 7. Wann fiel dieser der Länge nach hin? 8. Was schien sich im Kreise zu drehen? 9. Wer deckte den Tisch? 10. Was fiel dem Knaben besonders auf? 11. Was sagte man ihm, als er noch etwas wollte? 12. Wo spielte er am Nachmittage? 13. Was hörte er den Onkel zu der Mutter sagen? 14. Wohin kroch der Onkel dann? 15. Wie griff er den Knaben? 16. Welche Frage stellte er ihm? 17. Was sollte der Junge in der Oper sehen? 18. Welchen Anzug zog ihm das Mädchen an? 19. Was setzte er sich auf? 20. Wie sah der Himmel aus? 21. Was bemerkte der Knabe, als er neben dem Onkel herhüpfte? 22. Warum machte der Onkel einen neuen Vorschlag? 23. Inwiefern war er besser als der erste? 24. Wo blieb der Onkel stehen? 25. Weshalb war das Schauspiel eigent=lich nichts für den Knaben? 26. Was wollte ihm der Onkel bei dem Konditor kaufen? 27. Was tat der Onkel, als er plötzlich wieder stehen blieb? 28. Welche Frage stellte er dem Kinde? 29. Wie muß man Eis essen? 30. Welche Verantwortung wollte der Onkel nicht übernehmen? 31. Was hatte die Polizei verboten? 32. Wovon fing der Onkel bald darauf an zu sprechen? 33. Wie gefiel dem Knaben der letzte Vorschlag? 34. Beschreiben Sie den Mann mit dem Guckkasten. 35. Warum durfte der Kleine nicht hineinsehen?

B. Zur Besprechung

1. Was ist ein Guckkasten? ein Kutscher? eine Oper? eine Bühne? 2. Wie sah der Onkel aus? 3. Warum schimpfte der Kutscher? 4. Wie begrüßte der Onkel den Vater? 5. Was dachte der Knabe, als sie alle bei Tisch saßen. 6. Welchen Vorschlag machte der Onkel nach dem Essen? 7. Was mußte der Knabe sich gefallen lassen? 8. Worüber freute er sich? 9. Warum galt es ihm gleich, ob er in die Oper oder zu einem Schauspiel ging? 10. Woran erinnerte er sich, als der Onkel von Marzipan sprach? 11. Worauf machte dieser ihn aufmerksam? 12. Weshalb mußte er auch auf das Eis verzichten? 13. Was ist in einem Guckkasten zu sehen?

Exercises

189

14. Wiederholen Sie das Gespräch zwischen dem Onkel und dem uralten Mann.

C. Übungen

1. Konjugieren Sie (Ind. und Konj.) das Perfekt, das Plus=quamperfekt, und das Futurum von: sein, haben, werden, können, müssen, tun, sich anziehen, kaufen.

2. Bilden Sie Sätze mit den folgenden Wörtern: schimpfend, pfeifend, schreiend, vergnügt.

3. Geben Sie folgende Wörter mit verschiedenen Vorsilben: fallen, kriechen, setzen, sehen, nehmen.

D. Translation

1. We had always spoken of him as if he were our uncle. 2. When he finally came, I thought he had brought me something good. 3. My eye suddenly fell upon the large trunk which the coachman had just carried in. 4. While mother was having the table set, Anna dressed me in my new suit. 5. I was very happy, for I imagined my uncle would take me to the opera. 6. He said that he liked me very much, and that I might go to the city with him in the afternoon. 7. During the meal he asked my mother whether I had to stay after school every day. 8. After he had talked with father half an hour, he suggested that we go walking together. 9. He stopped again and again and seemed to be considering an important matter. 10. I gladly gave up the opera and screamed with joy when he said we would go to Kranzler's to eat some ice cream. 11. When he told me what I would see in a peep-show, I could not imagine anything more beautiful. 12. After he had inquired as to the price he suddenly left me in the lurch. 13. I still blame myself (Vorwürfe machen) for having (*subor. cl.*) depended upon him.

XIX

Die Großmutter

A. Fragen

1. Wo arbeitete der Assistent? 2. Wie oft war er schon gestört worden? 3. Wer pochte diesmal an die Tür? 4. Wie war dem Assistenten zu Mute? 5. Was hatte er dem Diener befohlen? 6. Wen konnte dieser nicht abweisen? 7. Wie wurde die Tür geöffnet? 8. Was wollte der Diener tun, als er das Weib sah? 9. Wie redete er die Alte an? 10. Wie schob sie ihn zur Seite? 11. Was tat sie, als der Doktor ihr entgegentrat? 12. Wie sah sie ihn an? 13. Was konnte er nicht wiederholen? 14. Warum war die Alte gekommen? 15. Was mußte man ihr begreiflich machen? 16. Wie lange hatte sie schon gewartet? 17. Wo diente ihr Enkel? 18. Woran war der Assistent gewöhnt? 19. Was befahl er dem Diener? 20. Wovon mußte er die Frau abhalten? 21. Was machte sie, als er ihr einen Stuhl anwies? 22. Womit beschäftigte sich der Doktor? 23. Wann unterbrach er das Schweigen? 24. Was sagte die Greisin von ihren Söhnen und Töchtern? 25. Was hatte sie von ihnen verlangt? 26. An wem hatte sie Freude gehabt? 27. Wie wurde dem Assistenten zu Mute, als die Frau so ruhig redete? 28. Warum stand sie plötzlich auf? 29. Wie sah sie den Diener an? 30. Was sagte ihr der Doktor? 31. Wohin führte er sie? 32. Was tat sie, als sie die Leiche ihres Enkels entdeckte? 33. Wann fand ihr bitterer Schmerz einen Ausdruck?

B. Zur Besprechung

1. Warum wurde der Assistent ungeduldig? 2. Weshalb trat der Diener schon wieder ein? 3. Wann verließ er das Zimmer? 4. Beschreiben Sie die alte Frau. 5. Wie kam sie in das Zimmer? 6. Welche Frage stellte sie? (Sie fragte, ob ...) 7. Was erzählte sie dem Assistenten? 8. Wie lange mußte sie im Laboratorium bleiben? 9. Wie war ihr zu Mute, während sie wartete? 10. Wonach erkundigte sich der Assistent? 11. Welche Antwort gab

fie ihm? 12. Was war in dem gewölbten Gemache zu sehen?
13. Beschreiben Sie die trostlose Wanderung der Greisin. 14. Was
entdeckte sie endlich? 15. Warum weinte sie nicht? 16. Erzählen
Sie, was sich dann ereignete.

C. Übungen

1. Geben Sie die Formen des Konditionalis von: pochen, ein=
treten, wegbringen, verlassen.

2. Geben Sie alle möglichen Formen von folgenden Konditional=
sätzen: Diese Geschichte würde uns besser gefallen, wenn sie nicht so
traurig wäre. Wenn die Frau nicht gekommen wäre, so hätte sie
ihren Enkel nicht gefunden.

3. Bilden Sie Sätze mit dem Passiv von: rufen, abweisen, öffnen,
wiederholen, besiegen, unterbrechen.

D. Translation

1. The assistant who was working in the laboratory ordered
his servant to admit no one during the forenoon. 2. The latter
had just told him that there was a woman outside whom he
could not send away. 3. As soon as the doctor began to busy
himself with his microscope, he heard a knock at the door.
4. He was almost beside himself since he had to finish his work
before noon. 5. The servant had not succeeded in getting
rid of the visitor although he had tried again and again. 6. At
last he pushed her away from the door, but she paid no attention
to him. 7. Before he could prevent it, she rapped at the door,
opened it suddenly, and advanced toward the assistant. 8. The
latter arose impatiently but said nothing when he saw her pleading eyes. 9. She wanted to inquire whether her grandson had
met with an accident. 10. The young physician sympathized
with her because she was courageously trying to conceal her
misery. 11. He could not make up his mind to ask her whether
the lad was her only grandson. 12. His work was again inter-
rupted by the entrance of the servant who brought him a brief
message. 13. If the gray-haired woman had known where her

grandson lay, she would not have looked at the other bodies.
14. She was reminded of her own need when her eyes fell upon
the coat which she had had made for him.

XX

Meine erste Liebe

A. Fragen

1. Wer war Herr von Rupp? 2. Wann durfte der Knabe ihn
besuchen? 3. Wie behandelte er den Knaben? 4. Was gab er
ihm immer nach dem Essen? 5. Was sagte er ihm darüber?
6. Warum gab die Tochter nicht acht auf ihn? 7. Wer besuchte
sie? 8. Was hörte sie von ihnen? 9. Worüber ärgerte sich der
Knabe? 10. Was dachte er sich davon? 11. Um wieviel Uhr ging
er in die Schule? 12. Wer ging zur selben Zeit ins Institut?
13. Was sagte Raithel von dem Mädchen? 14. Was nahm sich
der Knabe vor? 15. Warum brachte er es nicht fertig? 16. Was
dachte er darüber, wenn er allein war? 17. Auf welche Idee kam
er? 18. Was machte er zuerst mit dem Briefe? 19. Welchen
Vorschlag machte Raithel? 20. Warum konnte er nicht weiter=
fahren, als der Professor ihn aufrief? 21. Weshalb fiel dies dem
Professor auf? 22. Wen fragte der Knabe, wo er anfangen sollte?
23. Warum konnte er nicht hören, was dieser sagte? 24. Was
machte der Professor mit dem Briefe? 25. Wem las er ihn vor?
26. Welche Stelle murmelte er bloß? 27. Was sagte er zu dem
Knaben? 28. Wie war diesem zu Mute? 29. Wann mußte er zum
Rektor? 30. Wiederholen Sie das Gespräch zwischen den beiden.
31. Wie wurde der Knabe bestraft? 32. Von wem erhielt er den
Brief des Herrn von Rupp? 33. Was war der Inhalt des Briefes?
34. Warum lud ihn Herr von Rupp nicht mehr ein? 35. Wie
benahmen sich die Mädchen, als sie ihm begegneten? 36. Wie wird
er sie ärgern, wenn er Korpsstudent ist?

B. Zur Besprechung

1. Warum besuchte der Knabe gern Herrn von Rupp? 2. Beschreiben Sie Frau von Rupp? 3. Wovon redete die Tochter? 4. Wie behandelte sie den Knaben? 5. Welche Meinung hatte der Rektor von ihm? 6. Was für ein Mädchen war Marie? 7. Warum blieb sie manchmal vor dem Laden stehen? 8. Weshalb lachte Naithel den Knaben aus? 9. Was war der Inhalt des Briefes? 10. Warum gelang es dem Knaben nicht, Marie den Brief zu geben? 11. Wie kam der Brief dem Professor in die Hände? 12. Was teilte dieser Herrn von Rupp mit? 13. Wie ging es dem Knaben, als er Herrn von Rupp zum letzten Mal besuchte? 14. Erzählen Sie die Geschichte von dem Standpunkte des Professors; des Herrn von Rupp; der Marie.

C. Übungen

1. Geben Sie eine Synopsis (Konjunktiv, Aktiv und Passiv) von folgenden Zeitwörtern: erzählen, denken, schreiben, aufrufen.

2. Drücken Sie folgende Wunschsätze auf verschiedene Weise aus: (z. B. Wäre er hier! Wenn er nur hier wäre! Ich wollte, er wäre hier! O, daß er hier wäre!) Hätte ich nur eine bessere Aussprache! Ginge es uns doch nicht so schlecht! Wäre er nur früher gekommen! Könnte ich es ihr doch sagen!

3. Bilden Sie Sätze mit folgenden Zeitwörtern: gelingen, geschehen, auffallen, angehen, auslachen.

D. Translation

1. The boy was very proud when Mr. von Rupp gave him a cigar and told him he could smoke. 2. He thought Miss von Rupp would notice him if only he were a military officer. 3. When he observed that Marie, the neighbor's daughter, liked him, he no longer thought of Miss von Rupp. 4. Since he was already fourteen years old, he made up his mind to write his sweetheart a letter. 5. He looked forward with pleasure to the answer he would receive from her. 6. He tried to speak

to her the next day, but he suddenly felt so timid that he kept
the letter in his pocket.　7. When he was called upon to translate a part of the Latin lesson, he hastily asked Raithel where
to begin.　8. He had to turn the leaves of his book before he
could find the right passage.　9. The professor should not have
taken offense (ſich nichts daraus machen) at the love-letter;
there was nothing bad in it.　10. If he wanted to give the pupil
a talking-to (eine Ermahnung geben), he should have kept him
after school.　11. The boy's friends were sorry for him (leid
tun) because they did not know what might happen.　12. Mr.
von Rupp said it was immaterial to him whether the young
fellow had written to his daughter or not.　13. It seems very
strange to us that most people prefer to believe a professor
rather than a student.　14. And yet we must put up with it, for
no one considers it possible that a professor would lie.

XXI

Das Rotſchwänzchen

A. Fragen

1. Wie ſah das Sonnenlicht aus?　2. Wo waren die Schülerinnen?　3. Wie alt waren ſie?　4. Worauf gaben ſie acht?
5. Warum fanden ſie das ſchwer?　6. Um wen tat es der Lehrerin
leid?　7. Was ahnte ſie?　8. Was machte Anna, während die
anderen im Schulhof ſpielten?　9. Wo war Fräulein Neuberg, als
man ihr ein Rotſchwänzchen brachte?　10. Wohin trug ſie es?
11. Wem zeigte ſie es?　12. Warum hatte es Angſt vor den Kindern?　13. Wann wollte Fräulein Neuberg es wieder fliegen laſſen?
14. Wohin gingen die Mädchen, als die Schule aus war?　15. Warum blieb Anna im Schulzimmer?　16. Wie gefiel ihr Fräulein
Neubergs Wohnung?　17. Womit half ſie der Lehrerin?　18. Warum
wurde ſie auf einmal traurig?　19. Was nahm ſie mit nach Hauſe?
20. Was für Eltern hatte ſie?　21. Was verbarg ſie vor ihnen?
22. Warum konnte ſie den Vogel nicht behalten?　23. Wo wollte

sie ihn fliegen lassen? 24. Woran sehen wir, daß er keine Angst vor ihr hatte? 25. Was machte er, während Anna und Fräulein Neuberg Schokolade tranken? 26. Wie war es Anna zu Mute? 27. Wer öffnete das Fenster? 28. Wo saß das Rotschwänzchen? 29. Wohin flog es? 30. Warum wischte sich Anna die Augen? 31. Was sagte sie, als sie sich zum Gehen wendete? 32. Was entgegnete Fräulein Neuberg? 33. Weshalb konnte Anna ihre Eltern nicht lieben? 34. Wen wollte sie liebhaben? 35. Warum küßte die Lehrerin das Mädchen?

B. Zur Besprechung

1. Was hätte die Lehrerin gern getan? 2. Wie war ihr zu Mute? 3. Was für ein Mädchen war Anna Ziegler? 4. Weshalb tat es der Lehrerin leid um sie? 5. Woher bekam Fräulein Neuberg das Rotschwänzchen? 6. Was sagte sie ihren Schülerinnen darüber? 7. Welche Bitte richtete Anna an die Lehrerin? 8. Welchen Vorschlag machte diese? 9. Warum nahm Anna den Vogel nach Hause? 10. Beschreiben Sie Annas Wohnung. 11. Was sagte sie der Lehrerin am andern Morgen? 12. Was konnte der Vogel bald wieder tun? 13. Wie änderte sich Annas Benehmen? 14. Wann ließen sie den Vogel wieder fliegen? 15. Was ereignete sich, nachdem er fortgeflogen war? 16. Warum hatte Anna die Lehrerin lieb? 17. Erzählen Sie die Geschichte.

C. Übungen

1. Geben Sie eine vollständige Synopsis (Indikativ, Konjunktiv, und Konditionalis; Aktiv und Passiv) von folgenden Zeitwörtern: sagen, werfen, kennen, rufen.

2. Bilden Sie fünf Sätze im Präsens und fünf im Perfekt des Aktivs und setzen Sie dieselben ins Passiv (z. B. Das Mädchen hat den Vogel geliebt. Der Vogel ist von dem Mädchen geliebt worden.).

3. Bilden Sie Sätze mit folgenden Ausdrücken: leid tun, Angst haben, sich gewöhnen, fliegen lassen, lieber haben.

D. Translation

1. The pupils in Miss Neuberg's classroom were very diligent although they often cast longing eyes at the golden sunlight out of doors. 2. One of them, Anna Ziegler, was a very sad girl who lived in a poor garret-room. 3. She was unhappy because she believed that no one loved her. 4. Something unexpected happened one sunny afternoon before Miss Neuberg came into the classroom. 5. A ten-year-old girl brought her a little bird with a broken leg and asked her to take it. 6. She had told the pupils from time to time that she was sorry for poor little animals that have to suffer. 7. The little bird tried with all its might to fly out of her hands for it was very much afraid. 8. When she told the girls that she must wrap its leg, she did not suspect that Anna Ziegler would help her. 9. When Anna asked whether she might take the bird home with her, Miss Neuberg was glad that the poor girl had begun to like something. 10. If she had not been a good teacher, she would not have known what to do. 11. She believed she could depend upon the girl and therefore raised no objections. 12. Anna watched the bird attentively till it had eaten all it wanted. 13. She would have liked to keep it, but she knew that little animals must be free. 14. As soon as the bird's leg was entirely healed, they let it fly away again.

XXII

Die Menschen und die Sonne

A. Fragen

1. Wo ging eines Morgens die Sonne nicht auf? 2. Wann wachten die Menschen auf? 3. Was fragten sie einander? 4. Wer fing zuerst an, laut aufzuschreien? 5. Was sagte er? 6. Warum fürchtete er sich? 7. Was dachten die andern darüber? 8. Wer versuchte, Kohlen auf Vorrat zu kaufen? 9. Warum gelang es ihnen nicht? 10. Wie wollte man die Nacht verscheuchen? 11. Wes=

halb sahen die Menschen den Glanz nicht? 12. Wo eilten sie nun
hin? 13. Was machten die Sterngucker? 14. Was konnten sie
sehen? 15. Wie wurde allen Menschen zu Mute? 16. Wohin
eilte der Geliebte? 17. Was versprach er? 18. Was warf der
Geizhals von sich? 19. Woran dachte der Träge? 20. Warum
hatte die Dame der Welt ein böses Gewissen? 21. Was machte
der König mit seinem Zepter? 22. Wo sank der Mönch nieder?
23. Was hielt er in der Hand? 24. Gegen wen wollte er in Zukunft freundlich sein? 25. Wer irrte in der Kirche umher?
26. Was tat er, als er den Altar fand? 27. Wie wollte er sich
fortan benehmen? 28. Warum warfen sich alle Menschen platt
auf die Erde hin? 29. Wann erhoben sie die Augen wieder?
30. Was machten sie, als sie die Sonne sahen? 31. Welche Worte
riefen sie sich gegenseitig zu? 32. Wann fingen sie an, sich zu
schämen? 33. Was brachten sie zu Hause wieder in Ordnung?
34. Woran wollte keiner mehr denken? 35. Was ist ein Heuchler?
Geben Sie Beispiele aus dieser Geschichte.

B. Zur Besprechung

1. Wie sah die Welt an diesem Morgen aus? 2. Was sagten
die Menschen darüber? 3. Wie wurde ihnen zu Mute? 4. Welche
Lichter blieben unbeachtet? 5. Warum waren keine Kohlen feil?
6. Was fragte man die Sterngucker? 7. Welche Antwort gaben
diese? 8. Woran dachten nun alle Leute? 9. Was versprach der
Mönch? der Ketzer? 10. Welche Wirkung hatte der Sturm auf
die Menschen? 11. Was dachten sie, als es wieder heller wurde?
12. Weshalb lachten die Menschen, als die Gefahr vorüber war?
13. Warum vergaß jeder sein Versprechen? 14. Erzählen Sie
die Geschichte von dem Standpunkte der Braut; des Studenten;
des Königs.

C. Übungen

1. Geben Sie eine vollständige Synopsis von: erzählen, tun,
brennen, sehen, verlassen, entzweibrechen.

2. Bilden Sie fünf Sätze im Imperfekt und fünf im Plusquamperfekt des Aktivs und setzen Sie dieselben ins Passiv.

3. Nennen Sie mehrere Wörter, welche folgende Stämme ent=
halten: (z. B. Tag, Mittag, täglich, tagen, u.s.w.) Furcht, Schreck,
Land, Spott, klein, los, fern, tun.

D. Translation

1. Since it was already the thirtieth of March, the sun should
have arisen earlier. 2. The people wondered if the sun could
have disappeared from the heavens. 3. In great anxiety everyone tried to purchase a supply of coal. 4. They feared that
they would have to rely upon lights and flames to dispel the
darkness. 5. Those whose consciences troubled them wept in
utter despair. 6. They could not conceal their own fears when
they saw the end approaching. 7. Weeping and wailing they
all promised to improve if only the sun shone again. 8. One
who had deserted his fiancée begged her to forget the past.
9. A dull student remembered the many books he had intended
to read. 10. A powerful king decided to rule justly and to
relieve the sufferings of his subjects. 11. A woman of the
world reproached herself for letting her child cry in vain for
its mother. 12. As soon as they saw the sun again, they forgot
what they had promised. 13. They realized there was no danger and considered the whole matter a huge joke. 14. If
any one of them had fulfilled the promise he had made, his
neighbors would have laughed at him.

XXIII

Die Lerche

A. Fragen

1. Wann verflog sich die Lerche? 2. Wer sah sie fallen? 3. Wel=
che Fragen richtete Onna an die Lerche? 4. Welche Antwort gab
diese darauf? 5. Wie bewegte sich die Bachstelze, indem sie den Gruß
erwiderte? 6. Was sagte sie über die Aussichten zur Ansiedelung?
7. Von welchen Nachbarn sprach sie? 8. Wo wohnten diese?

9. Was wollte die Lerche hier? 10. Woher kam sie? 11. Wovon
war sie entzückt? 12. Warum konnte Onna das nicht begreifen?
13. Wo hatte sie das Falkenpaar belauscht? 14. Wie hoch konnten
diese Vögel fliegen? 15. Warum gab sich die Bachstelze nicht zu=
frieden? 16. Welche Frage stellte sie der Lerche über ihr Singen?
17. Weshalb war sie stolz auf das Singen des Rotkehlchens?
18. Wie wurde ihr zu Mute, als sie die Lerche trinken sah?
19. Wann kam der Elf zu den beiden? 20. Wie begrüßten ihn
die Blumen? 21. Wie war der Lerche zu Mute? 22. Warum trat
die Bachstelze zurück? 23. Was tat der Elf, sobald er die Lerche
sah? 24. Worüber freute er sich? 25. Wann hatte die Lerche
ihn getröstet? 26. Was sagte sie, als er ihr dankte? 27. Welche
Meinung äußerte die Bachstelze? 28. Was sagte sie sich, als sie
den Elfen lächeln sah? 29. Wie nahm sie Abschied von der Lerche?
30. Warum konnte sich diese nicht auf der Waldwiese ansiedeln?
31. Wohin ging der Elf? 32. Wen wollte er besuchen? 33. Wie
ging es diesem? 34. Womit wollte sich Onna noch eine Weile
beschäftigen? 35. Wie lange erinnerte sie sich daran?

B. Zur Besprechung

1. Wie kam die Lerche auf die Waldwiese? 2. Warum sagte
sie „Guten Morgen?" 3. Welche Behauptung hielt die Bachstelze
für eine Übertreibung? 4. Was hatte sie von dem Falkenpaar
erfahren? 5. Vergleichen Sie das Singen der Lerche mit dem des
Rotkehlchens. 6. Welche Bitte richtete die Lerche an die Bachstelze?
7. Worüber freute sich diese? 8. Wie begrüßte der Elf die Lerche?
9. Wie war der Bachstelze zu Mute, als sie die Freude des Elfen
bemerkte? 10. Warum liebte der Elf die Lerche? 11. Wie be=
nahm sich diese gegen ihn? 12. Worüber wollte die Bachstelze
nachdenken? 13. Warum vergaß sie es zu tun? 14. Erzählen
Sie die Geschichte von dem Standpunkte der Lerche; der Bachstelze.

C. Übungen

1. Geben Sie eine vollständige Synopsis von: stören, reden,
belauschen, erheben, emporheben, aufsuchen, ansehen, vergessen.

2. Bilden Sie zehn Sätze im Imperfekt und gebrauchen Sie dieselben als Nebensätze (z. B. Die Bachstelze sah die Lerche fallen. Als die Bachstelze die Lerche fallen sah, eilte sie herbei.).

3. Bilden Sie Sätze mit folgenden reflexiven Zeitwörtern: sich verfliegen, sich überzeugen, sich zufrieden geben, sich benehmen, sich beschäftigen.

D. Translation

1. If the lark had not been enraptured by the splendor of the rising sun, it would not have lost its way. 2. Onna, the wagtail, inquired whether the lark wanted to remain in the meadow. 3. The lark begged Onna's pardon because its eyes were blinded by the light of the sun. 4. It was very much afraid since everything seemed so strange and dark. 5. Onna was not a whit more friendly after she heard that the lark wanted to go away soon. 6. But when she saw the elf hasten toward the bird, she was sorry to have taken the lark for a sparrow. 7. The elf thanked the lark from the bottom of his heart because its song had blessed his work. 8. His face beamed with joy, for no greater happiness had ever come into his life. 9. The lark was not accustomed to being praised and could only say: "Everyone is so kind to me." 10. Onna congratulated herself when she heard these words because she knew her error had not been observed. 11. She suddenly remembered that she had not yet had her breakfast, so she flew away to the brook. 12. After she had had her bath, she forgot to meditate on the visit of the lark. 13. She was so well pleased with her meadow that she could imagine nothing in the world more splendid.

XXIV

Gretchen Vollbeck

A. Fragen

1. Wann machte der Knabe seine Schulaufgaben? 2. Wen hörte er dann immer sprechen? 3. Wofür hatte er kein Verständnis?

4. Was gestand er nie ein? 5. Was sagten die Knaben im Gym=
nasium von Gretchen? 6. Wie hat er sich eines Tages zu Hause
über sie geäußert? 7. Welche Bemerkung machte seine Mutter?
8. Was forderte sie von ihm? 9. Weshalb durfte niemand sein
Osterzeugnis sehen? 10. Was sagte seine Mutter über den Um=
gang mit Gretchen? 11. Warum wollte er nicht mit ihr zu Voll=
becks gehen? 12. Wo war Gretchen, als sie ankamen? 13. Was
sagte Frau Rat sogleich von ihr? 14. Wie sah Herr Vollbeck den
Knaben an? 15. Was sagte dieser von der Scheologie? 16. Wes=
halb sprach Herr Vollbeck von dem Osterzeugnis? 17. Wie setzte
Frau Rat den wissenschaftlichen Streit fort? 18. Wie sprach
Gretchen von der Geologie? 19. Woran erinnerte sich dann Frau
Vollbeck? 20. Wann war Gretchen geneigt, ihre Meinung zu
sagen? 21. Welche Frage richtete sie an den Knaben? 22. Woher
wußte sie, was er studierte? 23. Was sagte sie ihm über die fünfte
Klasse? 24. Weshalb ärgerte ihn das Wort wirklich? 25. Wel=
chen Eid leistete er? 26. Wann hörte Gretchen auf zu sprechen?
27. Wohin ging sie dann? 28. Warum waren ihre Eltern glück=
lich? 29. Wie war es Ludwigs Mutter zu Mute? 30. Wann fand
sie ihre Sprache wieder? 31. Wie benahm sie sich gegen ihren
Sohn? 32. Wie versuchte er sie zu trösten? 33. Warum schüt=
telte sie den Kopf? 34. Was sagte sie zu ihm? 35. Weshalb
ging es ihm bald darauf besser?

B. Zur Besprechung

1. Was konnte der Knabe von seinem Zimmer aus sehen?
2. Welches Gespräch hörte er immer? 3. Was hielt er von Gretchen?
4. Warum lobte seine Mutter den Fleiß des Mädchens? 5. Was
für ein Zeugnis brachte er zu Ostern heim? 6. Wie hoffte die
Mutter ihn auf bessere Wege zu bringen? 7. Was dachte sich der
Knabe von ihrem Vorschlag? 8. Wiederholen Sie das Gespräch
über die Scheologie. 9. Beschreiben Sie Gretchen Vollbeck.
10. Warum begrüßten ihre Eltern sie so stürmisch? 11. Worüber
wurde dann gesprochen? 12. Welche Wirkung hatte dieses Gespräch
auf die Mutter des Knaben? 13. Was sagte sie ihm, als sie wieder

daheim waren? 14. Erzählen Sie die Geschichte von Gretchens Standpunkt.

C. Übungen

1. Geben Sie eine vollständige Synopsis von: studieren, erklären, unterbrechen, heimbringen, vernichten, wiederholen, abgeben.

2. Bilden Sie zehn Sätze im Präsens und gebrauchen Sie dieselben nach den Zeitwörtern wissen und sagen in der indirekten Rede; (z. B. Ich kann alles hören. Er weiß, daß er alles hören kann. Er sagt, daß er alles hören könne.)

3. Bilden Sie Wortfamilien zu: Seite, Gabe, Wort, Schein, Spiel, sprechen, schließen, denken, klagen, helfen, klar, alt, mehr (z. B. halten, behalten, erhalten, abhalten, aushalten, der Halt, das Verhältnis, u.s.w.).

D. Translation

1. If I had not heard the neighbors talking, I should have been able to get my lessons. 2. To please my mother I continued to study, although I felt certain that it would do me no good. 3. At every opportunity she turned the conversation to the reports which had been sent home. 4. At first I thought she should have been more considerate, but I must confess I soon became accustomed to it. 5. One day she said that we should visit the Vollbecks, so that Gretchen could help me with my lessons. 6. Gretchen had been praised by her teachers so often that my mother imagined I could learn a great deal from her. 7. How could I, who had always avoided talking to girls, associate with her? 8. I had to go with my mother, although I knew that the visit would be very unpleasant for me. 9. I did not say anything about it to my mother, however, because she would have laughed at me. 10. As soon as Gretchen had eaten her bread and butter, she was ready to give her opinion about my work. 11. I told her that I had read Cornelius Nepos and found it easy. 12. But she said the real difficulties do not begin until one enters the fifth class. 13. These words made a

deep impression upon my mother, and we soon took our departure. 14. On the way home she tenderly stroked my head, saying, "Poor boy"; but, after my sister married a professor, I got on much better.

XXV

Die geblendete Schwalbe

A. Fragen

1. Wen sah der Knabe sich zum Sterben rüsten? 2. Wo war er während des Tages gewesen? 3. Worauf horchte er unter den Bäumen? 4. Was hörte er auf einmal? 5. Warum lief er dann schnell nach Hause? 6. Wohin stieg er, sobald er in die Stube trat? 7. Was rief ihm der kranke Knecht zu? 8. Warum war diesem so fröhlich zu Mute? 9. Weshalb wurde er bald darauf unruhig? 10. Wann bat er den Knaben, daß er sich entferne? 11. Was sah dieser, als er unten war? 12. Wann stieg die ganze Familie zum Knechte hinauf? 13. Warum war er trostlos? 14. Wann ließ man ihn allein mit dem Knaben? 15. Wohin richtete er seine Augen? 16. Wie wurde dem Knaben zu Mute? 17. Wohin flog eine Schwalbe bald darauf? 18. Was tat sie, als sie das zweite Mal kam? 19. Warum graute es dem Knaben? 20. Weshalb ließ ihn der Knecht nicht von sich gehen? 21. Von wem begann Domini zu erzählen? 22. Wie fingen die beiden Knaben die Schwalbe? 23. Was befahl der Sepp dem Domini? 24. Warum wurde Sepp ungeduldig? 25. Welchen Vorschlag machte Domini? 26. Was hat er nie vergessen? 27. Welchen Entschluß hat er die Nacht darauf gefaßt? 28. Wie hat er seit jenem Tage alle Vögel behandelt? 29. Wie haben sie es ihm vergolten? 30. Welche Wirkung hatte diese Erzählung auf den Knaben? 31. Wann erfuhr er, daß der Knecht gestorben sei? 32. Was berichtete der Vater von seinem Ende? 33. Was ereignete sich, nachdem der Knabe in die Kammer hinaufgestiegen war? 34. Wie wurde ihm zu Mute, als er den toten Knecht ansah?

35. Welcher Gedanke kam ihm in den Sinn, während er die Schwalbe singen hörte?

B. Zur Besprechung

1. Wie amüsierte sich der Knabe? 2. Weshalb dachte er an den Knecht? 3. Woran sehen wir, daß die Tiere ihn lieb hatten? 4. Was sagte er immer, wenn jemand ein Tier mißhandelte? 5. Welchen Eindruck machten diese Worte? 6. Beschreiben Sie die Kammer des Knechtes. 7. Wie war ihm zu Mute, wenn eine Brut Schwalben mißriet? 8. Warum hatte der Knecht diesmal die Ankunft der Schwalben so sehr ersehnt? 9. Wie begrüßte er den Knaben, als dieser die Treppe emporstieg? 10. Warum wurde Domini bald unruhig? 11. Welchen Gedanken suchte der Vater dem Knechte auszureden? 12. Warum ließ Domini das Fenster schließen? 13. Was beichtete er dem Knaben?

C. Übungen

1. Geben Sie eine vollständige Synopsis von: verkünden, betrach= ten, hervorziehen, ausstechen, fangen, treiben.

2. Bilden Sie fünf Sätze im Imperfekt und fünf im Perfekt und gebrauchen Sie dieselben in der indirekten Rede.

3. Bilden Sie Sätze mit folgenden Ausdrücken: warm ums Herz werden, ein Auge auf etwas werfen, sich auf jemanden verlassen, sich an etwas gewöhnen, außer sich sein, etwas vor jemandem ver= bergen, vor jemandem Angst haben, auf etwas verzichten, jemanden auf etwas aufmerksam machen, Einspruch erheben, sich etwas ge= fallen lassen.

D. Translation

1. I suddenly heard the twittering of swallows above me and called my friend's attention to it. 2. After watching them for a while, we agreed that spring had come. 3. I suggested to my friend that we hasten home and announce the good news to our old servant. 4. On the way we stopped again and again to watch the many birds and butterflies. 5. It seemed to us that we heard the buzzing of bees in the cherry trees. 6. The old man

explained to us why he was always so deeply moved when the swallows arrived. 7. We never had fully understood why he could not bear to see an animal tormented. 8. All our domestic animals were his pets, and he took a great interest in them. 9. If one of them had been injured, he looked very sad until it felt well again. 10. Once he found a young sparrow which was nearly starved because it had been thrown from the nest. 11. He called a physician and asked him whether anything else was wrong with the poor bird. 12. One day he told me he had long cherished the plan of letting swallows build nests in his room. 13. On the following morning the good old man was awakened by a cheerful morning-song. 14. As soon as he had found the singer above him in a newly built nest, he closed his eyes and went to sleep again.

XXVI

Biene Majas Gefangenschaft bei der Spinne

A. Fragen

1. Wann flog Biene Maja durch den Gemüsegarten? 2. Was sah sie dort? 3. Woran erinnerte sie sich? 4. Worüber dachte sie nach? 5. Wie war ihr zu Mute? 6. Wann kam sie in das Netz der Spinne? 7. Wie wurde ihr Flug gehemmt? 8. Warum fiel sie nicht nieder? 9. Weshalb fürchtete sie sich nicht? 10. Was geschah, als sie den Silberfaden anfaßte? 11. Wann bemerkte sie, wo sie sich befand? 12. Wer kam an Maja vorüber? 13. Wodurch verwickelte sie sich fester? 14. Was hatte ihr Kassandra von der Spinne gesagt? 15. Wie wurde ihr zu Mute, als sie die Spinne sah? 16. Wie benahm sich diese, als Maja ihr zornige Worte zurief? 17. Was sagte sie zu Maja, als diese das Netz zerriß? 18. Weshalb wurde die Biene auf einmal so glücklich? 19. Welche Bitte richtete sie an die Spinne? 20. Wovon überzeugte sich diese, als sie nahe kam? 21. Wie hätte die Biene sie verletzen können? 22. Warum hielt die kleine Maja still? 23. Was machte die

Spinne mit ihrem Faden? 24. Weshalb war sie immer noch vorsichtig? 25. Welche Frage richtete sie an Maja? 26. Warum antwortete diese nicht? 27. Warum hängte die Spinne sie in den Schatten? 28. Wann wurden Majas Hilferufe schwächer? 29. Wer wußte nichts von ihrer Gefangenschaft? 30. Welche Worte hörte sie plötzlich von unten? 31. Wie hatte sie dem Mist=käfer geholfen? 32. Welche Bitte richtete sie nun an ihn? 33. Wie zerriß er den Faden, an dem Maja hing? 34. Worüber klagte die Spinne? 35. Warum zitterte Maja noch? 36. Wie versuchte Kurt sie zu trösten?

B. Zur Besprechung

1. Warum war der Biene Maja so wohl zu Mute? 2. Wie kam sie in das Netz der Spinne? 3. Wann fing sie an, sich zu fürchten? 4. Was rief ihr der Schmetterling zu? 5. Wo sah Maja die Spinne sitzen? 6. Welche Worte schrie sie der Spinne entgegen? 7. Wann glitt diese näher? 8. Weshalb entschuldigte sich Maja? 9. Was versprach ihr die Spinne? 10. Was geschah, als die kleine Maja stille hielt? 11. Wie wurde ihr dann zu Mute? 12. Warum wollte die Spinne sie nicht sofort töten? 13. Wie wurde sie befreit? 14. Wiederholen Sie das Gespräch zwischen Kurt und der Spinne; zwischen Kurt und der Biene Maja.

C. Übungen

1. Geben Sie eine vollständige Synopsis von: stoßen, bewegen, verkaufen, zerstören, empfinden, zerreißen, vergessen.

2. Bilden Sie zehn Sätze in verschiedenen Zeitformen und setzen Sie dieselben in die indirekte Rede.

3. Bilden Sie Wortfamilien zu: sinnen, decken, fliegen, trinken, stechen, lieben, Angst, Sprung, Schrei, Schuld, Fall, Tat, Glück.

D. Translation

1. The little bee will never forget what happened to her on that beautiful afternoon. 2. She was rejoicing over her good-fortune when several strange silver-threads suddenly covered her

wings. 3. Since she felt no pain and did not fall to the ground, she was not frightened at first. 4. The more she exerted herself, the more tightly the threads stuck to her wings and body. 5. Although the net was not intended for such large insects, Maja could not destroy it. 6. She should have been on her guard against the heartless spider, but she had forgotten the warning of her friend. 7. The brown, hairy monster, sitting patiently under a leaf, looked worse to her than death itself. 8. Before coming near, the spider satisfied itself that Maja had drawn in her sting. 9. When Maja feared that she must starve to death, she begged the spider to kill her. 10. She knew she could not long endure her captivity, and therefore she screamed with all her might. 11. She had known Kurt only a few days, but she recognized his voice at once. 12. Since he had nothing else to do at the moment, he could not refuse to help her. 13. The ugly spider was not at all pleased to lose its booty. 14. After Maja had brushed her wings, she thanked Kurt with all her heart and flew away.

IDIOMS USED IN THE EXERCISES

Arranged in the order they occur

I. recht haben — to be right
ein Gebet verrichten — to offer *or* say a prayer
es wird mir warm ums Herz — I am stirred *or* deeply moved
an jemanden denken — to think of some one
über etwas einig werden — to agree about something
um etwas bitten — to ask *or* beg for something
sich über jemanden wundern — to wonder about some one

II. sich hinsetzen — to sit down
es schmeckt ihm — he likes it, enjoys eating it
Hunger leiden — to suffer from hunger
(Hunger haben) — (to be hungry)
auf jemanden warten — to wait for some one
einer nach dem andern — one after another

III. spazieren gehen — to go walking
auf diese Weise — in this manner
mit aller Anstrengung — with all one's might
etwas beachten — to heed *or* pay attention to something
noch einmal — once more, again
Beine bekommen — to take to one's heels

IV. von heute ab — from today on, henceforth
es gefällt ihm — he likes it

V. bei Tische sein (sitzen) — to be (sit) at the table (during a meal)
etwas gern (lieber, am liebsten) tun — to like to do something (better, best)

208

auf einige Zeit verreisen	to be away from home for a while *or* go on a journey lasting some time
nach Hause kommen	to come home
wie war ihm zu Mute	how did he feel
sich fürchten (vor)	to be afraid (of)
jemanden lieb haben	to like some one
was ist aus ihr geworden	what has become of her
ihrer drei	three of them
ein Auge auf etwas werfen	to have *or* cast an eye on something
mitten in (auf)	in (on) the middle of
es fällt ihm ins Auge	he catches sight of it, his eye falls upon it
an etwas glauben	to believe in something
es nimmt ihn wunder	he is surprised
es fällt ihm ein	it occurs to him
es versteht sich	it is obvious *or* a matter of course
jemandem eine Frage stellen	to ask some one a question
VI. die Ohren spitzen	to prick up one's ears
auf einmal	suddenly, all at once
ich verlasse mich auf ihn	I depend upon him
satt werden	to have all one wants (to eat)
über etwas nachdenken	to meditate about *or* think over something
auf etwas ankommen	to depend upon something
VII. viel von jemandem hal= ten	to regard *or* esteem some one highly, think a great deal of some one
ich kann ihn nicht leiden	I can't endure *or* put up with him
es ist ihm gleichgültig	it doesn't matter to him

am anderen Morgen	on the next *or* following morning
gar nicht	not at all
einschlafen	to go to sleep
er läßt es im Stiche	he deserts *or* forsakes it
er läßt mich im Stiche	he leaves me in the lurch
es geht ihm gut	he is getting on well
es geht ihm besser	he is improving
immer besser	better and better
VIII. sich erkundigen (nach)	to inquire (about)
vorhanden sein	to be there *or* at hand (in the place mentioned)
vor einiger Zeit	some time ago
IX. jemanden für unentbehrlich halten	to consider some one indispensable
was wird daraus	what becomes *or* will become of it
es graut mir vor dem Grabe	I dread *or* stand in awe of the grave
sich mit einem Plane tragen	to hope to carry out *or* cherish a plan
weiter spielen	to continue playing
stille stehen	to stand still, be at rest
X. immer noch	still, yet
sich sehr amüsieren	to have a very good time
um Mitternacht	at midnight
Einspruch erheben	to raise an objection
sich erinnern (*gen. or* an *with the acc.*)	to remember, recall
in einem fort	on and on, without ceasing
es pfeift und heult	there is whistling and howling

XI. was fehlt ihm	what does he lack, what is wrong with him, what ails him
sich gegenseitig achten (hassen)	to have mutual respect (hatred) for each other
bald darauf	soon afterward
jemandem etwas auseinandersetzen	to explain something to some one
wie wird ihm zu Mute	how does he feel, what feeling comes over him
es gelingt mir	I succeed, am successful
einmal um das andere (Mal)	again and again
XII. es gilt ihm gleich	it does not matter to him, it is immaterial to him
jemandem beistehen	to give some one support *or* aid
sich etwas gefallen lassen	to make the best of *or* put up with something
etwas für unmöglich halten	to consider something impossible
XIII. jemanden gern haben	to like some one
jemandem Ermahnungen halten	to admonish *or* exhort some one
einen Vortrag halten	to lecture, give a lecture
jemanden kennen lernen	to become acquainted with some one
etwas Großes	something large
nachsitzen lassen	to keep after school
kreuz und quer	this way and that, in all directions
XIV. sich gern aufhalten	to like to stay *or* loiter
es ist mir gleich	it is immaterial to me
sich etwas vornehmen	to decide to do something

es ist ihm recht	it pleases him, it is satisfactory to him
nur wenig Schaden leiden	to be but slightly injured
XV. auf etwas achten	to heed or pay attention to something
gut gelaunt sein	to be in a good humor
je mehr ... desto besser	the more ... the better
stehen bleiben	to stop, remain standing
etwas gewohnt sein	to be accustomed to something
vor sich hergehen	to walk along (leisurely)
XVI. auf etwas verzichten	to give up something
es fällt ihm schwer	he has difficulty in doing it
sich etwas einbilden	to imagine something
jemanden zu behandeln wissen	to know how to treat some one
XVII. in der Nähe (followed by gen.)	near by or close to
am Himmel stehen	to be in the sky
jemandem etwas nachtun	to imitate some one
etwas bedürfen (gen.)	to be in need of something
sich fügen (dat.)	to comply with
er weiß nicht, was er tun soll	he does not know what to do
XVIII. einen Vorschlag machen	to suggest, make a suggestion
den Tisch decken lassen	to have the table set
in die Oper mitnehmen	to take to the opera
sich auf etwas Wichtiges besinnen	to consider an important matter
sich Vorwürfe machen	to blame oneself
XIX. jemandem entgegentreten or auf jemanden zugehen	to approach some one

sich mit etwas beschäftigen	to occupy oneself with something
es pocht	there is a knock (at the door)
außer sich sein	to be beside oneself
Mitleid haben	to sympathize
er gewinnt es nicht über sich	he can not make up his mind
XX. acht auf jemanden geben	to notice *or* pay attention to some one
sich etwas vornehmen	to make up one's mind to do something
es fällt ihm auf	it astonishes him *or* attracts his attention
jemanden auslachen	to laugh at some one
sich auf etwas freuen	to look forward to something (with pleasure)
er macht sich nichts daraus	he does not mind it *or* take offense at it
eine Ermahnung geben	to admonish, give a talking-to
er tut mir leid; es tut mir leid um ihn	I am sorry for him
XXI. jemanden liebhaben	to love some one
einen sehnenden Blick in etwas werfen	to cast a longing glance *or* longing eyes at something
dann und wann	now and then, from time to time
sich satt essen	to eat all one wants
XXII. etwas auf Vorrat kaufen	to lay in a supply
er hat ein böses Gewissen	his conscience troubles him
besser werden	to improve

XXIII. jemanden um Verzeihung bitten	to beg some one's pardon
um nichts freundlicher	not a whit more friendly
die Lerche für einen Spatzen halten	to take the lark for a sparrow
aus Herzensgrund	from the bottom of one's heart
vor Glück leuchten	to beam with joy
XXIV. das Gespräch auf etwas bringen	to turn the conversation to something
sich an etwas gewöhnen	to become accustomed to something
Abschied nehmen	to go away, take one's departure
XXVI. sich vor jemandem hüten	to be on one's guard against some one

VOCABULARY

A

ab (*sep. pref.*), off, away; von heute —, henceforth, from today (on).

die **Abbildung**, –en, picture, illustration.

ab=bringen, brachte ab, ab=gebracht, to take away, divert.

ab=decken, to uncover, remove.

der **Abdecker**, –s, —, flayer, one who removes the skins of animals.

Abelsberger (*proper adj.*), of Abelsberg (*apparently fictitious name of a town in Austria*).

der **Abend**, –s, –e, evening; am —, in the evening; heute abend, this evening.

der **Abendhimmel**, –s, —, evening sky.

abendlich, evening, in the evening.

abends, in the evening.

die **Abendsonne**, –n, evening sun, sunset.

der **Abendwind**, –s, –e, evening wind *or* breeze.

das **Abenteuer**, –s, —, adventure.

aber (*coörd. conj.*), but, however; oder —, or else.

abergläubisch, superstitious.

abermals, again.

der **Abfall**, –s, ⸚e, leavings, garbage.

ab=geben, (i), a, e, to deliver, give.

ab=gegeben, *see* ab=geben.

ab=genagt, *see* ab=nagen.

ab=getan, *see* ab=tun.

ab=halten, (hält ab), ie, a, to hold off, prevent.

ab=holen, to call for, go and get.

ab=hören, to hear, listen to.

ab=klopfen, to pat, stroke.

ab=lassen, (ä), ie, a, to desist, stop.

ab=laufen, (äu), ie, au (f.), to run down.

ab=leugnen, to disown, disclaim.

ab=magern (f.), to lose weight, become thin.

ab=nagen, to gnaw off.

ab=nehmen, (nimmt ab), nahm ab, ab=genommen, to take off.

die **Abneigung**, –en, dislike, aversion.

ab=nicken, *see* auf und ab=nicken *under* auf.

ab=reißen, i, i, to tear off.

ab=schaffen, to do away with, get rid of.

der **Abschied**, –s, –e, departure, adieu; — nehmen (von), to bid farewell (to).

ab=schneiden, schnitt ab, ab=geschnitten, to cut off; die Federn — lassen, to have the feathers cut off.

ab=schrecken, to frighten away; (*pr. part.*) ab=schreckend, deterrent.

ab=schütteln, to shake off.

die **Absicht**, –en, intention, plan.

ab=suchen, to look over carefully.

die Abteilung, –en, division, section.

ab=tun, (tut ab), tat ab, ab=getan, to lay or put aside, settle.

ab=warten, to await, wait for.

abwärts, downward, down stream.

ab=wechseln, to change, alternate.

ab=weisen, ie, ie, to refuse admittance; (pr. part.) abweisend, forbidding; sich nicht — lassen, not to let oneself be put off.

ab=wenden, wandte or wendete, gewandt or gewendet, to turn away.

ab=zu=geben, see ab=geben.

ab=zu=halten, see ab=halten.

ab=zu=schütteln, see ab=schütteln.

ach! ah !

die Achsel, –n, shoulder; die Achseln zucken, to shrug one's shoulders; achselzuckend, shrugging one's shoulders.

acht, eight.

acht, see acht=geben.

achten (auf), to esteem, regard, pay heed (to); sich —, to respect oneself.

acht=geben, (i), a, e (auf), to pay attention (to), notice.

acht=haben, (hat acht), hatte acht, acht=gehabt (auf), to pay attention (to), keep in mind.

achtlos, heedless.

die Achtung, regard, esteem.

achtzig, eighty; Ende der achtziger Jahre, at the end of the eighties.

acht=zu=haben, see acht=haben.

ächzen, to groan; (pr. part.) ächzend, groaning.

der Acker, –s, ⸚, soil, field.

der Adel, –s, aristocracy.

die Ader, –n, artery, vein.

das Adjekti'vum, –s, Adjekti'va, adjective.

der Adler, –s, —, eagle.

die Adres'se, –n, address.

der Affe, –n, –n, monkey, ape.

(das) Ägyp'ten, Egypt.

äh! ah! pooh!

ahnen, to surmise, feel instinctively.

ähnlich (with dat.), similar, like.

die Ahnung, –en, idea, presentiment.

die Ähre, –n, ear or head of grain.

akkurat', precise.

all, all; alle, all, every; alle Tage, every day; alle zehn Jahre, at intervals of ten years; alles, everything.

alledem, bei —, with or considering all that.

allein (coörd. conj.), but; (adj. or adv.), alone, even.

allemal, always, every time; ein für —, once for all.

allerärgst–, worst of all; am allerärgsten, worst of all.

allerdings, to be sure, of course.

allererst–, very first, first of all; am allerersten, or zu allererst, at the very first, first of all.

allergewöhnlichst–, most commonplace (of all).

allergnädigst–, most gracious of all; Allergnädigste (Frau), dear madam.

allerhöchst–, highest of all, sovereign.

allerlei, all kinds of.

allermeist–, most of all; zu —, almost without exception.

allermindest–, least of all; aufs allermindeste, at the very least.

der, die **Allermutigste**, the bravest of all.
allerwunderſamſt-, most wonderful of all.
alles, everything.
allgemein, general, universal; im allgemeinen, in general, usually.
die **Allgemeinheit**, commonweal, all concerned, everyone.
die **Allmacht**, omnipotence.
allmächtig, almighty, omnipotent.
allſogleich, immediately.
der **Alltag**, –s, commonplace, monotony, every-day life *or* experience.
das **Alltagsleben**, –s, every-day life.
allzeit, always.
als, as; (*subor. conj. ref. to a past situation*) when, just as; (*with a comparative*) than; (*subor. conj. with inverted order*) as if; — ob, as if.
alsbald, soon.
alſo, thus, therefore.
alt, old; in alten Tagen, in old age; (*comp.*) älter; der ältere, the older one.
der **Altar'**, –(e)s, ⸚e, altar.
der, die, das **Alte**, the old (person *or* thing).
das **Alter**, –s, age.
altern, to grow old.
der **Altersgenoſſe**, –n, –n, comrade of one's own age.
altklug, prematurely old, precocious.
das **Altwei'bergeſchwätz**, –es, old women's prattle, gossip.
am = an dem.
die **Amſel**, –n, ousel, blackbird.

das **Amt**, –es, ⸚er, office, official station; ein — inne-haben, to hold office.
amtieren, to function.
die **Amtsehrenbelei'digung**, –en, offense against official dignity, lese majesty.
an (*dat., acc.*), at, on, to; — und für ſich, in itself, for its own sake; von da —, from that time, ever since.
die **Anatomie'**, –n, anatomy.
der **Anbeginn**, –s, the very beginning.
an-betreffen, (i), betraf, betroffen, to affect, concern.
an-binden, a, u, to tie up, open a conversation.
der **Anblick**, –s, –e, sight.
an-blicken, to look at; ſich —, to look at each other *or* at oneself.
an-blinzeln, to wink, gaze with eyes half-closed.
an-brach, see an-brechen.
an-brechen, (i), a, o (ſ.), to dawn.
die **Andacht**, –en, reverence, devotion, prayer.
andächtig, reverent, devout; andächtiger ſtimmen, to make more reverent.
andachtsvoll, reverent, devout.
an-dauern, to continue, keep on.
das **Andenken**, –s, —, souvenir.
ander, (andr-), other; am andern Morgen, on the next morning; einer nach dem anderen, one after another; was ſind ſie anderes als, what are they other than; einmal um das andere, again and again.
ändern, to change.

andernteils, on the other hand.

anders, else, different, otherwise.

anderswohin, elsewhere, somewhere else.

die Änderung, –en, change.

an=erkennen, erkannte an, an=erkannt, to acknowledge, appreciate; (*pr. part.*) an=erkennend, approving.

die Anerkennung, –en, appreciation, review.

der Anfang, –s, ⸚e, beginning; im —, at the beginning.

an=fangen, (ä), i, a, to begin.

anfangs, at first.

an=flehen, to plead with, appeal to.

an=geben, (i), a, e, to mention, give (information).

an=geboren, native, innate.

an=geheiratet, related by marriage; ein an=geheirateter Schwager, a brother-in-law by marriage.

an=gehen, ging an, an=gegangen, to concern, be one's business; jemanden nichts —, to be none of one's business.

an=gemeldet, *see* an=melden.

an=gerichtet, *see* an=richten.

an=gesehen, *see* an=sehen.

an=gesetzt, *see* an=setzen.

das Angesicht, –s, –er, face, countenance.

(sich) an=gestoßen, *see* (sich) an=stoßen.

an=gestrengt (*past part. of* an=strengen), strenuous, hard.

an=gewiesen (*past part. of* an=weisen), restricted to, dependent upon; auf etwas — sein, to have no other recourse.

an=gezeigt, *see* an=zeigen.

an=gezogen, *see* an=ziehen.

angst, afraid; einem — und bange werden, to become afraid.

die Angst, ⸚e, fear, dread; — haben (vor), to be afraid (of); so voller —, in such anguish *or* fear.

ängsten, to frighten.

ängstigen, to alarm, frighten.

ängstlich (*with dat.*), anxious, fearful; — zu Mut(e) werden, to become afraid; — zu Mut(e) sein, to feel anxious *or* afraid.

angstvoll, anxious, fearful.

an=haben, (hat an), hatte an, an=gehabt, to wear, have on.

an=halten, (hält an), ie, a, to stop.

die Anhänglichkeit, attachment.

an=herrschen, to scream at, address harshly *or* imperiously.

an=kam, *see* an=kommen.

an=kämpfen (gegen), to attack, struggle (against), buffet, compete (with).

der Ankerknopf, –s, ⸚e, anchor-button.

an=kommen, kam an, ist an=gekommen, to arrive; auf etwas —, to depend upon something.

die Ankunft, ⸚e, arrival.

an=lächeln, to smile at.

an=legen, to put on; einen Zaum —, to bridle, put a bridle on a horse.

an=melden, to report.

anmutig, charming, agreeable.

an=nahm, *see* an=nehmen.

an=nehmen, (nimmt an), nahm an, an=genommen, to assume, accept.

an=reden, to speak to, address.

an=regen, to stimulate, arouse; (*pr. part.*) an=regend, interesting, illuminating.

an=richten, to arrange, prepare.

an=sah, see an=sehen.

der Ansatz, –es, ⸗e, start, run; einen — machen, to take a running start.

an=schauen, to look at.

sich an=schicken, to prepare, be about to.

an=schreien, ie, ie, to scream at.

an=sehen, (ie), a, e, to look at, observe.

an=setzen, to set, start to grow.

die Ansicht, –en, view, opinion; einer — sein, to be of an opinion.

(sich) an=siedeln, to settle down.

die Ansiedelung, –en, colony; settling, home-making.

die Anspielung, –en, allusion, insinuation.

an=sprechen, (i), a, o, to speak to, address.

anständig, honorable, well-bred.

an=starren, to stare at.

anstatt, instead of.

an=stellen, to accomplish.

(sich) an=stoßen, (ö), ie, o, to push, give a push to (each other).

(sich) an=strengen, to exert (oneself).

die Anstrengung, –en, effort, exertion; mit aller —, with all one's might.

der Anteil, –s, –e, part, share; — nehmen (an), to take an interest (in).

die Antipathie', –n, antipathy, dislike.

das Antlitz, –es, –e, face, countenance.

an=treiben, ie, ie, to drive forward.

die Antwort, –en, answer.

antworten, to answer.

an=wachsen, (ä), u, a (s.), to increase.

an=weisen, ie, ie, to direct, instruct, assign; jemandem einen Stuhl —, to urge some one to be seated; auf etwas an=gewiesen sein, to have no other recourse.

an=wuchsen, see an=wachsen.

die Anzahl, number.

an=zeigen, to advertise, make known.

an=ziehen, zog an, an=gezogen, to dress; attract, draw up; jemanden sein —, to dress some one in his best clothes; sich —, to dress oneself.

an=zu=binden, see an=binden.

der Anzug, –s, ⸗e, suit of clothes.

an=zu=kommen, see an=kommen.

an=zünden, to light.

an=zu=reden, see an=reden.

an=zu=treiben, see an=treiben.

apart, unique, out of the ordinary; etwas Apartes, something out of the ordinary.

der Apfel, –s, ⸗, apple.

der Apparat', –s, –e, apparatus, implement.

der Appetit' –s, –e, appetite.

das Apportel, game of "fetch the stick."

apportieren, to bring back, retrieve.

die April'nacht, ⸗e, April night.

die Arbeit, –en, work; an die — gehen, to go to work.

arbeiten, to work.

arg, severe, bad; (comp.) ärger, worse.

ärgern, to anger.

arglos, unsuspecting.

arm, poor.

der Arm, –es, –e, arm.

der, die, das Arme, the poor *or* pitiable (person *or* thing).

die Armut, poverty.

die Art, –en, sort, kind, manner; eine — Leierkasten, a sort of music box, hand-organ; auf ihre —, in her manner.

die Artigkeit, –en, courtesy, civility, politeness.

der Arzt, –es, ⸚e, physician.

(das) Asien, Asia.

aß, *see* essen.

der Assistent', –en, –en, assistant.

der Ast, –es, ⸚e, branch, twig.

das Ästlein, –s, —, small branch, twig.

der Atem, –s, breath; zu — kommen, to get one's breath.

atemraubend, breathless.

der Atemzug, –s, ⸚e, breath, inhalation; einen — tun, to take a breath.

atmen, to breathe.

atmete auf, *see* auf=atmen.

auch, also, too, really, although; — nicht, not either.

auf (*dat., acc.*), on, upon, at, to; — einige Zeit, for some time; — einmal, suddenly, all at once; — und ab, up and down; — und ab=nicken, to nod several times; — und nieder, up and down; — und nieder=gehen, to go up and down.

auf=atmen, to draw a deep breath; — (von), to escape (from).

auf=bauen, to build up, erect, set up.

auf=blinken, to twinkle, glitter.

auf=fahren, (ä), u, a (ſ.), to sit up suddenly, start.

auf=fallen, (ä), ie, a (ſ.), (*dat.*), to astonish, attract attention; (*pr. part.*) auf=fallend, striking.

auf=fangen, (ä), i, a, to catch.

auf=fing, *see* auf=fangen.

auf=fordern, to challenge, urge.

auf=fuhr, *see* auf=fahren.

die Aufgabe, –n, the task.

auf=gebaut, *see* auf=bauen.

auf=geben, (i), a, e, to give up.

auf=gegangen, *see* auf=gehen.

auf=gehen, ging auf, ist auf=gegangen, to rise (*of the sun*); open, loosen; come up (*of plants*).

auf=genommen, *see* auf=nehmen.

auf=gepaßt, *see* auf=passen.

auf=gepfludert (*past part. of* auf=pfludern), ruffled, with ruffled feathers.

auf=geputzt (*past part. of* auf=putzen), decked out, polished up.

auf=geregt (*past part. of* auf=regen), excited, angry.

auf=gerichtet, *see* auf=richten.

auf=gerufen, *see* auf=rufen.

auf=geschlagen, *see* auf=schlagen.

auf=geschrien, *see* auf=schreien.

auf=gesperrt (*past part. of* auf=sperren), wide open.

auf=gesprungen, *see* auf=springen.

auf=gewacht, *see* auf=wachen.

auf=gingen, *see* auf=gehen.

sich auf=halfen, *see* sich auf=helfen.

sich auf=halten, (hält sich auf), ie, a, to remain, loiter.

auf=heben, o, o, to save, keep, lift up.

sich auf=helfen, (i), a, o, to get up with difficulty, help oneself up.

auf=hören, to cease, stop.

auf=hüpfen (f.), to leap up, bound.

die Auflage, –n, edition.

auf=machen, to open.

aufmerksam, attentive; — **machen** (auf), to call attention to.

die Aufmerksamkeit, attention.

auf=muntern, to encourage.

die Aufmunterung, –en, encouragement, stimulus.

auf=nehmen, (nimmt auf), nahm auf, auf=genommen, to take up, receive (*a guest*), employ; **für den Tag —,** to hire for the day.

auf=passen, to pay attention, be careful; **paß' auf,** mark my word.

auf=pflanzen, to plant *or* set up.

auf=putzen, to polish up, adorn.

aufrecht, upright, just.

auf=regen, to excite, irritate, stir; **sich auf=regen,** to become excited.

die Aufregung, –en, turmoil, tumult, emotion; **vor — zittern,** to tremble with emotion *or* excitement.

auf=reißen, i, i, to open wide, tear open.

auf=richten, to erect, place upright, raise up; **sich —,** to rise, straighten up.

aufrichtig, upright, frank.

auf=rufen, ie, u, to call up *or* on, summon.

aufs = auf das; **— allermindeste,** at the very least; **— neue,** anew, again.

auf=schlagen, (ä), u, a, to erect, open; **ein Gelächter —,** to burst out laughing.

auf=schließen, o, o, to unlock, open.

auf=schluchzen, to sob.

auf=schneiden, schnitt auf, auf=geschnitten, to boast, exaggerate.

auf=schnellen (f.), to jump up, arise quickly, spring up.

der Aufschrei, –s, –e, scream.

auf=schreien, ie, ie, to scream, shout.

sich auf=schwingen, a, u, to mount up, soar upward.

auf=sehen, (ie) a, e, to look up.

auf=sein, (ist auf) war auf, ist auf=gewesen, to be up *or* astir.

auf=setzen, to put on.

auf=sperren, to open wide; **die Augen —,** to open the eyes in astonishment.

auf=spielen (*dat. of person*), to play for.

auf=springen, a, u (f.), to open wide, jump up

auf=steigen (f.), to rise, ascend.

auf=suchen, to seek out, go to see.

auf=tauchen (f.), to come to light, arise; **es taucht mir ein Gedanke auf,** an idea occurs to me.

auf=trat, *see* auf=treten.

auf=treten, (tritt auf), a, e (f.), to put one's feet on the ground, step forward, appear (on the stage).

auf=tun, (tut auf), tat auf, auf=getan, to give some one a helping of food, serve.

auf=wachsen, (ä), u, a (f.), to grow up.

das Aufwallen, –s, impulse.

auf=weinen, to burst into tears, weep.

der Aufwiegler, –s, —, agitator, revolutionist.

auf=wühlen, to turn, heap up.

auf=ziehen, zog auf, auf=gezogen, to wind up.

auf=zuden, to dart *or* flash up.

der Aufzug, –s, ⸗e, attire.

sich auf=zu=halten, *see* sich auf=halten.

auf=zu=nehmen, *see* auf=nehmen.

auf=zu=richten, *see* auf=richten.

auf=zu=sehen, *see* auf=sehen.

auf=zu=ziehen, *see* auf=ziehen.

das Aug = das Auge.

das Auge, –s, –n, eye; einem ins — fallen, to strike *or* catch one's eye; das — auf etwas werfen, to have *or* cast an eye upon, look over; ein — zu=drücken, to wink; aus den Augen verlieren, to lose sight of.

der Augenblick, –s, –e, moment.

augenblicklich, immediately, at the moment.

die Augenbraue, –n, eyebrow.

das Augenlid, –s, –er, eyelid.

das Augenstechen, –s, blinding, putting out the eyes.

aus (*dat.*), out, from, out of, of; von ... —, from.

aus (*sep. pref.*), out.

aus=beißen, i, i, to bite out; sich die Zähne —, (*lit.* to break out the teeth in biting), to seek in vain for a solution.

(sich) aus=bilden, to educate (oneself), finish (one's) education.

die Ausbildung, –en, education, training, polish.

aus=bitten, bat aus, aus=gebeten, to request, ask for.

aus=bleiben, ie, ie (f.), to remain away *or* out.

aus=brach, *see* aus=brechen.

aus=brechen, (i), a, o (f.), to break out, utter violently.

aus=breiten, to open *or* stretch out.

aus=dehnen, to spread out, stretch.

der Ausdruck, –s, ⸗e, expression.

auseinander, apart.

auseinander=setzen, to explain.

der, die Auserwählte, selected *or* chosen (person).

aus=fallen, (ä), ie, a (f.), to fall *or* turn out.

aus=fliegen, o, o (f.), to fly out, leave the nest.

aus=folgen, to hand over.

der Ausgang, –s, ⸗e, exit, door.

aus=gebildet, *see* aus=bilden.

aus=gebissen, *see* aus=beißen.

aus=geblieben, *see* aus=bleiben.

aus=gefallen, *see* aus=fallen.

aus=gehen, ging aus, ist aus=gegangen, to go out, emanate.

aus=gespannt (*past part. of* aus=spannen), spread out, extended.

aus=gestreckt, *see* aus=strecken.

aus=halten, (hält aus), ie, a, to endure.

aus=holen, to lift the arm, aim a blow; zu einem Prusten —, to take a deep breath (*for an exclamation of contempt, vexation or hilarity*).

aus=lachen, to laugh at.

der Auslagekasten, –s, —, show case.

aus=leeren, to empty.

aus=löschen, to blot out, efface.

aus=lugen, to look out.

aus=packen, to unpack, release, unwrap.

aus=reden, to dissuade, make one forget.

aus=reißen, i, i, to tear out, pull up.

aus=rief, *see* aus=rufen.

der Ausruf, –s, –e, exclamation.

aus=rufen, ie, u, to call out, exclaim.

aus=faugen, to get all one can, suck out.

aus=fchneiden, fchnitt aus, aus=ge= fchnitten, to cut out.

aus=fehen, (ie), a, e, to appear, look (like), seem to be.

außen, outside; von —, from the outside.

außer (*dat.*), except, aside from; — fich fein, to be beside oneself.

äußer– (*adj.*), outer, outward.

außerdem, besides, aside from that.

das Äußere, exterior, appearance; fein Äußeres, one's appearance.

äußern, to utter, express; fich —, to express oneself.

außerordentlich, extraordinary.

äußerft, utmost, very, extremely.

die Äußerung, –en, utterance, words, expression.

aus=fetzen, to stop, cease.

die Ausficht, –en, prospect; in guter — ftehen, to have good prospects.

aus=fpannen, to spread out, extend.

aus=fprach, *see* aus=fprechen.

die Ausfprache, –n, pronunciation.

aus=fprechen, (i), a, o, to pronounce.

aus=ftechen, (i), a, o, to put out (the eyes).

aus=ftieß, *see* aus=ftoßen.

aus=ftoßen, (ö), ie, o, to give vent to, burst out, give.

aus=ftrecken, to stretch out.

aus=toben, to sow wild oats, give free play to wild impulses.

aus=trocknen, to dry out.

aus=üben, to exert, carry on.

auswärts, outward; die Füße nach — fetzen, to walk with the feet turned out.

der Ausweg, –s, –e, way out, expedient; es kam ihm ein —, he found a way out *or* a substitute.

aus=werfen, (i), a, o, to throw *or* cast out.

aus=zu=reden, *see* aus=reden.

B

die Ba=Ba=Barmherzigkeit = Barm= herzigkeit, mercy, pity.

der Bach, –es, ⁔e, brook.

die Bachftelze, –n, wagtail.

die Backe, –n, cheek.

das Backenbärtchen, –s, —, side-whiskers.

der Backfifch, –es, –e, silly girl (14 *to* 16 *yrs.*).

das Bad, –es, ⁔er, bath.

(fich) baden, to bathe.

bahnen, to build, open up for traffic; fich (*dat.*) einen Weg —, to make one's way.

bald, soon; — darauf, soon afterward; —...—, now ... then, at one time ... at another; wird's —, how long will you be? do hurry up!

der Balken, –s, —, rafter, beam, joist.

ballen, to clench, double up.

das Ballhaus, –es, ⁔er, dancing hall.

das Band, –es, ⁔er, ribbon, string.

bang(e), uneasy, afraid; einem angft und bange werden *or* einem bange zu Mute (zu Sinne) werden, to become afraid; (*comp.*) bän= ger, more afraid; bänger zu Sinne (Mute) werden, to become more afraid.

die Bank, ⁔e, bench.

das **Bankende**, –s, –n, end of a bench.

das **Bankett'**, –s, –e, banquet.

der **Bann**, –es, ban, spell.

bannen, to ban, enchant; wie gebannt, as though enchanted.

barfuß, barefoot.

barg, see bergen.

barmherzig, merciful.

die **Barmherzigkeit**, mercy, pity.

der **Bart**, –es, ⸚e, beard.

das **Bäschen**, –s, —, (dear) cousin (*fem.*), female relative.

der **Baß**, –es, ⸚e, bass, double bass.

bat, see bitten.

der **Bauch**, –es, ⸚e, abdomen, belly, stomach.

bauen, to build.

der **Bauer**, –s (*or* –n), –n, peasant.

die **Bauernarbeit**, –en, farm work.

die **Bauernfamilie**, –n, peasant family.

das **Bauernpferd**, –s, –e, farm horse.

der **Bauernstand**, –s, ⸚e, peasantry, condition *or* station of peasant.

der **Baum**, –es, ⸚e, tree.

baumeln, to swing.

beachten, to regard, heed, notice, pay attention.

der **Beamte**, –n, –n, official.

die **Beängstigung**, –en, fright.

beanspruchen, to claim, lay claim to.

beben, to quiver, tremble; (*pr. part.*) bebend, quivering, trembling; etwas still Bebendes, something gently fluctuating.

bedarf, see bedürfen.

bedauern, to regret, say regretfully.

bedecken, to cover.

bedenken, bedachte, bedacht, to consider, think about.

die **Bedenkzeit**, time for reflection *or* thought.

bedeuten, to signify, mean; (*pr. part.*) bedeutend, significant, considerable.

bedünken, bedünkte *or* bedeuchte, bedünkt *or* bedeucht, to seem (*impersonal*); es will ihm —, it appears to him.

bedürfen, (bedarf), bedurfte, bedurft (*gen.*), to need, require.

die **Beere**, –n, berry.

Beersch– (*proper adj.*), of the Beer family.

das **Beet**, –es, –e, (garden) bed, patch.

befahl, see befehlen.

befallen, (ä), befiel, befallen, to fall on, overwhelm.

befand sich, see sich befinden.

der **Befehl**, –s, –e, command.

befehlen, (ie), a, o, to command.

befiehlt, see befehlen.

befiel, see befallen.

sich **befinden**, a, u, to be, feel.

befohlen, see befehlen.

befolgen, to heed, obey, follow.

befreien, to free, liberate.

die **Befreiung**, –en, liberation; zu ihrer —, for her liberation.

die **Befriedigung**, –en, satisfaction.

befühlen, to feel, touch.

begab sich, see sich begeben.

begann, see beginnen.

sich **begeben**, (i), a, e, to go, set out; sich auf die Wanderschaft —, to set out to wander from place to place.

begegnen (*dat.*) (f.), to meet, counteract; happen, come.

die **Begierde**, –n, eagerness, desire, passion.

beginnen, a, o, to begin.

begleiten, to accompany, follow.

der **Begleiter**, –8, —, guide.

begleitete empor, *see* empor=begleiten.

beglücken, to make happy; (*past. part.*) beglückt, happy, joyful.

begnaden, to endow, grant a favor.

begonnen, *see* beginnen.

begraben, (ä), u, a, to bury, conceal; — liegen, to lie buried.

begreifen, begriff, begriffen, to comprehend.

begreiflich, comprehensible, plain.

begriff, *see* begreifen.

begründet (*past part.* of begründen, to establish), well founded.

begrüß = begrüße, *see* begrüßen.

begrüßen, to greet.

behaart, hairy.

behalten, (behält), ie, a, to keep, retain.

behandeln, to treat.

beharrlich, steady, constant.

beherrschen, to rule over.

behielt, *see* behalten.

behindern, to hinder, disturb.

behüten, to guard, watch over.

bei (*dat.*), at, near, with, at the home of; — sich, with *or* about one, on one's person.

die **Beichte**, –n, confession.

beichten, to confess.

beide, both, two; die Beiden, the two; beides, both (*collective*).

der **Beifall**, –8, approval.

bei-liegen, a, e, to be enclosed (*with a letter*).

beim = bei dem.

das **Bein**, –es, –e, leg; Beine bekommen, take to one's heels; auf den Beinen sein, to be up and about.

beinahe, almost.

das **Beinchen**, –8, —, leg, little leg.

beiseit=sitzen, saß beiseit, beiseit=gesessen, to sit apart.

das **Beispiel**, –8, –e, example; ein — nehmen (an), to take as an example.

beißen, i, i, to bite.

bei=stehen, stand bei, bei=gestanden (*dat.*), to support, aid.

bei=wohnen (*dat.*), to attend.

bejahen, to affirm, say "yes."

bekam, *see* bekommen.

sich **bekämpfen**, to fight against each other.

bekannt, well known, familiar.

beklagenswert, pitiable.

sich **bekleiden**, to dress.

die **Beklemmung**, heaviness of heart, anguish.

beklommen (*past part. of* beklemmen, to press, afflict), uneasy, breathless, embarrassed.

bekommen, bekam, bekommen, to receive, get; Beine —, to take to one's heels.

bekosten, to taste.

der, die **Bekümmerte**, the sorrowful *or* aggrieved (person).

belassen, (ä), ie, a, to leave.

belauschen, to overhear, listen to.

beleben, to enliven, animate; (*past part.*) belebt, enlivened, animated.

belecken, to lick.

belegen, situated.

belehren, to inform, instruct.

beleidigen, to offend; die Majestät —, to commit lese majesty, make treasonable statements against government or ruler.

beliebt, popular, liked.

bellen, to bark.

bemerken, to notice.

die Bemerkung, –en, remark.

die Bemühung, –en, effort.

benannt, *see* benennen.

sich benehmen, (benimmt sich), benahm sich, sich benommen, to act, conduct oneself.

benennen, benannte, benannt, to name, call.

beobachten, to observe, watch.

berauben, to rob.

berauschen, to intoxicate; (*past part.*) berauscht, intoxicated, inspired.

das Berauschende, intoxicating liquor.

berechnen, to calculate, intend.

die Berechnung, –en, calculation, problem.

berechtigen, to justify, give a right to.

bereden, to discuss.

bereit, ready, prepared; sich — halten, to hold oneself in readiness, be prepared.

bereiten, to prepare; einem Freude —, to please, make one happy.

bereit=halten, (hält bereit), ie, a, to hold *or* have ready.

bereits, already; — schon, already.

der Berg, –es, –e, hill, mountain.

bergen, (i), a, o, to hide, conceal, contain.

der Bericht, –s, –e, report, information.

berichten, to report.

der Beruf, –s, –e, calling, occupation.

berufen, ie, u, to call, appoint; (*past part.*) berufen, destined, intended; der Berufene, one especially called *or* set apart.

beruhen, to rest, depend.

die Beruhigung, –en, relief.

berühmt, famous.

berühren, to touch.

die Berührung, –en, touch.

besann sich, *see* sich besinnen.

sich besänne (*past subj.*), *see* sich besinnen.

besaß, *see* besitzen.

beschädigen, to injure.

sich beschäftigen, to occupy *or* busy oneself.

die Beschäftigung, –en, occupation.

beschämen, to put to shame, abash.

die Bescheidenheit, modesty.

beschließen, o, o, to decide.

beschloß, *see* beschließen.

die Beschreibung, –en, description.

beschwor, *see* beschwören.

beschwören, o, o, to swear, take an oath; implore.

die Beseelung, –en, personification, animation.

besetzen, to fill, put into; (*past part.*) besetzt, occupied, filled.

besiegen, to overcome, conquer.

sich besinnen, a, o (auf), to recollect, try to remember.

die Besinnung, sense, presence of mind, consciousness.

der Besitz, –es, –e, possession, wealth.

besitzen, to possess, have.

der Besitzer, –s, —, owner, possessor.

besonder–, especial, particular; besonders, especially, particularly.

besonnen (*past part. of* besinnen), prudent, discreet.

besorgen, to attend to, look after.

besprachen sich, *see* sich besprechen.

(sich) besprechen, (i), a, o, to discuss.

besser (*comp. of* gut), better; zu Besserem geboren, born for something better; — als (wie), better than.

best– (*superl. of* gut), best; am besten, best.

bestand, *see* bestehen.

beständig, constant, continuous.

bestärken, to strengthen.

bestätigen, to confirm, assent.

der, die, das Beste, the best (person *or* thing).

das Besteck, –s, –e, cover (*at table*); knife, fork, and spoon.

bestehen, bestand, bestanden (aus), to exist, consist (of); endure (a test); darin —, daß, to lie in the fact that.

bestehlen, (ie), a, o, to steal (from some one).

besteigen, ie, ie, to get into *or* on.

bestellen, to till; order.

bestimmen, to determine; bestimmend werden, to become a determining factor; (*past part.*) bestimmt, definite, destined.

die Bestimmung, –en, destiny, mission.

bestrafen, to punish.

bestreichen, i, i, to coat, paint.

bestreuen, to scatter over, sprinkle.

der Besuch, –es, –e, call, visit; caller, visitor.

besuchen, to visit, pay a visit, attend (*school*).

betäuben, to dazzle.

der, die Beteiligte, one taking part.

beten, to pray.

betören, to enrapture, fascinate.

betrachten, to observe, look at, regard.

die Betrachtung, –en, view, conception.

betreiben, ie, ie, to carry on (*trade*).

betrieben, *see* betreiben.

betroffen (*past part. of* betreffen, to befall, strike with consternation), perplexed, embarrassed.

betrügen, o, o, to deceive.

das Bett, –es, –en, bed; sich ins — stehlen, to slip into bed unnoticed.

betteln, to beg.

das Bettlerauge, –s, –n, pleading *or* begging eye.

die Bettlerin,–nen, beggar (*fem.*).

der Bettwinkel, –s, —, corner of the bed.

beugen, to bow, bend, stoop.

beugte sich vor, *see* sich vor=beugen.

beurteilen, to judge, criticize.

die Beute, –n, booty, prize.

bevölkern, to inhabit.

bevor (*subor. conj.*), before.

bewahren, to keep, preserve.

sich bewähren, to show one's true self.

bewarf, *see* bewerfen.

bewegen, o, o, to cause, induce.

(sich) bewegen, to move, stir.

beweglich, movable.

die Bewegung, –en, movement, emotion, feeling.

bewerfen, (i), a, o, to shower, pelt.

bewohnen, to occupy, dwell in.

bewundern, to admire.

die Bewunderung, wonder, admiration; starr vor —, dumbfounded.

das Bewußtsein, –s, consciousness.

bezeichnen, to mark, make distinctive.

biegen, o, o, to bend; sich den Rücken krumm —, to bow until one's back remains bent.

die Biene, –n, bee.

(sich) bieten, o, o, to offer or present (oneself).

das Bild, –es, –er, picture.

billig, proper, fitting.

bin, see sein, da-sein.

binden, a, u, to bind, tie.

der Birnbaum, –s, ⸗e, pear tree.

die Birne, –n, pear.

bis (acc.), (often with another prep., — an, — in, — zu), till, until.

bis (subor. conj.), till, until.

bisher, heretofore.

der Biß, –es, –e, bite.

bißchen, bit, little.

der Bissen, –s, —, bite (of food).

bisweilen, occasionally, now and then.

bitte (pres. of bitten), please.

die Bitte, –n, request.

bitten, bat, gebeten (um), to ask (for), request, beg, plead, invite; (pres. part.) bittend, pleading.

bitter, bitter, dire.

die Bitterkeit, –en, bitterness.

bitterlich, bitterly.

sich blamieren, to make a fool of oneself, show one's ignorance.

blank, bright, polished.

der Blasebalg, –es, ⸗e, bellows.

blaß, pale.

das Blatt, –es, ⸗er, leaf.

blättern, turn leaves (of a book).

blätterte herum, see herum⸗blättern.

blau, blue.

das Blau, –s, blue.

blauäugig, blue-eyed.

das Blaue, blue, blue sky.

bläulich, bluish.

bleib' = bleibe, see bleiben.

bleiben, ie, ie (s.), to remain; stehen —, to stop; hocken —, to continue to sit or crouch.

blenden, to blind.

der Blick, –es, –e, glance, look.

blicken (auf), to look (at).

blickte hinauf, see hinauf⸗blicken.

blieb, see bleiben, zurück⸗bleiben.

blind, blind.

blinken, to shine, sparkle, glisten.

blinkte auf, see auf⸗blinken.

blinzeln, to wink, blink.

blinzelte an, see an⸗blinzeln.

blitzen, to lighten, flash, sparkle; (pr. part.) blitzend, sparkling.

blitzschnell (adv.), with lightning speed, like a flash.

blond, blond, fair.

bloß, only, merely.

blühen, to bloom, blossom.

das Blühen or Blühn, –s, blossoming, blooming.

die Blume, –n, flower.

der Blumenelf, –en, –en, flower elf, fairy (male).

die Blumenwelt, flower world.

das Blut, –es, blood; das — fiel ihm, his blood subsided; his heart stopped beating.

die **Blüte**, –n, blossom.
blütenreich, rich in blossoms, flowery, bloomy.
der **Blutfink**, –en, –en, bullfinch.
blutig, bloody.
blutlos, bloodless, pale.
das **Bockshorn**, –s, ⸚er, buck's horn; das — blasen, to sound an alarm; sich ins — jagen lassen, to be intimidated.
der **Boden**, –s, ⸚, ground, floor, soil, field; den — mit den Füßen spüren, to set foot on the floor *or* ground.
der **Bodensee**, –s, Lake Constance.
bog, *see* biegen.
der **Bogen**, –s, — *or* ⸚, bow, arch, circle; — fliegen, to fly in a curve.
die **Bohle**, –n, plank.
bohren, to drill, penetrate; seine Augen bohrten, he strained his eyes.
das **Boot**, –es, –e, boat.
der **Bord**, –es, –e, border, board; über —, overboard.
die **Börse**, –n, purse.
böse, evil, bad (*in character*); etwas Böses, something evil *or* malicious.
der **Bösewicht**, –s, –er, evil-doer, culprit.
boshaft, malicious.
die **Bosheit**, –en, treachery, malice.
bot sich, *see* sich bieten.
die **Botschaft**, –en, news, tidings.
brach, *see* brechen, aus=brechen, ent=zwei=brechen, hervor=brechen, zu=sammen=brechen.
brachte, *see* bringen, heim=bringen, fertig=bringen, herbei=bringen, zu=bringen.
brächte (*past subj.*), *see* bringen.

der **Brand**, –es, ⸚e, fire, conflagration.
brannte, *see* brennen.
brauchbar, useful, usable.
brauchen, to need, use.
braun, brown.
brauste einher, *see* einher=brausen.
die **Braut**, ⸚e, fiancée, betrothed.
brav, brave, upright, good.
Bravo! bravo! hurrah!
brechen, (i), a, o, to break.
breit, broad, wide; weit und —, far and wide.
breitete aus, *see* aus=breiten.
breit=gequetscht, *see* breit=quetschen.
breitlippig, with large, big lips.
breit=quetschen, to flatten out, crush flat.
breitschulterig, broad shouldered.
brennen, brannte, gebrannt, to burn, glare, gleam.
brennrot, fiery-red; einen brenn=roten Kopf kriegen (*fam.*), to blush deeply.
das **Brett**, –es, –er, board.
der **Brief**, –es, –e, letter.
die **Brille**, –n, spectacles.
bringen, brachte, (*past subj.* brächte), gebracht, to bring, take, put; auf bessere Wege —, to improve, (*fam.*) put on the right track; etwas — lassen, to have something brought; jemand außer sich —, to enrage *or* upset one completely; zuwege —, to bring about; es zu etwas —, to succeed in doing *or* producing something.
bringt dar, *see* dar=bringen.
der **Brocken**, –s, —, crumb, morsel.
das **Brombeerblatt**, –s, ⸚er, blackberry leaf.

der **Brombeerbusch,** –es, ⸗e, blackberry bush.

das **Brombeergebüsch,** –es, –e,
blackberry bush or thicket.

die **Brombeerranke,** –n, blackberry
vine.

das **Brot,** –es, –e, bread, loaf of
bread; Stück —, piece of bread.

brüllen, to roar.

der **Brummbaß,** –es, ⸗e, (usually
Baßgeige), bass, double bass.

brummen, to growl, grumble,
rumble.

die **Brust,** ⸗e, breast, chest.

die **Brut,** –en, hatching, brood.

brüten, to sit on eggs, hatch.

der **Bub** = der Bube.

das **Bübchen,** –s, —, laddie, little
fellow.

der **Bube,** –n, –n, boy, lad.

das **Bübli,** –s, —, = das Büblein
(So. German), boy, lad, sonny.

das **Buch,** –es, ⸗er, book.

der **Buchbinderladen,** –s, — or ⸗,
bookbinder's shop, bookstore.

der **Buchenwald,** –s, ⸗er, beech
forest.

das **Büchlein,** –s, —, little book.

der **Buchstabe,** –n, –n, letter (of the
alphabet).

sich bücken, to bow, stoop.

der **Bückling,** –s, –e, bow.

die **Bühne,** –n, stage.

der **Bund,** –es, ⸗e, league, confeder-
ation.

bunt, colored, of many colors.

der **Bureaukrat',** –en, –en, bureau-
crat.

bürgerlich, civic, private.

die **Bürgerlichkeit,** manners or
condition of the citizen class.

der **Bursche,** –n, –n, lad, young man,
fellow.

der **Busch,** –es, ⸗e, bush.

der **Busen,** –s, —, bosom, breast.

büßen, to atone, pay for.

die **Butter,** butter.

das **Butterbrot,** –s, –e, slice of
bread and butter.

C

Caesar (*Latin*), Caesar; **Caesar de
bello Gallico,** Caesar's Gallic
war.

der **Chef,** –s, –s [schef], chief,
manager.

(das) **China** [ch *as in* ich], China.

das **Chinesengesicht,** –s, –er, Chinese
face.

die **Chinesengestalt,** –en, Chinese
figure.

chinesisch, Chinese.

der **Chor,** –es, ⸗e [kor], chorus,
choir.

D

da (*subor. conj.*), as, since, when;
(*adv.*), there, then.

dabei, thereby, to it, in doing
this, at the same time; — sein,
to be present.

das **Dach,** –es, ⸗er, roof.

der **Dachfirst,** –s, –e, top or ridge of
a roof.

die **Dachkammer,** –n, garret, attic.

dachte, see denken, nach=denken.

dadurch, thereby, by this or it.

dafür, for it, for that, on that
account.

dagegen, against it, on the other
hand.

da=gewefen, *see* da=fein.

daheim, at home.

daher, therefore.

daher=kommen, kam daher, ift daher=gekommen, to come along.

dahin (*sep. pref. or adv.*), there, along, away; — und dorthin, hither and thither.

dahin=fliegen, o, o (f.), to pass quickly by, fly past *or* away.

das Dahinfliegen, –8, flying along; im —, while flying along.

dahin=flogen, *see* dahin=fliegen.

dahin=galoppieren (f.), to gallop along.

dahingegen, on the contrary.

dahin=locken, to entice along *or* away.

dahin=faufen (f.), to whiz *or* rush along.

dahin=fchreiten, fchritt dahin, ift dahin=gefchritten, to walk *or* step along.

dahin=fchritt, *see* dahin=fchreiten.

dahin=fchwimmen, a, o (f.), to swim to, toward *or* away.

dahinter, behind it.

dahin=tragen, (ä), u, a, to carry to *or* along.

dahin=wogen (f.), to surge along, be carried by the waves; (*pr. part.*) dahin=wogend, carried along by the waves.

da=liegen, lag da, da=gelegen, to lie there.

damalig, of that time.

damals, then, at that time.

die Dame, –n, lady, woman.

damit' (*subor. conj.*), that, so that.

damit, with it *or* that, therewith, having said this.

der Damm, –es, "e, dam, embankment.

dämmerig, dusky, misty.

das Dämmerlicht, –8, twilight.

der Dampf, –es, "e, steam, vapor; einen — haben, to be tipsy *or* intoxicated; mit großen Dämpfen, with exaggerated ideas.

dampfen, to steam.

der Dampfer, –8, —, steamer.

danach, after *or* for it *or* that.

der Dank, –es, thanks, appreciation, gratitude; keinen — kennen (für), to have no feeling of gratitude (toward *or* for); habe — (für), I thank you (for); vielen —, many thanks.

dankbar, thankful, grateful.

danke = ich danke Ihnen.

danken (*dat. of person*), to thank; danke, I thank you.

dankenswert, deserving of thanks.

das Dankeswort, –8, –e, word *or* expression of gratitude.

dann, then; — und wann, now and then.

daran, to *or* on it; in doing it; — denken, to think of it; fpäter — fein, to be late in doing something.

darauf, thereupon, on it.

darauf (*sep. pref. or adv.*), then, afterward; — aus fein, to be intent upon.

darauf=folgen (f.), to follow after (*in time*); (*pr. part.*) darauf=folgend, following, subsequent.

darauf=gehen, ging darauf, ift darauf=gegangen, to be spent *or* expended (freely).

daraus, out of it *or* that.

dar=bringen, brachte dar, dar=ge=
bracht, to offer.

darf(ſt), *see* dürfen.

darin, in it, inside, there, in that
regard *or* subject.

darinnen, within, inside.

darob, about it, on that account,
for that reason.

dar=ſtellen, to portray, represent.

die Darſtellung, –en, representation,
depiction.

darüber, above *or* about it.

darüberhin=fahren, (ä), u, a (ſ.), to
sail *or* drive over.

darum, therefore.

darunter, under it, among them.

das (*demons. pron.*), that, it.

da=ſein, (iſt da), war da, iſt da=ge=
weſen, to be present, exist.

das Daſein, –s, existence.

da=ſitzen, ſaß da, da=geſeſſen, to sit
there.

daß (*subor. conj.*), that, so that.

da=ſtanden, *see* da=ſtehen.

da=ſtehen, ſtand da, da=geſtanden, to
stand (there).

dauern, to last, continue; (*pr.
part.*) dauernd, permanent.

davon, thereof, of *or* about it *or*
that; (*sep. pref. or adv.*), away.

davon=fliegen, o, o (ſ.), to fly away.

davon=gehen, ging davon, iſt davon=
gegangen, to go away.

davon=laufen, (äu), ie, au (ſ.), to run
away.

davon=ſchwirren (ſ.), to whir away.

davon=ſprang, *see* davon=ſpringen.

davon=ſpringen, a, u (ſ.), to run *or*
leap away.

davon=zu=fliegen, *see* davon=fliegen.

dazu, to it, for that purpose, in

addition; noch —, moreover,
into the bargain.

dazu=kommen, kam dazu, iſt dazu=
gekommen, to come along (*to the
place mentioned*).

dazwiſchen, between them, inter-
spersed with these things.

debattieren, to debate.

die Decke, –n, cover, ceiling,
blanket.

decken, to cover, set (the table);
den Tiſch — laſſen, to have some
one set the table.

dehnbar, elastic.

(ſich) dehnen, to stretch, extend,
spread.

dehnte aus, *see* aus=dehnen.

dein, deine, dein (*pos. adj.*), your
(*intimate sing.*); deiner, deine,
deins (*pos. pron.*), yours (*intimate sing.*).

demnächſt, soon, shortly.

denen (*rel. or demons. pron.*), *see* der.

denken, dachte, gedacht (an), to think
(of); jemandem zu — geben, to
give some one food for thought.

das Denken, –s, thinking.

denn (*coör. conj.*), for, than; (*adv.*),
anyhow, after all, as you may
see (*often to be omitted in translation*).

dennoch, still, nevertheless.

der, die, das (*def. art.*), the; (*demons. pron.*), he, she, it; (*rel.
pron.*), who, which, that.

derartig, such; derartiges, such
things.

deren (*rel. or demons. pron.*), *see* der.

derſelbe, dieſelbe, dasſelbe, the same.

deshalb, therefore, on that account.

besselben, *see* berselbe.

bessen (*rel. pron.*), whose, of whom, which; während —, while.

beswegen, on that account, in spite of that.

beuten, to point (to).

beutsch, German.

(das) Deutschland, Germany.

bicht, near, close; dense.

der Dichter, –s, —, poet, writer.

bichterisch, poetic.

das Dichterwort, –s, –e, poetry.

die Dichtung, –en, literary work.

bick, thick, large, big, portly; aber es kam — (*fam.*), but I got more than I bargained for.

die Diele, –n, barn-floor, thrashing-floor.

bienen (bei), to serve, work (for).

der Diener, –s, —, servant.

die Dienerschaft, –en, (*collective*), servants, domestics.

der Dienst, –es, –e, service.

bienstfroh, glad to be of service.

bies, this.

bieser, biese, bieses, this, this one, the latter.

biesmal, this time.

bieweil (*subor. conj.*), while.

bieweilen, meanwhile.

das Ding, –es, –e, thing, object.

boch, nevertheless, at any rate, surely; yes indeed.

der Dok'tor, –s, die Dokto'ren, doctor, physician.

das Dokument', –s, –e, document.

die Domkuppel, –n, cathedral dome.

die Donau, the Danube river.

bonnern, to thunder, roar.

boppelt, double.

das Dorf, –es, ⁻er, village.

die Dorfuhr, –en, village clock.

bort, there; — drüben, over there; — oben, up there.

borthin (*sep. pref. or adv.*), thither, away; dahin und —, hither and thither.

borthin=locken, to entice thither *or* away; dahin und —, to entice hither and thither.

brahtlos, wireless.

brall, active, alert.

der Drama'tiker, –s, —, dramatist.

bran = baran.

brang, *see* bringen.

brängen, to press, push; sich —, to press, push oneself, rush onward.

brängte sich voran, *see* sich voran= brängen.

brauf = barauf, thereupon, then; — los, eagerly; — los=schießen, to dart toward something eagerly.

braußen, out, outside, out of doors.

brehen, to turn; sich —, to turn oneself.

breht sich herum, *see* sich herum= brehen.

brei, three.

breifach, threefold.

breihundertfünfundzwanzigst–, three hundred twenty-fifth.

breimal, three times.

brein = barein (*sep. pref.*), in, into, around.

(sich) brein=mengen, to mingle, mix in.

brein=schauen, to look around (at random).

brein=starren, to stare aimlessly.

breiundsechzig, sixty-three.

drin = darin, within, in it *or* them; da —, in there.

dringen, a, u, (aus) (f.), to burst (from), penetrate.

drinnen, inside, indoors.

dritt-, third.

drittesmal, third time.

droben, above, up there.

drohen (*dat.*), to threaten; (*pr. part.*) drohend, threatening.

dröhnen, to rumble, reverberate, thump.

die Drohung, –en, threat.

drollig, quaint, droll.

die Drossel, –n, thrush.

drüben, there, over there; dort —, over there.

drüber = darüber, above *or* about it.

drüberhin = darüberhin (*sep. pref.*), away, over.

der Druck, –es, –e, pressure, print.

drücken, to press, push.

drückte, *see* drücken, wieder=drücken, zu=drücken.

drum = darum, therefore.

ducken, to duck, stoop.

der Duft, –es, ⸗e, fragrance, odor.

duften, to be fragrant, send forth an odor; (*pr. part.*) duftend, fragrant.

dulden, to endure, tolerate.

dumm, stupid.

dumpf, gloomy, close.

der Dung, –es, dung, manure; — führen, to haul manure.

dunkel (dunkl-), dark, gloomy; etwas Dunkles, something dark.

dünken (*usually impersonal*), to seem, think, believe; es dünkt mich (*rarely* mir), I think, fancy, it seems to me.

dünn, thin.

durch (*acc.*), through, by means of.

durchbohren, to transfix; thrust *or* punch through, penetrate; immer durchbohrender, more and more penetratingly.

durcheinander, mixed up, in confusion, pell-mell.

durcheinander=wippen, to rock to and fro in confusion.

durchfliegen, o, o, to fly through.

durchflog, *see* durchfliegen.

durch=lesen, (ie), a, e, to read through.

durch=machen, to endure, get through.

das Durchsichtige, state of being transparent, clear *or* bright.

durch=suchen, to search thoroughly, hunt through.

durchtränken, to soak, imbue, infuse; von Hohn durchtränkt, permeated with scorn.

dürfen, (darf), durfte, gedurft, to be permitted; (*past subj.*) dürfte, should *or* would be permitted.

dürr, dry, withered.

düster, dark, sinister.

düsterdunkel, pitch-dark

E

eben, even, just, after all, as you know.

die Ebene, –n, plain, surface.

ebenso, just as; —...wie, as... as, just as...as.

echt, genuine, pure, real; das Echte, that which is genuine.

die Ecke, –n, corner.

edel, noble.

das **Edelgut,** –s, nobility, goodness.

der **Edelstein,** –s, –e, jewel, gem.

eenen (*dial.*) = einen.

ehe (*subor. conj.*), before.

ehedem, formerly.

ehelichen, to marry.

eher, sooner; — als, sooner *or*
rather than.

ehrbar, honorable.

die **Ehrbarkeit,** decency, respectability.

die **Ehre,** –n, honor; in Ehren halten,
to honor, esteem.

das **Ehrenwort,** –s, –e, word of
honor.

die **Ehrfurcht,** veneration, regard.

ehrfürchtig, respectful.

ehrfurchtsgebietend, commanding
respect.

ehrfurchtsvoll, respectful.

ehrlich, honest.

die **Ehrlichkeit,** honesty.

das **Ei,** –es, –er, egg.

der **Eid,** –es, –e, oath; einen —
leisten, to vow, take an oath.

der **Eifer,** –s, zeal.

eifern, to be zealous, vie.

die **Eifersucht,** jealousy.

eigen, own, peculiar; (*adv.*),
strangely.

die **Eigenart,** –en, peculiarity,
characteristic.

die **Eigenschaft,** –en, property;
characteristic, quality.

eigensinnig, stubborn, capricious.

eigentlich, particular, peculiar, real;
(*adv.*), really, strictly speaking,
anyhow.

die **Eigentümerin,** –nen, owner
(*fem.*).

eigentümlich, peculiar, characteristic.

eilen (f.), to hasten, hurry; sich
—, to hasten, hurry.

eilfertig, hasty.

eilte, *see* eilen, hin=eilen, zu=eilen.

ein, eine, ein (*indef. art.*), a, an;
einer, eine, eins (*pron.*), one.

einander, one another, each other.

sich **ein=bilden,** to imagine.

ein=binden, a, u, to bind up.

eindringlich, urgent, fervent, im-
pressive.

der **Eindruck,** –s, –e, impression,
effect.

einerlei, of one kind.

einesteils, on the one hand.

einfach, simple, plain; (*adv.*), just.

die **Einfachheit,** simplicity.

ein=fallen (ä), fiel ein, ist einge=
fallen, to chime in, interrupt;
einem —, to occur to one.

der **Einfluß,** –es, –e, influence.

der **Eingang,** –s, –e, entrance.

ein=gefangen (*past part. of* ein=
fangen, to catch), portrayed.

ein=geladen, *see* ein=laden.

ein=geliefert, *see* ein=liefern.

ein=gerichtet (*past part. of* ein=
richten), devised, arranged.

ein=gestand, *see* ein=gestehen.

ein=gestehen, gestand ein, ein=ge=
standen, to confess.

ein=gesunken (*past part. of* ein=
sinken), sunken.

ein=gewickelt, *see* ein=wickeln.

ein=gezogen, *see* ein=ziehen.

einher=brausen, to blow *or* roar
violently, rage.

ein=holen, to make up.

einig, united, of one mind; —

werden, to agree; auf einige Zeit, for some time; vor einiger Zeit, some time ago; (*pl.*) einige, some, several.

einigemal, several times.

das Einjährigenexamen, –s, –examina, examination for one-year volunteers.

ein-laden, (lädt *or* ladet ein), lud ein, ein-geladen, to invite.

die Einladung, –en, invitation.

die Einlaßzeit, –en, visiting hour, time set for admitting the public.

ein-liefern, to hand in.

einmal, once, once upon a time, just; auf —, suddenly, all at once; noch —, again, once more; — um das andere, alternatingly; nicht —, not even; nun —, of course; wieder —, again.

ein-nehmen, (nimmt ein), nahm ein, eingenommen, to take in, cover.

ein-nimmt, see ein-nehmen.

(sich) ein-richten, to arrange, establish, devise.

die Einrichtung, –en, arrangement, institution.

eins, one; one thing.

einsam, lonely, lonesome.

die Einsamkeit, seclusion, solitude.

ein-schlafen, (ä), ie, a (f.), to go to sleep.

ein-sehen, (ie), a, e, to see into, realize.

ein-setzen, to put in, appoint.

einsichtsvoll, intelligent, sensible.

die Einsiedlerin, –nen, hermitess.

ein-sinken, a, u (f.), to sink down.

ein-sperren, to lock up.

der Einspruch, –s, –̈e, objection,

protest; — erheben, to object, protest, raise *or* make an objection.

einst, once, once upon a time; some time.

sich ein-stellen, to arrive, make one's appearance.

ein-stoßen, (ö), ie, o, to break open; sich schier den Kopf —, to bump *or* bruise one's head.

ein-tränken, to drench; jemandem etwas —, to make some one pay *or* atone for something.

ein-treten, (tritt ein), a, e(f.), to enter, ensue.

ein-wickeln, to wrap up.

ein-wirken, to influence.

ein-ziehen, zog ein, ein-gezogen (f. *when intran.*), to draw in, enter.

einzig, single, only; der einzige, the only one.

ein-zu-sehen, see ein-sehen.

ein-zu-tränken, see ein-tränken.

ein-zu-wirken, see ein-wirken.

das Eis, –es, ice cream.

das Eisen, –s, iron.

die Eisenklammer, –n, cramp-iron, iron clasp.

eisern, iron, made of iron.

eitel, empty, idle; — Selbstsucht, sheer selfishness.

ekelhaft, disgusting, ugly.

elementar', elementary; am elementarsten, in the most elementary state.

die Elementarschule, –n, elementary school.

elend, miserable, wretched.

das Elend, –s, misery.

der Elf, –en, –en, elf, fairy (*male*).

elft–, eleventh.

der Ellenbogen, –8, —, elbow.

die Eltern (*pl.*), parents.

empfand, *see* empfinden.

empfangen, (ä), i, a, to take, receive.

empfehlen, (ie), a, o, to recommend.

empfinden, a, u, to feel, realize.

die Empfindung, –en, feeling.

empfing, *see* empfangen.

empfunden, *see* empfinden.

empor (*sep. pref.*), upward.

fich empor=arbeiten, to work one's way up.

empor=begleiten, to accompany upward.

fich empor=gehoben, *see* fich empor= heben.

(fich) empor=heben, o, o, to lift *or* raise (oneself).

empor=hob, *see* empor=heben.

empor=kriechen, o, o (f.), to creep up *or* upward.

empor=recken, to stretch upward.

empor=schnellen (f.), to leap *or* bound up, come to view.

fich empor=schwingen, a, u, to fly upward.

empor=sehen, (ie), a, e, to look up *or* upward.

empor=springen, a, u (f.), to spring *or* jump upward.

empor=steigen, ie, ie (f.), to ascend, rise.

fich empor=zu=arbeiten, *see* fich em= por=arbeiten.

emsig, eager, busy.

das Ende, –8, –n, end, death; kein — finden können, to be unable to cease; zu — fein (mit), to be through *or* all over (with).

enden, to end, finish; complete; nach geendeter Messe, when mass had been said.

endlich, finally, at last.

die Enge, –n, narrowness.

der Engel, –8, —, angel.

die Engelszunge, –n, tongue of an angel.

der Enkel, –8, —, grandson, grandchild.

entbehren, to do without, dispense with.

entdecken, to discover, find.

das Entenei, –8, –er, duck's egg.

entfalten, to unfold, open.

entfernen, to remove; fich —, to go away.

entgegen (*prep. preceded by dat.*), toward; (*sep. pref.*), against, toward.

entgegen=drang, *see* entgegen=dringen.

entgegen=dringen, a, u (f.), (*dat.*), to gush, blow toward one.

entgegen=fliegen, o, o (f.), (*dat.*), to fly toward, fly to meet.

entgegen=flog, *see* entgegen=fliegen.

entgegen=gehen, ging entgegen, ist entgegen=gegangen, (*dat.*), to go *or* come to meet.

entgegen=schallen, to sound in reply, respond audibly.

entgegen=schreien, ie, ie, to scream toward.

entgegen=tragen, (ä), u, a, to carry toward.

entgegen=trat, *see* entgegen=treten.

entgegen=treten, (tritt entgegen), a, e (f.), (*dat.*), to approach, come toward, face.

entgegen=zu=treten, *see* entgegen=tre= ten.

entgegnen, to reply.

entkommen, entkam, ift entkommen (*dat.*), to escape, get away.

entlang (*prep. preceded by dat.*), along.

entlaffen, (ä), ie, a, to dismiss.

entließ, *see* entlaffen.

entnerven, to unnerve, debilitate.

das Entrinnen, –s, escape, running away.

die Entrüstung, –en, indignation.

entfann fich, *see* fich entfinnen.

entfcheiden, ie, ie, to decide, decree.

die Entfcheidung, –en, judgment, decision.

entfchied, *see* entfcheiden.

entfchieden (*past part. of* entfcheiden), decided, positive.

(fich) entfchließen, o, o, to determine, decide.

entfchloß fich, *see* fich entfchließen.

entfchloffen, *see* entfchließen.

entfchlummern (f.), to fall asleep, die.

der Entfchluß, –es, ⸚e, decision; einen — faffen, to decide, resolve.

entfchuldigen, to pardon, excuse.

entfchwand, *see* entfchwinden.

entfchwinden, a, u (f.), to disappear.

entfeelt, deceased, dead.

das Entfetzen, –s, horror.

entfetzlich, horrible, terrific.

entfetzt, horrified.

fich entfinnen, a, o, to recollect.

entstand, *see* entstehen.

entstehen, entstand, ift entstanden, to arise, ensue.

entweder . . . oder, either . . . or.

die Entwicklung, –en, development, action.

entzücken, to charm, enrapture.

entzwei=brechen, (i), a, o, to break in two.

der Epiker, –s, —, epic *or* narrative writer.

fich erbauen (an), to be edified (by).

die Erbauung, inspiration.

erbitten, erbat, erbeten, to beg, obtain by asking *or* entreating.

erblicken, to see, notice, observe.

das Erbfenbeet, –s, –e, pea bed *or* patch.

die Erde, –n, earth.

die Erdkugel, earth's surface, earth.

das Erdreich, –s, soil.

die Erdfcholle, –n, soil.

der Erdteil, –s, –e, part of the world.

fich ereignen, to happen.

das Ereignis, –fes, –fe, event, message.

erfahren, (ä), u, a, to find out, learn, experience.

erfaffen, to grasp, seize.

die Erfindung, –en, invention, discovery.

der Erfolg, –s, –e, success, result.

erforfchen, to discover, investigate, search into.

fich erfreuen (*gen.*), to rejoice, look forward to.

erfrieren, o, o (f.), to freeze to death.

das Erfrieren, –s, freezing (to death).

erfuhr, *see* erfahren.

erfüllen, to fill, fulfil.

das Ergebnis, –fes, –fe, result.

ergehen, erging, ift ergangen, to go, happen; fich —, to indulge (in); über fich — laffen, to bear patiently.

erging sich, *see* sich ergehen.

sich ergötzen (an), to enjoy oneself.

ergreifen, ergriff, ergriffen, to seize, move; die Flucht —, to flee.

ergriffen, *see* ergreifen.

die Ergriffenheit, emotion, elation.

erhalten, (erhält), ie, a, to maintain, receive, preserve.

die Erhaltung, preservation.

erhaschen, to snatch up, succeed in getting.

erheben, o, o, to lift, raise, inspire; Einspruch —, to protest, make an objection; sich —, to arise.

sich erhellen, to brighten, become light *or* bright.

erhitzen, to heat, become hot.

erhitzt (*past part. of* erhitzen), heated, hot.

erhob (sich), *see* (sich) erheben.

erhoben, *see* erheben.

sich erholen, to refresh oneself.

sich erinnern (*gen. or* an + *acc.*), to remember.

sich erkälten, to take cold; sich den Magen —, to chill one's stomach.

erkannt(e), *see* erkennen.

erkennen, erkannte, erkannt, to recognize.

erkenntlich, appreciative.

die Erkenntnis, –se, understanding, decision, recognition.

erklang, *see* erklingen.

erklären, to declare, explain; sich —, to be explained, be due to.

erklingen, a, u (s.), to ring out, resound.

sich erkundigen (nach), to inquire (about *or* after).

erlauben, to permit.

die Erlaubnis, –se, permission.

erleben, to experience, live through, have; Wunder —, to be astonished.

das Erlebnis, –ses, –se, experience.

erledigen, to attend to, do.

erleiden, erlitt, erlitten, to endure, suffer.

erlernt (*past part. of* erlernen, to learn), acquired.

erleuchten, to illumine.

die Erleuchtung, –en, illumination, inspiration.

erloschen, *see* erlöschen.

erlöschen, (i), o, o (s.), to be extinguished, die away; (*pr. part.*) erlöschend, dying, fading (*of light*).

erlösen, to free, release.

die Erlösung, –en, relief.

ermahnen, to warn, admonish.

die Ermahnung, –en, exhortation, admonition.

der Ernährer, –s, —, bread-winner, support.

ernst, earnest, stern, serious.

der Ernst, –es, seriousness, serious import.

ernstlich, serious.

das Erntebier, –s, autumn festivity, harvest-home beer.

das Erntejahr, –s, –e, harvest year, harvest.

eröffnen, to open, begin.

der Eros, —, die Eroten, Eros, Cupid, god of love.

erregen, to arouse, excite.

erreichen, to attain, arrive.

errichten, to erect, establish.

erringen, a, u, to achieve *or* obtain (*by strenuous effort*).

errungen, *see* erringen.

erschallen, erschallte *or* erscholl, ist erschallt *or* erschollen, to sound, ring out.

erscheinen, ie, ie (f.), to seem, appear.

die Erscheinung, –en, event, appearance, phenomenon.

erschien, *see* erscheinen.

erschlagen, (ä), u, a, to strike down, slay.

erscholl, *see* erschallen.

erschöpfen, to exhaust; (*pr. part.*) erschöpfend, exhaustive, complete.

die Erschöpfung, exhaustion.

erschrak, *see* erschrecken.

erschrecken, (i), erschrak, erschrocken, to frighten, be frightened.

erschüttern, to move, agitate, stagger.

ersehnen, to long for.

ersetzen, to replace, make up for.

erspähen, to espy, see.

das Ersparte, savings; als Erspartes, as a savings fund.

erst, first, not … until, only, just recently; fürs erste, at once, in the first place; zum erstenmal, for the first time; nun —, above all.

der, die, das erstere, the former.

erstaunen, to be surprised, astonished *or* amazed.

das Erstaunen, –s astonishment.

erstaunlich, astonishing.

erstaunt, *see* erstaunen.

erstemal, first time; zum erstenmal, for the first time.

erstens, first, firstly.

ersticken (f. *when intrans.*), to choke, stifle.

erteilen, to give, grant.

ertragen, (ä), u, a, to bear, endure.

ertrinken, a, u (f.), to drown.

ertrunken, *see* ertrinken.

der Ertrunkene, drowned person.

erwachen (f.), to awaken.

erwachsen, (ä), u, a (f.), (aus), to grow (out of), ensue.

der Erwachsene, grown person, adult.

erwarten, to await, expect.

die Erwartung, –en, expectation, anticipation.

erwartungsvoll, expectant.

erwecken, to awaken.

erwidern, to reply.

erwischen, to get hold of, catch.

erwuchs, *see* erwachsen.

erzählen, to tell, narrate; (*pr. part.*) erzählend, narrative (*prose*).

die Erzählung, –en, narration, story.

erziehen, erzog, erzogen, to educate, bring up.

erzogen, *see* erziehen.

erzürnen, to become angry.

der Esel, –s, —, donkey, ass; dunce.

essen, (i), a, gegessen, to eat; sich satt —, to eat one's fill; (zu) Mittag —, to eat the noonday meal; bei sich —, to eat at home.

das Essen, –s, food, eating, meal.

die Essenszeit, –en, mealtime.

der Eßtisch, –es, –e, dining-table.

etlich, several, some.

etwa, perchance, about, approximately.

etwas, something, somewhat; — weiter, a little farther; so —, something of that sort; — Sonderbares, Schönes, some-

thing strange, beautiful; ein
längliches Etwas, something rather long; noch —, something
more, some more.

euer, eure, euer (*pos. adj.*), your
(*intimate pl.*); — Gnaden
(*deferential address*), your Grace;
eurer, eure, eures (*pos. pron.*),
yours (*intimate pl.*).

die Eule, –n, owl.

(das) Europa, Europe.

das Evangelium, die Evangelien,
Gospel.

ewig, eternal.

die Ewigkeit, eternity.

F

das Fach, –es, ⸚er, study, branch.

die Fackel, –n, torch.

der Faden, –s, ⸚ *or* —, thread.

fähig (*gen.*), capable (of).

der Fähnrich, –s, –e, ensign.

fahren, (ä), u, a (f.), to drive, ride
in a vehicle; sail; blow, fly;
wipe; fahrender Geselle, roving
journeyman.

der Fahrpreis, –es, –e, fare.

der Falk, –en, –en *or* der Falke, –n,
–n, falcon, hawk.

das Falkenpaar, –s, –e, pair of
falcons *or* hawks.

der Fall, –es, ⸚e, fall, case; im —,
falling; für alle Fälle, by way of
precaution, to be on the safe side.

fallen, (ä), ie, a (f.), to fall; einem
ins Auge —, to strike *or* catch
one's eye; einem schwer —, to be
difficult for some one.

fällt, *see* fallen, ein=fallen, wieder=
fallen.

falsch, wrong, false, malicious;
ein falscher Sproß, a superfluous
offshoot.

der, die, das Falsche, the false *or*
malicious (person *or* thing).

die Falte, –n, fold.

falten, to fold.

die Familie, –n, family.

das Familienjournal', –s, –e, family
magazine.

fand, *see* finden, sich finden, wieder=
finden.

fangen, (ä), i, a, to catch.

die Farbe, –n, color.

färben, to color.

farbig, colored.

fassen, to grasp, take hold of; sich
—, to compose oneself; sich
wieder —, to regain one's composure; einen Entschluß —, to
decide, resolve.

fast, almost.

fatal', annoying, awkward.

faulen, to decay, rot.

die Faust, ⸚e, fist, hand.

die Feder, –n, feather.

das Federlesen, –s, ceremony; nicht
viel Federlesens machen, not to
stand on ceremony, not to go to
any trouble.

fehlen, to be lacking, wrong; es
fehlt mir etwas *or* mir fehlt etwas,
I need *or* lack something, something is wrong with me.

feierlich, solemn.

der Feiertagslohn, –s, final reward.

feig, cowardly.

der Feigling, –s, –e, coward.

feil, for sale.

fein, fine, delicate, excellent; je=
manden — an=ziehen, to dress

some one in his best clothes; das Feinste vom Feinen, the rarest delicacy.

der Feind, –es, –e, enemy.

feindlich, hostile.

das Feld, –es, –er, field.

das Fell, –es, –e, fur.

der Felsen, –s, —, cliff.

das Fenster, –s, —, window.

die Fensteröffnung, –en, open window.

die Ferien (pl.), holidays, vacation.

fern, far, distant; (comp.) ferner, further, moreover.

die Ferne, –n, distance.

fernerhin, hereafter.

fern=halten, (ä), ie, a, to keep away or at a distance.

fertig, finished, through; — werden, to finish, get through.

fertig=bringen, brachte fertig, fertig=gebracht, to succeed, do, accomplish.

fesseln, to hold, interest; fasten, fetter.

fest, firm, strong, tight.

das Fest, –es, –e, treat; festival.

fest=halten, (hält fest), ie, a, to fascinate, interest; sich —, to take firm hold.

fest=machen, to fasten.

fest=zu=machen, see fest=machen.

fett, fat, stout; juicy.

das Feuer, –s, —, fire.

das Fieber, –s, —, fever.

die Fiedel, –n, fiddle, violin.

fiedern, to feather.

fiel, see fallen, auf=fallen, ein=fallen; — ihm ins Auge, he noticed.

finden, a, u, to find; Widerstand —, to meet with resistance; nichts

daran —, to find nothing remarkable about it; kein Ende — können, to be unable to cease; zu — sein, to be found; sich —, to be found; sich in etwas —, to become reconciled to something.

der Finder, –s, —, finder.

der Finderlohn, –s, ⸗e, (finder's) reward.

fing, see fangen, an=fangen, heraus=fangen.

der Finger, –s, —, finger.

die Finkin, –nen, female finch.

finster, dark, gloomy.

der Firlefanz, –es, –e, finery.

der Fisch, –es, –e, fish.

die Flamme, –n, flame.

flattern, to flutter.

flatterte hinaus, see hinaus=flattern.

der Flaum, –es, down (feathers).

die Flechte, –n, braid of hair.

der Fleck, –es, –e, spot, place.

die Fledermaus, ⸗e, bat.

flehen, to plead, beseech.

das Flehen, –s, pleading.

flehte an, see an=flehen.

fleischfarbig, pink, flesh-colored.

der Fleiß, –es, industry.

fleißig, diligent, industrious.

die Fliege, –n, fly.

fliege zurück, see zurück=fliegen.

fliegen, o, o (f.), to fly; Bogen —, to fly in a curve; seine Glieder —, his limbs tremble or twitch.

das Fliegen, –s, flying, flight.

fliehen, o, o (f. when intrans.), to flee, desert.

fließen, o, o (f.), to flow, run.

flimmern, to glisten, shimmer.

flog, see fliegen, aus=fliegen, dahin=

fliegen, davon=fliegen, herein=flie=
gen, hinauf=fliegen, hinaus=fliegen,
hindurch=fliegen, zu=fliegen.

floh, *see* fliehen.

floß, *see* fließen.

der Flößer, –s, —, raftsman, raft-
driver.

die Flöte, –n, flute.

flöten, to play the flute; es flötet,
there is a sound of flute playing.

der Fluch, –es, ⸗e, oath, curse.

fluchen, to curse.

die Flucht, flight; die — ergreifen,
to flee.

flüchtig, fleeting, momentary;
(*adv.*), for a moment.

der Flug, –es, ⸗e, flight; den —
hinauf nehmen, to fly upward.

der Flügel, –s, —, wing.

die Flügeldecke, –n, wing-cover,
wing-sheath.

der Fluß, –es, ⸗e, stream, river.

flüstern, to whisper.

flüsterte zu, *see* zu=flüstern.

die Flut, –en, flood, high-water;
(*pl.*), waves.

das Fohlen, –s, —, colt, foal.

das Fohlenleben, –s, —, colt life.

das Fohlenglück, –s, happiness
while a colt.

die Fohlenweide, –n, colt meadow,
pasture.

folgen (*dat.*) (f.), to follow, obey.

folglich, consequently.

folgsam, obedient.

folgte aus, *see* aus=folgen.

foltern, to torture.

förderlich (*with dat.*), helpful, ad-
vantageous.

fordern, to demand.

formen, to form, create.

förmlich, formal; (*adv.*), really,
indeed.

forschen, to search, investigate.

fort, away, on; in einem —, continuously, on and on.

fortan, henceforth, from now on.

fort=fahren, (ä), u, a (f.), to drive
away; continue.

fort=gegangen, *see* fort=gehen.

fort=gehen, ging fort, ist fort=ge=
gangen, to go away, go on,
continue.

fort=getragen, *see* fort=tragen.

fort=gezogen, *see* fort=ziehen.

fort=müssen = fort=gehen müssen, to
be compelled to leave, have to
go away.

fort=mußte, *see* fort=müssen.

fort=schleppen, to drag away.

der Fortschritt, –s, –e, advance-
ment, progress.

fort=setzen, to continue; seinen
Weg —, to go on one's way.

fort=tragen, (ä), u, a, to carry
away.

fort=ziehen, zog fort, ist fort=ge=
zogen (f.), to go *or* to fly away,
migrate.

fort=zu=setzen, *see* fort=setzen.

die Frage, –n, question; eine —
stellen, to ask a question.

fragen (nach), to ask (for *or* about).

fraß, *see* fressen.

die Frau, –en, woman, Mrs.

das Frauenzimmer, –s, —, woman,
girl.

das Fräulein, –s, —, young woman,
Miss.

frech, insolent, saucy.

die Frechheit, –en, audacity.

frei, free, open; im Freien, in the

open air; ins Freie treten, come into the open, come out of a building; freien Lauf lassen, to give free rein.

die Freiheit, –en, liberty, freedom, natural state, open air.

freilich, of course, to be sure.

frei=stehen, stand frei, frei=gestanden, to be open or permitted; es steht uns frei, we have our choice.

freiwillig, voluntary.

fremd, strange, foreign.

fremdartig, strange, odd; etwas Fremdartiges, something strange.

der, die, das Fremde, the stranger, the strange (person or thing).

die Fremde, strange place, foreign land.

fressen, (i), a, e, to eat (of animals).

die Freude, –n (an), joy, pleasure (in); vor —, with joy; jemandem — machen or bereiten, to please, make someone happy; mit Freuden, joyfully.

die Freudenträne, –n, tear of joy.

freudig, joyous, happy.

freuen, to make glad, please; wie es ihn freute, how glad or pleased he was; sich — (an, über, or with gen.), to be glad (of), rejoice (in); sich auf etwas —, to look forward to something with pleasure.

der Freund, –es, –e, friend.

die Freundin, –nen, friend (fem.).

freundlich, friendly.

die Freundschaft, –en, friendship.

der Friede, –ns, or der Frieden, –s, peace, quiet.

der Friedhof, –s, ⸗e, graveyard, church yard.

der Friedhofsberg, –s, –e, cemetery hill.

friedlich, peaceful.

friedsam, peaceable.

friedvoll, peaceful.

frisch, fresh.

die Frische, freshness, cool morning air.

frißt, see fressen.

froh, happy, glad.

fröhlich, happy, merry.

die Fröhlichkeit, happiness, joyousness.

fromm, pious, devout.

der Frosch, –es, ⸗e, frog.

die Frucht, ⸗e, fruit.

früh, early, in the morning; morgen —, tomorrow morning; (comp.) früher, earlier, formerly.

die Frühe, early morning; in der —, early in the morning.

das Frühjahr, –s, –e, spring.

der Frühling, –s, –e, spring.

der Frühlingsnachmittag, –s, –e, spring afternoon.

der Frühlingstag, –es, –e, spring day.

frühreif, precocious.

das Frühstück, –s, –e, breakfast.

frühstücken, to take breakfast.

der Fuchs, –es, ⸗e, fox.

sich fügen (gen.), to comply.

fühlen, to feel (a sensation); sich —, to feel (well or ill).

der Fühler, –s, —, feeler, antenna.

fuhr, see fahren, fort=fahren.

führen, to take, lead, conduct; haul; das Wort —, to talk, discourse; Dung —, to haul manure.

die Fülle, quantity, abundance.

füllen, to fill; fich —, to be filled.

fünf, five.

fünfftöckig, five story (building).

fünft-, fifth.

fünfundzwanzig, twenty-five.

fünfzehn, fifteen.

der Funke, –n, –n, or der Funken, –s, —, spark.

funkeln, to gleam, sparkle.

für (acc.), for; fürs erste, at once, in the first place; an und — fich, in itself, for its own sake; was — (ein), what kind of (a), what (a); Tag — Tag, day after day; — immer, forever.

die Furcht, fear.

furchtbar, fearful, dreadful.

(fich) fürchten, to be afraid, fear.

fürchterlich, frightful, terrible.

furchtfam, timid.

fürder, henceforth.

der Fürst, –en, –en, prince.

der Fuß, –es, "e, foot; mit dem Fuße ftoßen, to kick.

füttern, to feed (animals).

der Futtertrog, –s, "e, feed-trough.

G

gab, see geben, acht=geben, an=geben, zurück=geben.

die Gabe, –n, gift.

die Gabel, –n, fork.

gab's = gab es.

ga=ga=gar = gar.

der Galopp', –s, gallop; — reiten, to ride at a gallop.

der Gang, –es, "e, walk, aisle, corridor; im —, in motion, in full swing.

die Gans, "e, goose.

der Gänsebraten, –s, —, roast goose.

das Gänserudel, –s, —, flock of geese.

ganz, quite, entire, whole, all; (adv.), very.

gar, very, quite; even, at all; — nicht, not at all; — niemand, no one at all.

die Garbe, –n, sheaf of grain.

die Gardine, –n, curtain.

garftig, nasty, ugly.

das Gärtchen, –s, —, small garden.

der Garten, –s, ", garden.

der Gartenbufch, –es, "e, garden-bush, shrub.

das Gartenmeffer, –s, —, garden knife.

die Gaffe, –n, narrow street, lane; street.

der Gaft, –es, "e, guest.

gaftfreundlich, hospitable.

die Gaftfreundfchaft, hospitality.

gaftlich, hospitable.

der Gaul, –es, "e, horse.

geängftet (past part. of ängften), frightened.

geängftigt (past part. of ängftigen), frightened.

gebannt (past part. of bannen), charmed.

gebären, (ie), a, o, to bear, give birth to.

geben, (i), a, e, to give; es gibt (gab), there is (was), there are (were); fich Mühe —, to take pains; fich zufrieden —, to be satisfied, keep still; in die Lehre —, to apprentice; jemandem zu denken —, to give someone food for thought.

das Gebet, –8, –e, prayer.

gebeten, *see* bitten.

gebeugt (*past part. of* beugen), with bowed head.

die Gebieterin, –nen, mistress.

gebieterisch, commanding, imperious.

das Gebilde, –8, —, form, creation.

das Gebiß, –e8, –e, fangs; set of teeth.

gebissen, *see* beißen.

geblieben, *see* bleiben.

geboren (*past part. of* gebären), born.

gebracht, *see* bringen.

das Gebrechen, –8, —, want, need.

gebunden, *see* binden.

das Gebüsch, –e8, –e, bush, cluster of bushes, thicket.

gedacht, *see* denken.

der Gedanke, –n8, –n, thought.

gedankenvoll, thoughtful.

gedeihlich, prosperous, successful.

die Gediegenheit, excellence, genuineness.

gedrückt (*past part. of* drücken), depressed, dejected.

der Gedrückte, oppressed (person).

die Geduld, patience.

geduldig, patient.

geendet, *see* enden.

die Gefahr, –en, danger.

gefährlich, dangerous.

der Gefährte, –n, –n, companion, associate.

gefallen, (ä), gefiel, gefallen (*dat.*), to please; e8 gefällt mir, I like it; sich etwas — lassen, to put up with something.

gefällt, *see* gefallen.

gefangen, *see* fangen.

der, die Gefangene, captive, prisoner.

die Gefangenschaft, captivity, imprisonment.

das Gefängnis, –se8, –se, prison.

die Gefängnistür, –en, prison door.

gefärbt, colored; schwach —, dull-colored.

die Gefaßtheit, composure.

das Gefieder, –8, —, plumage.

gefiedert, feathered, to have feathers; sich befiedern, to grow feathers.

gefiel, *see* gefallen.

geflogen, *see* fliegen.

geflohen, *see* fliehen.

der Gefreite, lance-corporal.

gefressen, *see* fressen.

das Gefühl, –8, –e, feeling, sensation.

gefunden, *see* finden.

gegangen, *see* gehen.

gegeben, *see* geben.

gegen (*acc.*), against; about, of, toward.

die Gegend, –en, district, vicinity, country.

der Gegensatz, –e8, ⸚e, contrast.

gegenseitig, mutual, reciprocal; sich — lieben = einander lieben, to love each other.

der Gegenstand, –8, ⸚e, object, subject.

gegenüber (*with dat.*), opposite, in the presence of.

die Gegenwart, present, presence.

gegessen, *see* essen.

gehalten, *see* halten.

geh hinunter, *see* hinunter=gehen.

das Geheimnis, –se8, –se, secret.

geheimnisvoll, mysterious, weird.

der **Geheimsekretär'**, –8, –e, privy *or* confidential secretary.

gehen, ging, ift gegangen, to go, walk; wie geht es Ihnen? how are you getting along? Nummer ficher —, to be sure of one's ground; auf Mitternacht —, to approach midnight; an die Arbeit —, to go to work; ver= loren —, to get lost; einem zu Herzen —, to affect one, make one sad; es geht nicht, it won't do; it can't be done; es geht ans Scheiden, the time for leave-taking is at hand.

gehen hin, *see* hin=gehen.

das **Gehirn**, –8, –e, brain.

gehn = gehen.

geholfen, *see* helfen.

gehören (*dat.*), to belong to.

gehörig (*preceded by dat.*), belonging to.

gehorsam, obedient.

gehorsamen, to obey, render obedience.

geht, *see* gehen, nach=gehen, voran= gehen, vorwärts=gehen.

der **Geist**, –es, –er, spirit, mind.

das **Geistesleben**, –8, culture, mental and spiritual existence.

geistlich, clerical, spiritual, ecclesiastical.

der **Geizhals**, –es, miser.

das **Gekläff**, –8, barking.

gekommen, *see* kommen.

gekränkt, *see* kränken.

das **Gekreisch**, –es, screeching.

gekrochen, *see* kriechen.

das **Gelächter**, –8, laughter; ein — auf=schlagen, to burst out laughing.

gelähmt, *see* lähmen.

gelang, *see* gelingen.

gelangen (zu) (f.), to arrive (at).

gelaunt, disposed, humored; gut —, good-humored.

gelb, yellow; —=getüncht, tinted yellow.

das **Geld**, –es, (–er), money, sum of money; ein schön Stück —, a nice sum of money; schnödes —, filthy lucre.

der **Geldsack**, –8, "e, money bag.

die **Gelegenheit**, –en, opportunity.

gelegentlich, accidental, incidental.

gelehrt (*past part. of* lehren), scholarly, learned.

der **Gelehrte**, scholar.

gelesen, *see* lesen.

geliebt (*past part. of* lieben), beloved, dear.

der, die **Geliebte**, fiancé, fiancée.

gelingen, a, u (f.), to succeed; es gelingt mir, I succeed.

gelitten, *see* leiden.

gellen, to shrill, sound piercingly.

geloben, to vow, promise.

gelockert, loosened.

gelt ? = nicht wahr ? is it not so ?

gelten, (i), a, o, to value, be worth; es gilt mir gleich, it is immaterial to me.

das **Gemach**, –8, "er, room, chamber.

gemein, common, menial; nichts Gemeines, nothing bad *or* evil.

die **Gemeinde**, –n, congregation *or* community.

Das **Gemeindekind**, The Child of the Parish.

das **Gemeindewesen**, –8, church *or* community affairs.

gemeinsam, common, mutual.

das Gemüsebeet, –s, –e, vegetable bed or patch.

der Gemüsegarten, –s, ⸚, vegetable garden.

das Gemüt, –s, –er, mind, soul.

gemütlich, comfortable, agreeable.

genau, exact.

genießen, o, o, to enjoy, have the benefit of, eat.

genommen, see nehmen.

genossen, see genießen.

genug, enough.

genügen, to suffice, be enough.

der Geographie'lehrer, –s, —, geography teacher.

die Geographie'stunde, –n, geography lesson, recitation.

der Geographie'unterricht, –s, geography instruction.

gerade, even, just, just then, at the time; exactly.

gerät, see geraten.

geraten, (gerät), ie, a (s.), to get, come (by chance); in Verlust —, to be or get lost.

geraum, long.

gerecht, just.

der Gerechte, just (person).

gereift (past part. of reifen), mature.

gereuen, to cause regret to, make one sorry.

das Gericht, –s, –e, court, judgment; vor — stellen, to bring to trial; strenges — über sich halten, to judge oneself severely, to take strict account of oneself.

gering, trifling, slight, insignificant; so Geringes, such a trifling thing.

germanisch, Germanic.

gern(e) (adv.), gladly, willingly; (comp.) lieber; (sup.) am liebsten; gern haben, to like.

gerungen (past part. of ringen), clasped, clenched.

gesammelt (past part. of sammeln), collected, composed.

gesamt, whole, entire.

gesandt, see senden.

der Gesang, –s, ⸚e, song, singing, hymn.

geschaffen, see schaffen.

das Geschäft, –s, –e, business.

geschäftig, busy.

geschah, see geschehen.

geschähe (past subj. of geschehen), might happen.

das Geschaute, that which is seen or observed, vision.

geschehen, (ie), a, e (s.), to happen, take place.

gescheit, sensible, clever; sich — machen, to think oneself " smart."

die Geschichte, –n, story; (in sing. only), history.

das Geschick, –s, –e, fate.

die Geschicklichkeit, adroitness, dexterity.

geschickt, skillful, clever.

geschieht, see geschehen.

das Geschirr, –s, –e, harness.

geschlafen, see schlafen.

geschlagen (past part. of schlagen), struck; eine geschlagene Stunde, a full hour; eine geschlagene Frau, a beaten woman.

das Geschlecht, –s, –er, generation, race; gender.

geschlossen, see schließen.

der Geschmack, –s, taste.

die **Geschmacksache**, –n, matter of taste.

geschnitten, see schneiden.

das **Geschöpf**, –s, –e, creature, creation.

geschossen, see schießen.

das **Geschrei**, –s, –e, cry, clamor, noise.

geschrieben, see schreiben.

geschrien, see schreien.

das **Geschwätz**, –es, –e, idle talk prattle.

die **Geschwister** (*pl.*), brothers and sisters.

gesehen, see sehen.

der **Geselle**, –n, –n, journeyman, companion; (*colloquial*), fellow; fahrender —, roving journeyman.

die **Gesellschaft**, –en, company.

gesenkt (*past part. of* senken), lowered.

das **Gesetz**, –es, –e, law, decree.

das **Gesicht**, –s, –er, face; ein — ziehen, to make a wry face.

das **Gesichtchen**, –s, —, little face.

die **Gesinnung**, –en, intention, purpose.

das **Gespenst**, –s, –er, ghost.

das **Gespräch**, –s, –e, conversation.

gesprächig, talkative.

gesprochen, see sprechen.

die **Gestalt**, –en, form, figure, shape, specter.

die **Gestaltung**, –en, shaping, management.

gestand zu, see zu=gestehen.

gestehen, gestand, gestanden, to confess.

das **Gestell**, –s, –e, scaffolding, set of props.

gestern, yesterday; — abend, last night, yesterday evening.

das **Gestirn**, –s, –e, star, constellation; das — des Tages, daystar, sun.

gestochen, see stechen.

gestorben, see sterben.

das **Gesträuch**, –s, –e, bushes, shrubbery.

gesund, healthy, healthful; heil und —, safe and sound; der Gesündeste, the sanest.

die **Gesundheit**, health.

getan, see tun.

getragen, see tragen.

sich **getrauen**, to venture, dare.

getrennt, see trennen.

getreten, see treten.

getreulich, submissive, faithful.

getrieben, see treiben.

gewahren, to notice.

die **Gewalt**, –en, power.

gewaltig, mighty, powerful.

die **Gewandtheit**, skill, dexterity.

gewann, see gewinnen.

das **Gewebe**, –s, —, weaving, web, thread.

geweiht, hallowed; etwas Geweihtes, something hallowed.

gewendet, see wenden.

gewesen, see sein.

das **Gewesene**, past, what has been.

gewichtig, weighty, important.

gewillt, willing, minded.

der **Gewinn**, –s, –e, profit, return.

gewinnen, a, o, to win, obtain; es über sich —, to make up one's mind; gewonnenes Spiel haben, to have the best of it, have clear sailing.

gewiß, certain, sure.

das Gewissen, –s, conscience.

die Gewissenhaftigkeit, conscientiousness.

gewitzigt, learned or profited from experience.

sich gewöhnen (an), to become accustomed (to).

die Gewohnheit, –en, habit, custom.

gewöhnlich, usually.

gewohnt, see wohnen.

gewohnt, accustomed; etwas — sein, to be accustomed to something; wie — er auch war (an), however much he was accustomed (to).

gewölbt, see wölben.

gewonnen, see gewinnen.

geworden, see werden.

geworfen, see werfen.

gewunden (past part. of winden), twisted, turned.

gewünscht, see wünschen.

gewußt, see wissen.

das Gezappel, –s, struggling.

das Gezeter, –s, outcry.

das Gezweig, –s (collective), branches.

das Gezwitscher, –s, twittering.

gib(st), see geben, zurück=geben.

der Giebel, –s, —, gable.

gierig, greedy, covetous.

das Gift, –es, –e, poison.

giftig, poisonous; wicked.

gilt, see gelten.

der Gimpel, –s, —, bullfinch; blockhead.

ging, see gehen, davon=gehen, fort=gehen, her=gehen, hin=gehen, hinauf=gehen, los=gehen, unter=gehen, voran=gehen, weg=gehen, zu=gehen.

der Gischt, –es, –e, spray.

der Glanz, –es, brilliance, splendor, glow, radiance.

glänzen, to gleam, glisten.

das Glas, –es, ⸗er, glass.

der Glassarg, –s, ⸗e, glass-coffin.

glatt, smooth; eine glatte Lösung, a clear or plain solution.

die Glatze, –n, bald spot.

glaubbar, believable, credible.

glauben (an), to believe (in); jemandem —, to believe some one.

der Glaube, –ns, or der Glauben, –s, belief, creed, faith.

gläubig, believing, having faith.

gleich (with dat.), like, same, equal; (adv.), at once, immediately, as before, as ever; einem — sein or gelten, to be immaterial, all the same to one; ein Gleiches versuchen, to try to do the same thing.

gleichen, i, i, to resemble.

gleich=gelten, (i), a, o, to be equivalent; es gilt mir gleich, it is immaterial to me.

gleichgültig, immaterial, indifferent.

der Gleichmut, –s, serenity, equanimity.

gleichmütig, calm.

gleißen, to shine, glitter.

gleiten, i, i (s.), to glide, slip.

das Glied, –es, –er, limb; ihre Glieder flogen vor Zittern, their limbs trembled violently.

glitt, see gleiten.

glitzern, to glisten, sparkle.

die Glocke, –n, bell.

das Glück, –es, good fortune, luck; von — sagen können, to be fortunate; vor —, with happiness.

glücklich, happy, fortunate.

glückselig, happy, joyful, fortunate.

glühen, to glow, sparkle, be red hot.

das Glühen, –s, glow, gleaming.

die Gnade, grace, favor, mercy; Euer Gnaden (*respectful address*), Your Grace.

das Gnadenbrot, –s, free food and care.

gnädig, gracious; meine Gnädigste! my dear madam!

das Gold, –es, gold.

der Goldarbeiter, –s, —, goldsmith.

golden (goldn–), golden.

der Goldflitter, –s, —, gold spangle.

die Goldgrube, –n, gold mine.

goldgrün, golden green.

goldhaarig, golden-haired; goldhaariges Haupt, head with golden locks.

sich gönnen, to grant *or* allow oneself (something).

der Gott, –es, "er, God, god; —! Lord! mein —! my Lord! der liebe —, God (Jehovah); weiß —, God knows, indeed.

gottesfürchtig, God-fearing, reverent.

der Gottesnamen, –s, God's name; in —! pshaw! for heaven's sake!

göttlich, divine.

gottlob! thank God!

gottselig, godly, devout.

gottvoll, divine.

das Grab, –es, "er, grave.

der Graben, –s, ", trench, ditch.

das Gräberfeld, –s, –er, field of graves, graveyard.

der Grabhügel, –s, —, (grave) mound.

der Grabstein, –s, –e, gravestone, headstone.

sich grämen, to grieve, worry.

die Gramma'tik, grammar, book of grammar.

das Gras, –es, "er, grass, freshly mown hay.

die Grasmücke, –n, hedge sparrow.

gratulieren (*dat.*), to congratulate.

grau, gray.

graubärtig, gray-bearded.

grauen, to be (stand) in awe (of), shudder (at), dread; es graut mir vor dem Tode, I dread death.

das Grauen, –s, dread, horror.

grauenhaft, dreadful, appalling.

grausam, dreadful, terrible.

die Grausamkeit, –en, cruelty.

greifen, griff, gegriffen, to seize, grasp; in die Tasche *or* nach der Tasche —, to put one's hand in one's pocket hastily; zum Messer —, to seize a knife.

der Greis, –es, –e, old (gray-haired) man.

die Greisin, –nen, old woman.

die Grenze, –n, boundary, limit.

griff, *see* greifen.

die Grille, –n, cricket.

die Grimasse, –n, grimace, wry face; –n schneiden, to make faces.

der Grimm, –es, rage, fury.

grimmig, furious, enraged.

grob, rough, brutal.

gröblich, gross; grievous.

groß, great, large, tall; (*comp.*) größer, larger, older.

die Größe, –n, greatness, vastness.

das Großkaufmanngeschlecht, –s, –er, family of wholesale merchants.

die **Großmutter**, ⸚, grandmother.

die **Großstadt**, ⸚e, metropolis, large city.

der **Großvater**, –s, ⸚, grandfather.

das **Grüblein**, –s, —, nest, small cavity.

grün, green.

das **Grün(e)**, –s, green color.

gründen, to establish, found.

gründlich, thorough.

der **Grundsatz**, –es, ⸚e, principle, belief.

grünen, to grow green, be verdant.

grüngolden, greenish yellow.

der **Gruß**, –es, ⸚e, greeting; zum —, for or as a greeting.

grüßen, to greet.

der **Guckkasten**, –s, —, peep-case, box for showing pictures.

guckte herein, see herein-gucken.

der **Gulden**, –s, —, guilder, florin (*about 40 cents*).

der **Gummiball**, –s, ⸚e, rubber ball.

günstig, favorable.

der **Gürtel**, –s, —, belt.

gut, good; es — meinen, to mean well.

das **Gut**, –es, ⸚er, treasure, possession.

der, die, das **Gute**, the good (person or thing), good deed; was für Gutes, what good deeds; jemandem Gutes tun, to do good to some one.

die **Güte**, goodness, kindness.

gut-geartet, well-behaved, well-bred.

gütig, kind.

gut-heißen, ie, ei, to approve of, justify.

gütlich, friendly, amicable; sich — tun, to enjoy oneself.

gutmütig, pleasant.

gut-zu-heißen, see gut-heißen.

das **Gymnasium**, –s, Gymnasien, gymnasium, *the German school which prepares students for matriculation in a university. It has a nine year course of study including our Freshman and Sophomore college years.*

H

ha! ha! aha!

das **Haar**, –es (*collective*), hair; (*pl.* –e), hair or hairs.

hab' = habe, see haben; habe Dank, I thank you.

die **Habe**, property, possessions.

haben, (hat), hatte, gehabt, to have; bei sich —, to have with one or about one; lieb —, to like, love; es mit jemandem zu tun —, to have dealings with some one.

der **Habicht**, –s, –e, hawk.

die **Hacke**, –n, hoe.

der **Hacken**, –s, —, heel.

das **Hagelstück**, –s, –e, hailstone.

hager, thin, gaunt.

der **Hahn**, –es, ⸚e, rooster.

halb, half; auf halbem Wege, halfway, midway.

die **Halde**, –n, slope, hillside.

half, see helfen.

der **Hals**, –es, ⸚e, neck.

halt, of course, to be sure.

halt! (*see* halten), stop!

der **Halt**, –es, –e, hold, restraint; allen — verlieren, to lose all one's self-restraint.

hält, *see* halten, an=halten.

halten, (hält), ie, a (für), to hold, stop, keep, consider, regard (as); eine Mahlzeit —, to have a meal; Ausschau —, to look for; nicht viel von etwas —, not to think much of, to have little regard for something; Hochzeit —, to marry, be married; ein Tanzfest —, to have a dancing festival; den Mund —, to keep still; einen Vortrag —, to lecture; eine Rede —, to admonish, scold; make a speech; in Ehren —, to honor; eine Predigt —, to preach a sermon; Einkehr —, to call, come in as a guest; zugute —, to bear with, pardon; Nachschau —, to investigate, examine; es mit jemandem —, to side with *or* stick to some one; Rast —, to rest, take a rest; sich bereit —, to hold oneself in readiness, be prepared; Gericht —, to judge; Wort —, to keep one's word.

das Halten, –s, holding, restraint.

die Haltung, –en, attitude.

der Hammer, –s, ⸚, hammer, clapper (*of a bell*).

Hanauer (*proper adj.*), of Hanau.

das Hanauerland, –es, district of Hanau (*in the Black Forest*).

die Hand, ⸚e, hand; zur — nehmen, to pick up.

der Handel, –s, trade, commerce.

sich handeln (um), to be a question *or* a matter (of).

handgroß, large as one's hand.

die Handlung, –en, action.

das Handwerk, –s, –e, trade.

hangen *or* hängen, (ä), i, a (*intrans.*), to hang; hängen (*trans.*), to hang.

das Häppchen, –s, —, tiny bit, crumb, morsel.

der Happen, –s, —, morsel, mouthful.

die Harke, –n, rake.

der Harkenstiel, –s, –e, rake handle.

harmlos, harmless, innocent.

hart, hard, harsh; — machen, to harden.

der Hase, –n, –n, rabbit, hare.

der Hasenschädel, –s, —, rabbit's skull.

der Haß, –es, hatred.

hassen, to hate.

haßerfüllt, filled with hatred, hateful.

häßlich, ugly, nasty.

hast lieb, *see* lieb=haben.

die Hast, haste.

hastig, quick, hasty.

hatte gern, *see* gern haben.

hätte (*past subj. of* haben), had; should *or* would have; wer recht —, who might be in the right.

der Hauch, –es, –e, gust of air, breeze; breath.

der Haufen, –s, —, heap, pile.

häufig, often.

das Haupt, –es, ⸚er, head.

die Hauptstadt, ⸚e, capital city.

das Haus, –es, ⸚er, house; zu Hause, at home; nach Hause, home, homeward.

die Haushaltungsschule, –n, housekeeping *or* domestic-science school.

der Hausmeister, –s, —, porter, caretaker.

das Haustier, –s, –e, domestic animal.

das Hauswesen, –s, household affairs.

die Haut, ⁻e, skin, hide.

hebe auf, see auf=heben.

heben, o, o, to lift, raise; sich —, to rise, expand; sich — und senken, to heave, rise and fall.

die Hebung, –en, uplift, elevation.

das Heer, –es, –e, army, host.

das Heft, –es, –e, notebook.

heftig, vigorous, hard, violent; auf das heftigste, most violently.

das Heftpflaster, –s, —, adhesive plaster.

hegen, to enclose; cherish; — und pflegen, to nourish, foster.

die Heide, –n, heath.

heil, unhurt, safe; — und gesund, safe and sound.

das Heil, –es, welfare, safety.

der Heiland, –s, –e, Savior, liberator.

heilen, to heal, alleviate.

die Heiligkeit, holiness.

das Heilmittel, –s, —, cure, expedient for healing.

heim, home, homeward.

die Heimat, –en, home.

der Heimatdichter, –s, —, *writer of the type of literature known as* Heimatkunst.

das Heimatliche, the native element, pertaining to home.

heim=bringen, brachte heim, heim=gebracht, to bring home.

heim=fliegen, o, o (f.), to fly home.

heim=gehen, ging heim, ist heim=gegangen, to go home.

heim=gekehrt, see heim=kehren.

heim=kam, see heim=kommen.

heim=kehren (f.), to return home.

heim=kommen, kam heim, ist heim=gekommen, to come home.

heimlich, secret.

heim=nehmen, (nimmt heim), nahm heim, heim=genommen, to take home.

heim=schleppen, to drag *or* carry home (with difficulty).

heim=tragen, (ä), u, a, to carry *or* take home.

heimtückisch, malicious, treacherous.

heim=zu=tragen, see heim=tragen.

heiraten, to marry, wed.

das Heiraten, –s, marriage, marrying; zum — kommen, to be about to be married.

heiser, hoarse.

heiß, hot, fervent.

heißen, ie, ei, to call, be called, be said, command; das heißt, that is, i.e.; it is said.

heiter, happy, serene.

die Heiterkeit, levity, merriment.

der Held, –en, –en, hero.

helfen, (i), a, o (*dat.*), to help; nichts —, to do no good.

helfen = geholfen *when preceded by dependent infinitive.*

hell, bright, clear, daylight.

hellblau, light blue.

hellblond, light blond.

hellwach, wide-awake.

hemmen, to hinder, detain.

her (*sep. pref. or adverb indicating motion toward the speaker*), here, along, from; hin und —, back and forth, to and fro.

herab (*sep. pref.*), down (*toward the speaker*).

herab=gehen, ging herab, ift herab=
gegangen, to go, come down.

herab=geschienen, see herab=scheinen.

herab=hängen, i, a, to hang down.

herab=hing, see herab=hängen.

herab=schauen, to look down.

herab=scheinen, ie, ie, to shine down.

heran (sep. pref. or adv.), up, forward.

heran=schleichen, i, i (f.), to creep
up stealthily.

heran=treten, (tritt heran), a, e (f.),
to approach, come forward.

heran=turnen (f.), to clamber upward.

herauf=kommen, kam herauf, ift
herauf=gekommen, to come up.

herauf=steigen, ie, ie (f.), to ascend,
increase.

herauf=tragen, (ä), u, a, to carry
up.

herauf=trug, see herauf=tragen.

heraus (sep. pref.), out (toward
the speaker).

heraus=bringen, brachte heraus, her=
aus=gebracht, to bring out, publish.

heraus=fangen, (ä), i, a, to snatch
out.

heraus=fordern, to challenge, defy.

heraus=gebracht, see heraus=bringen.

heraus=hängen, to hang out.

heraus=heben, o, o, to set off, bring
into relief.

heraus=hören, to perceive, hear
(by paying close attention).

heraus=kommen, kam heraus, ift
heraus=gekommen, to come out
(toward the speaker).

heraus=leuchten, to shine forth
(out).

heraus=nehmen, (nimmt heraus),
nahm heraus, heraus=genommen,
to take out.

herb, bitter, harsh, austere.

herbei (sep. pref.), here, up (toward the speaker).

herbei=bringen, brachte herbei, her=
bei=gebracht, to bring up or hither.

herbei=eilen (f.), to hasten up.

herbei=kommen, kam herbei, ift herbei=
gekommen, to come up.

herbei=rufen, ie, u, to call.

die Herberge, —n, shelter, lodging-
place.

der Herbst, —es, —e, autumn, im —(e)
in autumn.

her=drehen, see hin und her=drehen.

herein (sep. pref.), in (toward
the speaker).

herein=fliegen, o, o (f.), to fly in.

herein=gucken, to look in.

herein=schweben (f.), to flit or glide
in.

her=fliegen, see hin und her=fliegen.

her=geben, (i), a, e, to give up,
hand over.

her=gegeben, see her=geben.

her=gehen, ging her, ift her=gegangen,
to saunter, go aimlessly; vor
jemandem —, to walk ahead or
before some one.

her=getrieben, see her=treiben.

her=hüpfen (f.), to leap, bound, hop
or run along.

her=kommen, kam her, ift her=ge=
kommen, to come (to the speaker).

hernach, afterward.

der Herr, —n, —en, man, gentleman;
sir, Mr., lord, master; meine
—en! my dear sirs! gentlemen!

der Herrendienst, —s, —e, service or

position with a person of high rank.

der **Herrengaul**, –s, ⸚e, gentleman's horse.

der **Herrenstall**, –s, ⸚e, gentleman's stable.

der **Herrgott**, –es, God; (*excl.*), my Lord!

herrlich, splendid.

die **Herrlichkeit**, –en, splendor.

die **Herrschaft**, –en, person; employer; (*pl.*), people, master and mistress.

herrschen, to rule, be in force.

der **Herrscher**, –s, —, ruler.

herrschte an, see an=herrschen.

her=schwirren, *see* hin und her=schwirren.

her=sehen (ie), a, e, to look here.

her=treiben, ie, ie, (f. *when intrans.*), to drive (here *or* along); *see also* hin und her=treiben.

herüber (*sep. pref.*), over (*toward the speaker*).

herüber=gehen, ging herüber, ist herüber=gegangen, to go over.

herüber=grüßen, to greet (*across an intervening space*).

herum (*sep. pref.*), around.

herum=blättern, to turn pages here and there (in a book).

sich herum=drehen, to turn about *or* around.

herum=gewirbelt, see herum=wirbeln.

herum=springen, a, u (f.), to leap *or* jump around.

herum=tanzen (f.), to dance around.

herum=wirbeln, to whirl *or* spin around.

herunter=kommen, kam herunter, ist herunter=gekommen, to come down.

herunter=steigen, ie, ie (f.), to descend, come down.

hervor (*sep. pref.*), forward, out.

hervor=brechen, (i), a, o (f.), to come into view, break forth.

hervor=bringen, brachte hervor, hervor=gebracht, to produce.

hervor=gehen, ging hervor, ist hervor=gegangen, to arise from, originate.

hervor=gehoben, see hervor=heben.

hervor=heben, o, o, to lift up; zu stark —, to make too obvious.

hervor=stechen, (i), a, o, to be conspicuous.

hervor=strecken, to stick out, stretch forward.

hervor=wachsen, (ä), u, a (f.), (aus), to grow (from), be the product (of).

hervor=ziehen, zog hervor, hervor=gezogen, to draw *or* take out.

hervor=zu=stechen, see hervor=stechen.

das **Herz**, –ens, (*dat.* –en, *acc.* —), –en, heart; einem zu Herzen gehen, to affect one, make one sad; bis ins tiefste — hinein, to the very bottom of one's heart; warm ums — werden, to be deeply moved.

das **Herzchen**, –s, —, little heart.

das **Herzeleid**, –s, anguish, agony.

der **Herzensgrund**, –s, ⸚e, bottom of one's heart; aus —, with all one's heart.

herzensgut, kind-hearted, very kind.

herzig, hearty, dear.

das **Herzklopfen**, –s, beating of the heart, palpitation.

herzlich, hearty, cordial.

herzlos, heartless, cruel.

das Herzogdenkmal, –s, ⸚er, monument of the duke.

herzzerreißend, heart-rending, piercing.

hetzen, to incite, urge.

die Hetzerei, –en, incitement, agitation.

das Heu, –es, hay.

heuchelte vor, see vor=heucheln.

heulen, to howl.

heute, today; von — ab, henceforth, from today (on); — abend, this evening.

heutig, present.

heutzutage, nowadays.

hie, here.

der Hieb, –es, –e, blow, stroke.

hielt, see (sich) halten, bereit=halten, sich fest=halten, inne=halten, stand=halten, vor=halten, zurück=halten.

hier, here.

hierbei, hereby, thus.

hierher, here, to this place.

hieß(e), see heißen.

die Hilfe, aid, help.

der Hilferuf, –s, –e, cry for help.

hilflos, helpless.

hilft, see helfen.

der Himmel, –s, —, heaven, sky; am —, in the sky.

himmelhoch, sky-high, towering.

(das) Himmelsvolk, –s, Heaven-folk.

die Himmlische, heavenly creature.

hin (sep. pref. or adv. indicating motion away from the speaker), away, off, there, along; — und her, back and forth; vor sich —, to oneself.

hin und her=drehen, to turn back and forth.

hin und her=fliegen, o, o (f.), to fly to and fro.

hin und her=getrieben, see hin und her=treiben.

hin und her=schwirren (f.), to whir or flit to and fro.

hinab (sep. pref. or adv.), down, downward.

hinab=gehen, ging hinab, ist hinab=gegangen, to go down, descend.

hinab=träufeln, to drop or drip down.

hinab=tun, tat hinab, hinab=getan, to put down, cast (a glance) down.

hinauf (sep. pref. or adv.), up, upward; den Flug — nehmen, to fly upward; zum Himmel — schreien, to cry to heaven.

hinauf=blicken, to look upward.

hinauf=fliegen, o, o (f.), to fly up or upward.

hinauf=gehen, ging hinauf, ist hinauf=gegangen, to go up.

hinauf=schalt, see hinauf=schelten.

hinauf=schauen, to look up.

hinauf=schelten, (i), a, o, to look up and scold.

hinauf=schreiten, schritt hinauf, ist hinauf=geschritten, to walk up or along.

hinauf=schritt, see hinauf=schreiten.

hinauf=sprang, see hinauf=springen.

hinauf=springen, a, u (f.), to leap or jump up.

hinauf=steigen, ie, ie (f.), to go or climb up.

hinauf=ziehen, zog hinauf, ist hinauf=gezogen, to rise, ascend.

hinaus (sep. pref. or adv.), out (away from the speaker); —! get out! out with you!

hinaus=fahren, (ä), u, a (f.), to go,
drive or sail out.

hinaus=flattern (f.), to flutter or
fly out.

hinaus=fliegen, o, o (f), to fly out
or away.

hinaus=gehen, ging hinaus, ift hin=
aus=gegangen, to go out; face
(toward).

hinaus ging, see hinaus=gehen.

hinaus=ragen (aus), to tower
(above).

hinaus=fchaffen, to throw or turn
out.

hinaus=fchauen, to look out.

hinaus=fchleudern, to hurl or throw
out.

hinaus=fehen, (ie), a, e, to look out.

hinaus=fpringen, a, u (f.), to spring
or run out.

hinaus=ftürzen (f.), to rush or fly
out; fall overboard.

hinaus tat, see hinaus=tun.

hinaus=treten, (tritt hinaus), a, e
(f.), to step or go out.

hinaus=tun, tat hinaus, hinaus=
getan, to put out, cast (a
glance) outside.

hinaus=warf, see hinaus=werfen.

hinaus=werfen, (i), a, o, to throw
out or away; jemanden — laffen,
to have some one thrown out.

hinaus=zu=fahren, see hinaus=fahren.

hindern, to prevent.

hindurch), through, throughout;
vierzig Jahre —, throughout
forty long years.

hindurch=fliegen, o, o (f.), to fly
through.

hin=eilen (f.), to hasten to or toward.

hinein (sep. pref. or adv.), in, into,
inward (away from the speaker).

hinein=fchauen, to look in.

hinein=fchreiben, ie, ie, to write in
or into, enter.

hinein=fchrieb, see hinein=fchreiben.

hinein=fpringen, a, u (f.), to leap
in or into.

hinein=werfen, (i), a, o, to throw in
or into.

hin=fallen, (ä), fiel hin, ift hin=ge=
fallen, to fall (down).

hin=fiel, see hin=fallen.

hin=führen, to take or guide (to a
place).

hing, see hangen.

hin=geben, (i), a, e, to give up.

hin=gegangen, see hin=gehen.

hin=gegeben, see hin=geben.

hin=gehen, ging hin, ift hin=gegangen,
to go there or over.

hin=horchen, to listen (in a given
direction).

hin=knien (f.), to kneel down.

hin=murmeln (vor fich), to murmur
or mumble to oneself.

hin=fchwimmen, a, o (f.), to swim
(to a place).

hin=fehen, (ie), a, e, to look there or
away.

fich hin=fetzen, to sit down, seat
oneself.

hin=fprechen, (i), a, o, to speak on;
vor fich —, to mutter to oneself.

fich hin=ftellen, to stand up, take
one's stand.

fich hin=ftürzen, to throw oneself
down.

hinten, back, at the back.

hinter (dat., acc.), behind, back of.

hinterbracht, *see* hinterbringen.

hinterbrin'gen, hinterbrachte, hinter=
bracht, to communicate secretly.

hinterlaf'fen, (ä), ie, a, to leave be=
hind.

die Hinterlift, cunning, treachery.

hinterm = hinter dem.

hinüber (*sep. pref.*), over (*away
from the speaker*).

hinüber=fahren, (ä), u, a (f.), to
drive over.

hinüber=fuhr, *see* hinüber=fahren.

hinüber=gehen, ging hinüber, ift
hinüber=gegangen, to go over *or*
away (*from the speaker*); hinüber
und herüber=gehen, to go back and
forth.

hinüber=nehmen, (nimmt hinüber),
nahm hinüber, hinüber=genommen,
to take over (into the next
world).

hinüber=fchwimmen, a, o (f.), to
swim over, cross.

hinüber=wandern (f.), to wander
over.

hinüber=zu=gehen, *see* hinüber=gehen.

hinunter (*sep. pref.*), down (*away
from the speaker*).

hinunter=gehen, ging hinunter, ift
hinunter=gegangen, to go down.

hinunter=laufen, (äu), ie, au (f.), to
run down.

hinweg (*sep. pref.*), away.

hinweg=fpritzen, to fly *or* spurt
away.

hinweg=fpülen, to wash *or* carry
away.

hin=werfen, (i), a, o, to throw away.

hin=ziehen, zog hin, ift hin=gezogen,
to set out, go on one's way.

hinzu=fetzen, to add, continue.

hinzu=treten, (tritt hinzu), a, e (f.),
to approach.

der Hirfch, –es, –e, deer, stag.

hm ! well ! ah !

hob, *see* heben, auf=heben, empor=
heben.

hoch (hoh–), high; — oben, high up;
das hohe Gut, priceless treasure;
ein hohes Lied, a song in praise
of a person *or* thing; das Hohe=
lied Salomonis, the Song of
Songs; (*comp.*) höher, higher;
(*superl.*) höchft, highest, extreme=
ly.

hochdeutfch, high German.

das Hochgebirge, –s, —, high
mountain range.

hoch=gewachfen, tall.

hoch=halten, (hält hoch), ie, a, to
maintain, uphold.

der Hochmut, –s, pride, insolence.

hochmütig, proud, insolent, arro=
gant.

höchft, *see* hoch, highest, greatest,
extremely.

hochftehend, long.

die Hochzeit, –en, wedding; —
halten, to marry, be married.

(fich) hocken, to crouch, squat; —
bleiben, remain sitting *or* squat=
ting.

hockt's = hockt es, *see* hocken.

der Hof, –es, ‑e, court, yard, farm.

hoff' = hoffe.

hoffen, to hope.

das Hoffen, –s, hope, hoping.

die Hoffnung, –en, hope.

höflich, polite.

die Hoffeite, –n, front *or* yard side
(of a barn).

hoh–, *see* hoch.

die **Höhe,** –n, height; in die —, up,
upward.

höher (*comp. of* hoch); immer —,
higher and higher.

hohl, hollow, hoarse, dull.

hohlwangig, hollow-cheeked.

der **Hohn,** –es, scorn; von — durch=
tränkt, full of scorn.

die **Hökerin,** –nen, huckstress, mar-
ket-woman, hawker.

holdselig, charming, gracious.

holen, to fetch, go and get.

der **Höllenlärm,** –s, infernal noise.

holt ein, see ein=holen.

holte ab, see ab=holen.

das **Holz,** –es, ⸚er, wood, piece of
wood.

hölzern, wooden, of wood.

das **Holzstück,** –es, –e, piece of wood.

das **Holzstühlchen,** –s, —, wooden
stool.

das **Honigbier,** –s, mead.

der **Honigsaft,** –s, nectar.

horchen (auf), to listen (to).

das **Horchen,** –s, listening.

horchte hin, see hin=horchen.

hören, to hear; auf etwas —, to
pay attention to *or* heed something; jemanden klopfen —, to
hear some one pounding.

das **Horn,** –es, ⸚er, horn.

die **Hornschale,** –n, (knife-) handle
made of horn.

der **Horst,** –es, –e, thicket, forest,
grove.

hört auf, see auf=hören.

hübsch, pretty.

das **Huhn,** –es, ⸚er, chicken, hen.

das **Hühnerei,** –s, –er, hen's egg.

huldvoll, gracious, benevolent.

der **Humor',** –s, humor.

der **Hund,** –es, –e, dog.

das **Hündchen,** –s, —, little dog.

hundert, hundred.

das **Hundert,** –s, –e, hundred;
zu Hunderten, by hundreds.

hundertfünfzig, hundred fifty.

hundertmal, hundred times.

hunderttausend, hundred thousand.

die **Hundspeitsche,** –n, dog whip.

der **Hunger,** –s, hunger; — leiden,
to suffer from hunger.

hüpfe her, see her=hüpfen.

hüpfen (f.), to leap, bound, hop.

husch ! (*excl. indicating sudden or
unexpected movement*), quick !
at once ! pish !

der **Hut,** –es, ⸚e, hat.

hüten, to watch over, guard; sich
— (vor), to be on one's guard
against, beware (of).

die **Hyäne,** –n, hyena.

J

i ! ah ! well !; — wo ! nonsense !
well, I should say not !

das **Ich,** –s, the I, ego, self.

ich's = ich es.

die **Idee,** –n, idea.

ihr, ihre, ihr (*pos. adj.*), her, their;
ihrer, ihre, ihrs (*pos. pron.*), hers,
theirs.

Ihr, ihre, Ihr (*pos. adj.*), your
(*pol. form*); **Ihrer, Ihre, Ihrs**
(*pos. pron.*), yours (*pol. form*).

illustrie'ren, to illustrate.

im = in dem.

immer, always; nur —, ever;
für —, forever; — schöner, more
and more beautiful; — wieder,
again and again.

immerzu, continually.

der Impuls', –es, –e, impulse.

in (dat., acc.), in, into.

inbrünstig, fervent.

indes, while, meanwhile.

(das) Indien, India.

die Indienfahrt, –en, journey to
India.

infam', infamous, monstrous.

der Inhalt, –s, content, con-
tents.

inhaltlos, empty.

inne=gehabt, see inne=haben.

inne=haben, hatte inne, inne=gehabt,
to have, possess; ein Amt —, to
hold an office.

inne=halten, (hält inne), ie, a, to
pause.

inne=hielt, see inne=halten.

inner, inner, inward.

der, die, das Innere, the interior;
mein Inneres, my vital organs.

innerlich, inwardly, mentally.

innig, deep, fervent; — geliebt,
dearly beloved.

ins = in das.

das Insekt', –es, –en, insect.

inständig, earnest, urgent.

das Institut', –s, –e, institute,
boarding school.

das Instrument', –s, –e, instrument.

interessant', interesting.

das Interes'se, –s, –n, interest.

inzwischen, in the meantime, meanwhile.

der Irdische, inhabitant or creature
of the earth, earthly being.

irgend, some, any, in any way;
— etwas, something (or other),
anything.

irgendein, some one, some kind of.

irgendwo, somewhere.

die Ironie', irony.

irrte umher, see umher=irren.

der Irrtum, –s, ⁼er, error.

is' = ist.

J

ja, yes; (adv.), indeed, as everyone knows, surely;   ja mei'!
on my word!

die Jagd, –en, chase.

der Jagdfreund, –s, –e, hunting
friend.

jagen, to chase, hunt; sich —, to
chase each other.

das Jagen, –s, hunting, chasing.

der Jäger, –s, —, hunter.

der Jägersmann, –s, —leute, hunter, huntsman.

jäh, sudden, abrupt.

das Jahr, –es, –e, year; vor vielen
Jahren, many years ago; lange
Jahre, for years; Ende der acht=
ziger Jahre, at the end of the
eighties; nach — und Tag, after a
full year, a year and more, after
a long time; — für —, every
year, one year after another;
alle —e, every year.

die Jahreszeit, –en, season, time
of the year.

das Jahrhundert, –s, –e, century.

Jakob, Jacob, James; das ist der
wahre —! that's the real thing,
that's the ticket.

der Jammer, –s, grief, misery.

das Jammern, –s, lamenting,
screaming.

jammerschade(e), a great pity, too
bad.

der Jasmin', –s, –e, jasmine.

der Jasminbusch, –es, ⸚e, jasmine bush.

jauchzen, to shout (in exultation).

jawoll = jawohl, yes sir, yes indeed.

je (adv.), ever.

je ... desto, the ... the; je mehr ... um so, the more ... the more.

jedenfalls, at any rate, at least.

jeder, jede, jedes, every (one), each (one).

jedesmal, every time.

jedoch, however.

jeher; von —, all along, always.

jemals, ever.

jemand, some one; ein gewisser —, a certain person (whose name is withheld).

jener, jene, jenes, that, that one, the former.

jetzig, present.

jetzt, now.

johlen, to roar, whoop.

der Jroschen (dial.) = der Groschen, –s, —, penny, 10 pfennig piece (2½ cents).

der Jubel, –s, mirth, rejoicing.

jubeln (über), to rejoice (at); sing merrily.

juchen (fam. for jauchzen), to shout (in exultation).

die Jugend, youth.

die Jugenderinnerung, –en, reminiscence of one's youth.

das Jugendglück, –s, youthful happiness, joy of youth.

jugendlich, youthful.

jung, young.

der Junge, –n, –n, (North German, pl. –ns), lad, boy; young (of animals or birds); die Herren Jungens, our dear boys, the young gentlemen (sarcastic).

der Jüngling, –s, –e, youth, boy.

das Jungpferd, –s, –e, young horse.

der, die Jüngste, the youngest (boy, girl).

der Junihagel, –s, June hail.

der Jurist', –en, –en, jurist, lawyer.

(das) Jus, —, Jura, law, jurisprudence; — studieren, to study law.

K

der Käfer, –s, —, beetle.

der Kaffee, –s, coffee.

das Kaffeetrinken, –s, drinking of coffee.

der Käfig, –s, –e, cage.

kahl, bare.

der Kaiser, –s, —, emperor.

das Kalbfleisch, –es, veal.

das Kälblein, –s, —, little calf.

kalt, cold.

kaltblütig, cold-blooded, deliberate.

die Kälte, cold, frigidity.

kam, see kommen, dazu=kommen, heim=kommen, herauf=kommen, herbei=kommen, vor=kommen, vorüber=kommen, wieder=kommen.

käme, past subj. of kommen.

käme nahe, see nahe=kommen.

das Kamel', –s, –e, camel.

der Kamerad', –en, –en, comrade, companion, chum.

die Kammer, –n, room, chamber.

der Kampf, –es, ⸚e, battle, contest, struggle.

kämpfen, to fight, strive; schwer mit dem Leben zu — haben, to labor under great difficulties, have a hard struggle for existence.

das **Kämpfen**, –s, combat, fighting.

der **Kampfruf**, –s, –e, battle cry.

der **Kanarienvogel**, –s, ⸚, canary bird.

kann, *see* können.

kannte, *see* kennen.

die **Kanzlei'**, –en, cabinet.

der **Kanzler**, –s, —, chancellor, prime minister.

der **Kapitän'**, –s, –e, captain.

das **Kapi'tel**, –s, —, chapter.

der **Kaplan'**, –s, ⸚e, assistant pastor, chaplain.

die **Karosse**, –n, coach, carriage.

der *or* das **Karzer**, –s, —, school prison; — bekommen, to be sent to *or* confined in the school prison.

die **Kasta'nie**, –n, chestnut.

der **Kasten**, –s, — *or* ⸚, box, case, chest.

der *or* das **Kathe'der**, –s, —, lecture desk.

die **Katz'** = die **Katze**.

das **Kätzchen**, –s, —, kitten.

die **Katze**, –n, cat.

das **Kätzle** *or* **Katzle** = **Kätzlein**, little cat, kitten.

kauen, to chew.

kaufen, to buy; auf Vorrat —, to lay in a supply, buy for future use.

der **Käufer**, –s, —, purchaser, buyer.

das **Kaufmannsleben**, –s, merchant life.

kaum, scarcely, hardly.

die **Kehle**, –n, throat; die — zusammen=schnüren, to choke.

kehren (ſ. *when intrans.*), to turn,

turn about; auf den Kopf —, to turn upside down.

kehrte, *see* kehren, um=kehren, zurück=kehren.

kein, keine, kein (*adj.*), no, not any; keiner, keine, kein(e)s (*pron.*), none.

keinesfalls, not under any circumstances, not at all.

keineswegs, not at all.

kennen, kannte, gekannt, to know, be acquainted; —=lernen, to become acquainted; keinen Dank — (für), to have no feeling of gratitude (toward).

die **Kenntnis**, –ſe, knowledge.

kennzeichnen, to describe.

der **Kerl**, –es, –e, fellow.

kernig, vigorous.

die **Kerze**, –n, candle.

der **Ketzer**, –s, —, heretic.

keuchen, to pant.

das **Kind**, –es, –er, child.

das **Kindchen**, –s, —, little child.

das **Kinderauge**, –s, –n, child's eye.

das **Kindergemüt**, –s, –er, child's mind.

das **Kindergesicht**, –s, –er, child's face.

das **Kindesauge**, –es, –n, child's eye.

die **Kindesseele**, –n, soul of a child, child's soul.

die **Kindheit**, childhood.

kindisch, childlike.

das **Kindlein**, –s, —, little child.

kindlich, childlike.

die **Kirche**, –n, church.

die **Kirchenstufe**, –n, church step *or* stairs.

die **Kirchentür**, –en, church door.

der **Kirchturm**, –s, ⸚e, church-tower, steeple.

die Kirchuhr, –en, church clock.

der Kirschenbaum, –s, ⸚e, cherry tree.

das Kissen, –s, —, pillow, cushion.

das Kittelchen, –s, —, frock.

die Klage, –n, complaint, lamentation.

klagen, to complain, lament.

klang, see klingen.

der Klang, –es, ⸚e, sound, pealing.

klappen, to clap, strike together.

klappte zu, see zu-klappen.

klar, clear.

die Klasse, –n, class.

der Klassenhaß, –es, class prejudice or hatred.

das Klassenzimmer, –s, —, classroom.

der Klassiker, –s, —, classic author.

das Klavier', –s, –e, piano.

kleben, to stick, adhere.

klebrig, sticky.

das Kleid, –es, –er, clothing, dress; (pl.), clothes.

der Kleiderschrank, –s, ⸚e, clothes-press, wardrobe.

die Kleidung, –en, clothing, clothes.

klein, small, little.

der, die, das Kleine, lad, little (person or thing).

die Kleingeschichte, –n, short story.

die Kleinigkeit, –en, trifle, trifling errand.

kleinlaut, quiet, humble, in a low voice.

das Klein'od, –s, –e or Kleinodien, jewel, trinket.

kleinstädtisch, provincial.

die Klinge, –n, blade.

klingeln, to ring (a small bell).

das Klingelzeichen, –s, —, gong, bell.

klingen, a, u, to sound, resound, peal.

klopfen, to pound, pat, beat; jemanden — hören, to hear someone pounding.

klopfte ab, see ab-klopfen.

klug, wise, clever; nicht — werden (aus), not to make sense (of), (fam.) not make head or tail (of).

klügst– (superl. of klug), most intelligent.

der Klügste, the wisest (person).

knack! crack! snap!

knapp, concise, terse.

knarren, to creak.

der Knecht, –es, –e, servant, farm hand.

das Knie, –s,– (e) (pl. ending usually omitted, but Knie may then be pronounced in two syllables), knee.

knien, to kneel.

kniete hin, see hin-knien.

der Knirps, –es, –e, little fellow, chap.

der Knochen, –s, —, bone.

knochig, bony.

knospen, to bud; (pr. part.) knospend, budding.

knurren, to growl, grumble.

kochen, to cook.

der Koffer, –s, —, trunk, portmanteau.

die Kohle, –n, coal.

der Kolle'ge, –n, –n, colleague.

komisch, funny, queer, comic.

komm = komme, see kommen, her-kommen.

kommen, kam, ist gekommen, to come; (pr. part.) kommend, coming, next; in die Lehre —, to be apprenticed; zum Heiraten —, to be about to be married; zu Atem —, to get one's breath; es kam ihm ein Ausweg, he found a way out *or* a substitute; die Reihe kommt an mich, it is my turn; dick kommen, *see* dick.

die **Kommode,** –n, bureau, chest of drawers.

kompromittie'ren, to compromise.

der **Kondi'tor,** –s, Kondito'ren, confectioner; beim — Weise, at Weise's confectionery shop.

die **Konferenz',** –en, conference.

der **Konflikt',** –s, –e, conflict.

der **König,** –s, –e, king.

die **Königin,** –nen, queen.

können, (kann), konnte, gekonnt, to be able; (*pr. subj.*) könne, can, may be able; (*past subj.*) könnte, could, should be able.

das **Können,** –s, ability.

konnte, könnte, *see* können.

konstatieren, to ascertain; (*past part.*) konstatiert, ascertained.

der **Kontinent',** –s, –e, continent.

das **Konzert',** –s, –e, concert.

der **Kopf,** –es, ⸚e, head; auf den — kehren, to turn upside down; sich den — ein=stoßen, to bump *or* bruise one's head.

das **Köpfchen,** –s, —, little head.

der **Korb,** –es, ⸚e, basket.

das **Korn,** –es, ⸚er, single seed of grain; (*coll.*) grain, grain field.

die **Korngasse,** Corn Street.

der **Körper,** –s, —, body.

das **Körperchen,** –s, —, little body.

körperlich, bodily.

der **Korpsstudent',** –en, –en, "Corps" student, (member of an aristocratic student club).

kostbar, costly, precious.

kosten, to cost; taste; das Rohr=stöckchen —, to feel the cane.

die **Kosten** (*pl.*), cost, expense; die — tragen, to bear the expense.

köstlich, precious, pleasurable, delightful, splendid.

krachen, to crash, crack.

krächzen, to croak.

die **Kraft,** ⸚e, power, strength.

kräftig, vigorous, robust.

kraftlos, powerless, inert.

krähen, to crow.

der **Krählaut,** –s, –e, croaking, crowing sound.

die **Kralle,** –n, claw.

der **Krampf,** –es, ⸚e, cramp, convulsion.

krampfig, convulsive.

krank, sick, ill.

der, die **Kranke,** sick person, patient.

kränkeln, to be ill *or* sickly.

kranken (an), to be ill (with), suffer.

kränken, to insult, offend.

krauen, to scratch gently; sich im Nacken —, to scratch one's neck.

die **Kreatur',** –en, creature, creation.

das **Krebsgeschwür,** –s, –e, gangrenous ulcer, cancer.

der **Kreis** –es, –e, circle, group.

kreischen, to scream.

kreuz, crosswise; — und quer, in all directions, this way and that.

das **Kreuz,** –es, –e, cross; das — über etwas machen, to cancel by marking a cross over.

die **Kreuzspinne**, –n, cross- *or* garden-spider.

kreuzvergnügt, extremely happy *or* pleasant.

kriechen, o, o (f.), to creep.

der **Krieg**, –es, –e, war.

kriegen (*colloquial*), to receive, get; einen brennroten Kopf —, to blush deeply.

das **Kriegerdenkmal**, –s, "er, war monument.

der **Kriegsmini'ster**, –s, —, war-minister, secretary of war.

die **Kriegsschule**, –n, military *or* naval school *or* academy.

das **Kripperl**, –s, — (*So. German*), crib, manger.

der **Kritiker**, –s, —, critic.

kroch, *see* kriechen, empor=kriechen.

die **Krone**, –n, crown, tree-top.

der **Krug**, –es, "e, pitcher.

das **Krümchen**, –s, —, crumb.

krumm, curved, bent; — biegen, *see* biegen.

der **Krüppel**, –s, —, cripple.

das **Kruzifix'**, –es, –e, crucifix.

die **Küche**, –n, kitchen.

die **Kuchenbrezel**, –n, (*in Austria* Pretzel), cracknel, brittle cake.

die **Kugel**, –n, bullet.

kugeln (f. *when intrans.*), to roll, romp.

die **Kuh**, "e, cow.

kühl, cool.

die **Kühle**, coolness.

kühn, bold; (*comp.*) kühner, bolder.

das **Küken** *or* **Kücken**, –s, — (*North German for* Küchlein), chick, little chicken.

kummervoll, sad, sorrowful.

künden, to announce, make known.

künftig, future, in the future.

die **Kunst**, "e, art, skill.

der **Künstler**, –s, —, artist.

das **Künstlertum**, –s, literary artists, literary world.

kunstmäßig, artistic.

das **Kunstwerk**, –s, –e, work of art.

das **Kupfer**, –s, copper.

kurz, short; vor kurzer Zeit, a short time ago *or* before.

kurzhaarig, short-haired.

kurzsichtig, short-sighted.

kurzweg (*adv.*), briefly, simply.

der **Kuß**, –es, "e, kiss.

küss' = küsse, *see* küssen.

küssen, to kiss.

die **Küste**, –n, coast.

der **Kutscher**, –s, —, driver, coachman.

L

das **Laborato'rium**, –s, die Laborato'rien, laboratory.

lächeln, to smile; (*pr. part.*) lächelnd, smiling.

das **Lächeln**, –s, smile, smiling.

lachen, to laugh.

das **Lachen**, –s, laughing, laughter.

lächerlich, ridiculous, absurd; in den lächerlichen Ruf kommen, to acquire the absurd reputation.

lachte, *see* lachen, an=lachen, aus=lachen.

der **Laden**, –s, — *or* ", store, shop.

der **Ladenbesitzer**, –s, —, owner of a shop, merchant.

lag, *see* liegen, bei=liegen, da=liegen.

die **Lage**, –n, situation, predicament.

lagern, to rest, encamp, brood over,

lahm, lame.

lähmen, to make lame, paralyze.

lallen, to stammer, babble.

das Land, –es, ⸚er, land, country; aus —, ashore; auf dem Lande, in the country.

die Landkarte, –n, map.

der Landmann, –s, Landleute, peasant, farmer.

landschaftlich, landscape.

die Landspitze, –n, point of land, cape, promontory.

die Landstraße, –n, highway, road.

die Landwehr, landwehr, militia (*for defense of the country*).

die Landwirtschaft, agriculture.

lang, long; lange Jahre, for years; (*adv.*), —(e), long; mein Leben —, all my life; acht Tage —, for a whole week.

langbeinig, long-legged.

die Länge, –n, length; der — nach, lengthwise, headlong.

langen (nach), to reach (for *or* toward).

länger, *comp. of* lang.

länglich, rather long; ein längliches Etwas, something rather long.

langsam, slow.

längst (*superl. of* lang) (*adv.*), long since, long ago.

der Lärm, –es, noise.

las, *see* lesen, durch=lesen, vor=lesen.

laß = lasse, *see* lassen.

lassen, (ä) ie, a, to let, allow; have something done; freien Lauf —, to give free rein; im Stich —, to desert, forsake, leave in the lurch; sich etwas gefallen —, to put up with something; nach=sitzen —, to keep after

school; übrig —, to leave over (uneaten); wissen —, to inform, tell; sich nicht ab=weisen —, not to let oneself be put off; über sich ergehen —, to bear patiently; jemanden hinaus=werfen —, to have some one thrown out; sich tragen und schmeicheln —, to let oneself be carried and caressed; sich wohl sein —, to be content.

läßt, *see* lassen.

latei'nisch, Latin.

die Latein'klasse, –n, Latin class; die fünfte — = Oberterzia, approximately high school sophomore class. (*Instruction in Latin or modern language begins in the first year of the Gymnasium course when the pupils are about ten years old.*)

der Latein'schüler, –s, —, pupil in a Latin school *or* gymnasium.

das Laub, –es, foliage, leaves.

lauern, to lurk.

der Lauf, –es, ⸚e, course, run; freien — lassen, to give free rein.

die Laufbahn, –en, career.

der Laufbursche, –n, –n, errand boy.

laufen, (äu) ie, au (ſ.), to run.

die Laune, –n, mood.

lauschen, to listen.

laut, loud, aloud.

der Laut, –es, –e, sound.

das Läuten, –s, tolling, ringing.

lauter, pure; (*not inflected*), only, nothing but.

lautlos, silent; lautlose Stille, breathless silence.

leb' = lebe, *see* leben.

leben, to live; leb(e) wohl, lebt wohl, — Sie wohl, farewell.

das **Leben**, –s, life; mein — lang, all my life.

leben'dig, living, alive.

der **Lebensbaum**, –s, ⸗e, tree of life.

das **Lebensbedürfnis**, –ses, –se, necessity.

die **Lebenskraft**, ⸗e, vigor, strength.

die **Lebensseligkeit**, joy of living.

lebenswahr, true to life.

lechzen (vor), to pant (with).

lecken, to lick.

der **Leckerbissen**, –s, —, delicacy, dainty morsel.

ledergelb, buff-colored.

leer, empty.

die **Leere**, space, emptiness.

leeren, to empty.

leerte sich aus, see sich aus=leeren.

legen, to lay, put; sich —, to lie down; sich aufs Ohr — (colloquial), to go to bed.

lehnen, to lean.

die **Lehre**, –n, instruction, apprenticeship; in die — kommen, to be apprenticed; in die — geben (stecken), to apprentice.

lehren, to teach.

der **Lehrer**, –s, —, teacher.

die **Lehrerin**, –nen, teacher (fem.).

der **Leib**, –es, –er, body.

die **Leiche**, –n, corpse, dead body.

die **Leichenkammer**, –n, morgue.

leicht, light, easy; einem —er sein, to feel relieved.

leichtfertig, frivolous, fickle.

der **Leichtsinn**, –es, frivolity, indiscretion.

leid sein (see sein), to be sorry.

leid tun (see tun), to be sorry; es tut mir leid, I am sorry.

das **Leid**, –es, –e, sorrow, affliction.

leiden, litt, gelitten, to suffer, endure; Hunger —, suffer from hunger; Schaden —, to be injured, suffer injury.

das **Leiden**, –s, —, suffering, affliction, sorrow.

leidenschaftlich, passionate, eager.

leider (adv.), unfortunately.

der **Leierkasten**, –s, —, music box, hand-organ.

leihen, ie, ie, to lend, provide with.

leise, soft, slight.

leisten, to perform; einen Eid —, to vow, take an oath.

die **Leistung**, –en, work, achievement.

lenken, to guide, draw.

die **Lerche**, –n, lark.

lernen, to learn; kennen —, to become acquainted.

lesen, (ie), a, e, to read.

der **Leser**, –s, —, reader.

die **Leserwelt**, reading world or public.

letzt-, last; das letztere, the latter.

leuchten, to glow, shine; (pr. part.) leuchtend, bright, flashy.

der **Leuchtturm**, –s, ⸗e, lighthouse.

die **Leutchen**, (pl.), little creatures or people.

die **Leute** (pl.), people.

licht, bright, clear.

das **Licht**, –es, –er, light, radiance; jemanden in das — rücken, to put one into the limelight, give one a chance to shine.

lieb, dear; — (gern) haben, to like; (comp.) lieber, rather; lieber +

verb, to prefer, like better; am liebsten haben, to like best.

der, die, das **Liebe**, the person *or* thing one loves, loved one.

die **Liebe**, love.

liebeleer, loveless.

lieben, to love.

das **Lieben**, –s, love, loving.

liebenswert, lovable.

lieber (*comp.* of lieb), rather.

der **Liebesbrief**, –s, –e, love letter.

liebevoll, loving.

lieb=haben, (hat lieb), hatte lieb, lieb=gehabt, to like, love.

das **Liebhaben**, –s, loving, love.

liebkosen, to caress, fondle.

die **Liebkosung**, –en, caress, fondling.

lieblich, lovely, charming.

die **Lieblichkeit**, tenderness, delicacy.

der **Liebling**, –s, –e, darling, favorite.

liebst– (*superl.* of lieb), dearest, favorite; am liebsten sitzen, to like best to sit; am liebsten haben, to like best.

das **Lied**, –es, –er, song; ein hohes —, a song of praise.

lief, *see* laufen, davon=laufen, hin= unter=laufen.

liegen, lag, gelegen, to lie, be situated, be; (*with dat.*), be adapted to; hinter sich — haben, to have laid by *or* accumulated; es liegt mir nichts daran, it is of no concern to me, it makes no difference to me.

ließ, *see* lassen, ab=lassen, los=lassen, nieder=lassen, zurück=lassen.

die **Linde**, –n, linden tree, lime-tree.

lindern, to alleviate, lessen.

die **Linie**, –n, line; in erster —, first and foremost, in the first place.

link–, left; zur Linken, on the left.

die **Linke**, the left hand.

die **Lippe**, –n, lip.

die **Literatur'**, –en, literature.

die **Literatur'kritik'**, –en, literary criticism.

litt, *see* leiden.

loben, to praise.

löblich, laudable, praiseworthy.

der **Lobspruch**, –s, ⸚e, eulogy, compliment.

locken, to entice, attract; dahin und dorthin=—, to entice hither and thither.

lodern, to blaze, flame.

die **Lokomoti've**, –n, locomotive.

los, loose.

los (*sep. pref. or adv.*), away, off, eagerly.

das **Los**, –es, –e, lot.

lösen, to loosen; ließ sich nicht lösen, could not be loosened.

los=gehen, ging los, ist los=gegangen, to start (suddenly).

los=hacken (auf), to hack away (at).

(sich) **los=lassen**, (ä), ie, a, to let loose, release.

los=schießen, o, o, to leap, dart; drauf —, to dart toward something.

die **Lösung**, –en, solution; eine glatte —, a real solution.

lotsen, to pilot; (*fam.*) drag.

der **Löwe**, –n, –n, lion.

der **Luchs**, –es, –e, lynx.

die **Luft**, ⸚e, air.

die **Lüge**, –n, lie, falsehood.

lügen, o, o, to lie, tell a falsehood.

das Lügen, –8, lying, telling lies.

der Lümmel, –8, —, clumsy fellow, boor.

die Luft, desire, pleasure.

lustig, merry, happy; sich — machen (über), to make merry, jest (about).

der Luxus, des —, luxury.

M

mach or mach' = mache, see machen, auf=machen.

machen, to make, do; hurry, see to it; hart —, to harden; etwas — lassen, to have something made; das Kreuz über etwas —, to cancel by marking a cross over; Vorstellungen —, to remonstrate; Freude —, to please, make some one happy; Platz —, to make room; einen spitzigen Mund —, to round the lips; sich nichts daraus —, to think nothing of it; sich gescheit —, to think oneself "smart"; sich lustig — (über), to make merry, jest (about); sich keine Sorge —, not to worry or be anxious; einen Vorschlag —, to offer a suggestion; es — mir nichts aus, it doesn't matter to me, it is all right with me; Vorwürfe —, to reproach, blame.

die Macht, ⸚e, force, might, power.

mächtig, mighty, powerful.

machtlos, powerless or weak.

die Madame, –n, madam, lady.

das Mädchen, –8, —, girl.

das Mädchenbild, –es, –er, image of a young woman.

das Mädel, –8, — (fam. So. Ger. diminutive), girl.

die Magd, ⸚e, maid, servant.

der Magen, –8, —, stomach.

mager (magr–), lean, bony.

magerte ab, see ab=magern.

magisch, magic.

die Mahlzeit, –en, meal; eine — halten, to have a meal, feast.

mahnen, to warn, urge; zum Schlafengehen —, to suggest that it is time to retire.

die Mahnung, –en, warning, admonition.

der Mai, May; im —, in May.

der Maifrost, –8, ⸚e, May frost.

Maja (name of a bee), Maya.

die Majestät', –en, majesty; die — beleidigen, to commit lese majesty, make treasonable statements against the ruler of the land.

mal = einmal, once; just (often to be omitted in translation).

das Mal, –es, –e, time, occasion.

malen, to paint.

die Mama' (pl.), –8, mama, mother.

man (indef. pron.), one.

man (colloquial) = nur, only, just.

manch einer = mancher.

mancher, manche, manches, many a, some; manches, many a thing, many things; manch einer, many a one.

manchmal, sometimes.

der Mandarin', –en or –8, –en or –e, Mandarin.

der Mann, –es, ⸚er, man, husband; mit — und Maus, with every living creature.

das Männchen, –8, —, little man; male (bird).

mannhaft, manfully.

mannigfaltig, various, of many kinds.

das Märchen, –s, —, (fairy) tale.

der März, –es or –en, –e or –en, March.

der Marzipan', –s, –e, marchpane, (a candy made of almonds and sugar).

der Marzipan'papagei', –en or –s, –en or –e, marchpane parrot.

das Maskenkleid, –s, –er, masquerade dress, costume.

das Maß, –es, –e, measure.

maßgebend, authoritative.

die Mate'rie, –n, matter, subject.

der Matrose, –n, –n, seaman, sailor.

die Matrosenmütze, –n, sailor cap.

matt, weak, feeble.

die Mauer, –n, wall (of masonry).

die Maus, ⸚e, mouse; mit Mann und —, with every living creature.

das Meer, –es, –e, sea, ocean.

mehr (comp. of viel), more; (with neg.), any more; no longer.

mehrere, several.

die Mehrzahl, –en, majority; plural number.

mein, meine, mein (pos. adj.), my; meiner, meine, meins (pos. pron.), mine.

meinen, to say, think; das will ich —! I should say so! es gut —, to mean well.

meinerseits, for my part.

die Meinung, –en, opinion.

die Meise, –n, titmouse.

meist (superl. of viel), most; die meisten Tänzer, most of the dancers; meistens, mostly, for the most part.

der Meister, –s, —, master (of a trade).

das Meisterdrama, –s, —dramen, master drama.

der Meistersohn, –s, ⸚e, master's son.

melden, to report, announce.

die Meldung, –en, report.

melken, (i), o, o (or weak), to milk.

die Melodie', –en, melody, tune.

die Menge, –n, crowd, large number, many; in —, a lot of, a large number.

der Mensch, –en, –en, man, human being.

die Menschenfrau, –en, woman.

das Menschengeschlecht, –s, –er, human race.

das Menschenglück, –s, human happiness.

die Menschenhand, ⸚e, human hand.

die Menschenkenntnis, knowledge of mankind, insight into character.

die Menschenkraft, ⸚e, human strength.

menschenleer, deserted, devoid of people.

die Menschenliebe, love of mankind, charity.

das Menschenpaar, –s, –e, couple, pair; das erste —, Adam and Eve, the first human couple.

das Menschentum, humanity.

der Menschenweg, –s, –e, human pathway; (pl.) ways or works of man.

die Menschheit, humanity.

menschlich, human; das Menschliche, the human element.

(sich) merken, to notice, mark;

in der Hand —, to feel something in or with one's hand.

merkwürdig, remarkable, strange.

die Messe, –n, mass, service; nach geendeter —, when mass had been said.

das Messer, –s, —, knife; zum — greifen, to seize the knife.

messerscharf, piercing, sharp as a knife.

die Messerspitze, –n, point of the knife or blade.

der Messingkessel, –s, —, brass kettle.

metall'grün, metallic-green.

die Miene, –n, look, air, expression, phase.

das Mikroskop', –s, –e, microscope.

mild(e), gentle, mild.

mindestens, at least.

die Minu'te, –n, minute.

mir's = mir es.

(sich) mischen, to mix, mingle.

mißhandeln, to mistreat, maltreat.

der Mißhandelte, person or thing maltreated.

mißmutig, ill-humored, cross.

mißraten, (mißrät), ie, a, to turn out ill, fail.

mißriet, see mißraten.

das Mißtrauen, –s, distrust, lack of confidence.

die Mistgabel, –n, manure fork.

der Mistkäfer, –s, —, dung-beetle.

mit (dat.), with; (sep. pref.), along.

der Mitbewerber, –s, —, competitor.

mit=brachte, see mit=bringen.

mit=bringen, brachte mit, mit=gebracht, to bring, bring along.

der Mitbruder, –s, ¨, fellow man, brother.

miteinander, together.

mit=gebracht, see mit=bringen.

das Mitleid, –s, sympathy, pity.

mit=nehmen, (nimmt mit), nahm mit, mit=genommen, to take along.

mit=reißen, i, i, to carry away; be eloquent; (pr. part.) mitreißend, eloquent, moving.

der Mittag, –s, –e, noon; (zu) — essen, to eat the noonday meal.

mit=teilen, to inform, tell.

das Mittel, –s, —, means, way, expedient.

der Mittelpunkt, –s, –e, foreground, center.

mitten, in or to the middle.

die Mitternacht, ¨e, midnight; es geht auf —, it approaches midnight.

mittlerweile, in the meantime, meanwhile.

mitunter, sometimes.

das Möbel, –s, —, (chiefly used in the plural), furniture, article of furniture.

mochte, see mögen; — nicht mehr tanzen, did not care to dance any more; — sich schämen, must have been ashamed.

möchte (past subj. of mögen), should or would like to; might.

mögen, (mag, pr. subj. möge), mochte, (past subj. möchte), gemocht, to like, enjoy; (often translated by forms of may or must showing probability).

möglich, possible; möglichst wenig, as few or as little as possible.

der Monat, –s, –e, month.

der Mönch, –es, –e, monk, friar.

der Mond, –es, –e, moon.

die Mondnacht, ⸚e, moonlight night.

mondrund, moon-shaped.

das Moor, –es, –e, moor.

morgen, tomorrow; — früh, to-morrow morning.

der Morgen, –s, —, morning, the East; am —, in the morning; am anderen —, on the next morning; bis zum —, till morning; — früh, tomorrow morning.

die Morgenfreude, –n, joy of the morning.

die Morgenkühle, coolness of the morning.

das Morgenlied, –s, –er, morning song.

die Morgenluft, ⸚e, morning air.

das Morgenrot, –s, dawn.

morgens, in the morning (repeatedly).

die Mücke, –n, gnat; in South Germany also (house) fly, mosquito.

müd(e), tired.

müd=fechten, (i), o, o, to fight until tired; (past part.) müd=gefochten, exhausted.

die Mühe, –n, effort, pains; sich — geben, to take pains.

mühelos, without effort.

mühevoll, tiresome, wretched, difficult.

das Mühsal, –s, –e, or die —, –e, toil, trouble.

mühsam, with difficulty.

Münchner (proper adj.), of Munich.

der Münchner, –s, —, inhabitant of Munich.

der Münchnerkindlkeller, a famous restaurant in Munich.

der Mund, –es, –e or ⸚er, mouth; den — halten, to keep still; einen spitzigen — machen, to round the lips.

münden (auf), to open (upon), lead (to).

mündlich, orally.

munter, cheerful, merry.

die Mur, a river in Styria, a tributary of the Drau.

der Murmel, –s, —, marble.

murmeln, to mutter, murmur.

murmelte vor sich hin, see hin=murmeln.

der Musikant', –en, –en, musician.

der Musiker, –s, —, musician.

der Muskel, –s, –n, or die —, –n, muscle.

muskulös', muscular.

muß, see müssen.

das Muß, necessity.

die Muße, leisure.

müssen, (muß, pr. subj. müsse), mußte, (past subj. müßte), gemußt, to be compelled, have to.

die Musterfamilie, –n, model family.

der Mut, –es, mood, courage; zu Mute or zumute sein, to feel; zu Mute or zumute werden, to begin to feel.

mutig, courageous.

die Mutter, ⸚, mother.

Mutterle = Mütterlein, dear (little) mother.

die Mütze, –n, cap.

N

na, well (followed by a comma at the beginning of a sentence).

nach (dat.), after, toward; accor-

ding to, about; — Hause, home,
homeward; der Länge —, lengthwise, headlong; — unten, downward.

der Nachbar, –s *or* –n, –n, neighbor.

der Nachbartisch, –es, –e, neighbor-
ing table.

nachdem (*subor. conj.*), after.

nach=denken, dachte nach, nach=ge-
dacht (über), to meditate *or*
think (about), consider.

das Nachdenken, –s, meditation,
reflection.

nachdenklich, thoughtful, wistful.

nachdenksam, meditative.

nach=eifern, to imitate zealously.

der Nachfolger, –s, —, successor.

nach=gedacht, *see* nach=denken.

nach=gehen, ging nach, ist nach=gegan-
gen (*dat.*), to follow, pay attention to.

nach=geraten, (gerät nach), ie, a
(*dat.*) (f.), to take after, resemble.

nachgiebig, flexible, yielding.

nach=haben, (hat nach), hatte nach,
nach=gehabt, to have a second
helping.

nachher, afterward.

nach=holen, to make up, do something previously left undone.

nach=kommen, kam nach, ist nach=
gekommen, to comply with, follow.

die Nachlese, (literary) gleanings.

der Nachmittag, –s, –e, afternoon;
von — an, since afternoon;
heute —, this afternoon; den
—, that afternoon.

nachmittags, in the afternoon (*repeatedly*).

die Nachmittagssonne, afternoon
sun.

nach=nicken (*dat.*), to nod (*to some
one who is leaving*).

nach=rufen, ie, u, to call after.

nach=schauen, to investigate, look
up; look after.

nach=schlagen, (ä) u, a, to investigate, look up.

nach=sehen, (ie) a, e, to look after,
watch.

nach=sinnen, sann nach, nach=gesonnen,
to reflect, meditate.

das Nachsinnen, –s, meditation,
thinking.

nach=sitzen, saß nach, nach=gesessen, to
remain after school; — lassen,
to keep after school.

nächst (*superl. of* nah), nearest,
next; nächster Tage (*gen.*), within
a few days, soon.

nach=stürmen (*dat.*) (f.), to dash
after.

nach=stürzen (*dat.*) (f.), to rush after.

die Nacht, ⸚e, night.

die Nachtigall, –en, nightingale.

nachträglich, in addition, subse-
quently.

nach=tun, tat nach, nach=getan, to
imitate.

die Nachwelt, posterity.

nach=winken (*dat.*), to beckon *or*
wave after.

nach=zu=denken, *see* nach=denken.

nach=zu=schauen, *see* nach=schauen.

nach=zu=tun, *see* nach=tun.

der Nacken, –s, —, neck, nape (of
the neck).

der Nagel, –s, ⸚, nail, finger nail.

der Nagelschuh, –s, –e, hob-nailed
shoe.

nahe (*dat.*) (*often preceded by its object*), near; dem Verhungern —, almost starved to death.

die Nähe, –n, vicinity, proximity, nearness; in die *or* der —, near by, near to.

nahe-kommen, kam nahe, ist nahe-gekommen (*dat.*), to come near, approach.

(sich) nahen, to approach.

näher (*comp. of* nah), nearer.

sich nähern, to approach.

nahe-stehen, stand nahe, nahe-gestanden (*dat.*), to stand near, be intimate; (*pr. part.*) nahe-stehend, intimate.

nahm, *see* nehmen, ab-nehmen, heraus-nehmen, (sich) vor-nehmen, (sich) zusammen-nehmen.

naiv, artless, innocent, frank.

der Name, –ns, –n, *or* der Namen, –s, —, name.

nämlich (*adv.*), you must know.

nannte, *see* nennen.

der Narr, –en, –en, fool.

die Nase, –n, nose.

naßkalt, dank, raw.

die Natur', –en, nature.

der Naturalis'mus, —, naturalism.

die Naturfrömmigkeit, devotion to nature.

das Naturgesetz, –es, –e, law of nature.

natürlich, naturally, of course, to be sure.

der Nebel, –s, —, mist, fog.

neben (*dat., acc.*), beside.

die Nebenpartei', –en, adjoining tenant.

das Nebenzimmer, –s, —, adjoining room.

nee (*colloquial*) = nein.

nehmen, (nimmt), nahm, genommen, to take; einen Anlauf —, to take a running start; an *or* zu sich —, to accept, take; Abschied — (von), to bid farewell (to); ein Beispiel — (an), to take as an example; zur Hand —, to pick up; Anteil — (an), to take an interest (in).

der Neid, –es, envy.

neigen, to incline, bend.

die Neigung, –en, inclination.

nein, no.

nennen, nannte, genannt, to name, call.

das Nest, –es, –er, nest.

der Nestrand, –s, –er, edge of the nest.

nett, nice.

das Netz, –es, –e, net, web.

neu, new; aufs neue, anew, again; von neuem, anew, again.

neuerdings, anew, again.

neugesponnen, newly spun.

neugierig, curious.

der Neujahrstag, –es, –e, New Year's Day.

nicht, not; gar —, not at all; — mehr, no longer; auch —, not either; — wahr? is it not true? — einmal, not even.

die Nichtigkeit, nothingness, futility, trifle.

nichts, nothing; — als, nothing but; gar —, nothing at all; es macht mir — (aus), it makes no difference to me, it is all right with me; sich — daraus machen, to think nothing of it; um — freundlicher, not a whit more friendly; ich will — damit sagen, I don't mean to insinuate; es hilft —, it does no good.

nichtsnutzig, good-for-nothing.

nicken, to nod; mit dem Kopfe —, to nod one's head.

nickt, see nicken, nach=nicken, zu=nicken.

nickte auf und ab, see auf und ab=nicken.

nie, never; noch —, never before.

nieder, low, lowly; down.

nieder=beugen, to cause to stoop, to bend over.

nieder=fallen, fiel nieder, ist nieder=gefallen, to fall down, descend.

nieder=gebeugt, see nieder=beugen.

nieder=gehen, ging nieder, ist nieder=gegangen, to go down; see also auf und nieder=gehen.

sich nieder=lassen, (ä), ie, a, to let oneself down, sit or lie down, seat oneself, settle down.

sich nieder=ließ, see sich nieder=lassen.

sich nieder=setzen, to squat, sit down.

nieder=stürzen (f.), to fall, drop.

die Niederung, –en, flat land.

sich nieder=werfen, (i), a, o, to cast or throw oneself down.

nieder=zu=fallen, see nieder=fallen.

niedlich, pretty, neat; so was or etwas Niedliches, such a pretty thing.

niedrig, low, lowly.

nie=gekannt, heretofore unknown.

niemals, never.

niemand, no one.

nimm mit, see mit=nehmen.

nimmer, never.

nimmt, see nehmen, mit=nehmen, wunder=nehmen.

nisten, to nest, live; sich —, to build a nest.

nobel (nobl–), noble, splendid.

noch, as yet, yet, still, even; weder ... —, neither ... nor; — besser als, even better than; — dazu, moreover, into the bargain; — ein, another; — nie, never before; — einmal, once more, again; — etwas, something more, some more.

nochmals, again.

nordwärts, northward.

der Nordwind, –s, –e, north wind.

die Not, ⸚e, need, suffering, necessity.

nötig, necessary; etwas — haben, to be in need of something, have occasion for something.

notwendig, necessary, needful.

der Norden, –s, north.

der Norddeutsche, the North German (person).

die Notiz', –en, notice, note.

die Novel'le, –n, short story.

der Novellenband, –s, ⸚e, volume of short stories.

nu = nun.

die Nüchternheit, emptiness, soberness.

die Null, –en, zero.

die Nummer, –n, number; — sicher gehen, to be sure of one's ground.

nun, now; (*at the beginning of a sentence followed by a comma*), well; — erst, above all; — einmal, of course.

nur, only, merely; — so, just; — immer, ever.

nutzbar, useful, profitable.

nützen (*dat.*), to be useful to *or* good for.

nützlich, useful.

O

o! o! oh!

ob (*subor. conj.*), whether; als —, as if; (*prep. dat.*), on account of.

oben, at the top; hoch —, high up; dort —, up there.

obendrein, in addition, into the bargain.

der Oberkammerherr, –n, –en, high lord chamberlain.

der Oberschenkel, –s, —, thigh.

obgleich (*subor. conj.*), although.

obschon (*subor. conj.*), although.

das Obst, –es, fruit.

der Obstbaum, –s, ⸗e, fruit tree.

obwalten, to rule, obtain, exist.

obwohl, although.

och! = ach!

der Ochs(e), –en, –en, ox.

öde, waste, dreary, desolate.

oder (*coörd. conj.*), or; — aber, or else.

offen, open.

offenbaren, to reveal.

die Offenbarung, –en, revelation.

der Offizier', –s, –e, military officer.

öffnen, to open.

oft, often; (*comp.*) öfter, oftener, many times, frequently; öfters, frequently.

oftmals, often.

ohne (*acc.*), without.

ohnehin, only, merely.

ohnmächtig, unconscious, insensible; impotent.

das Ohr, –es, –en, ear; die Ohren

spitzen, to prick up one's ears; sich aufs — legen (*colloquial*), to go to bed.

der Onkel, –s, —, uncle.

die Oper, –n, opera.

das Opernhaus, –es, ⸗er, opera house.

opfern, to sacrifice.

der Opfersinn, –s, spirit of sacrifice.

das Ordensband, –s, ⸗er, ribbon of an order, cordon.

ordentlich, proper, real; (*adv.*), actually, really, vigorously.

ordinär', ordinary, common.

die Ordnung, –en, order, regulation.

das Organ', –s, –e, organ.

die Orgel, –n, organ, pipe organ.

der Orkan'stoß, –es, ⸗e, blast of wind.

der Ort, –es, –e *or* ⸗er, place, spot, town.

das Osterlied, –es, –er, Easter song *or* hymn.

(das) Ostern, –s, —, (*also fem.*), Easter.

der Ostersonntag, –es, –e, Easter Sunday.

das Osterzeugnis, –fes, –fe, Easter report card.

der Ozean, –s, –e, ocean.

P

paar, few, some.

das Paar, –es, –e, pair, couple.

paarmal, few times.

das Päckchen, –s, —, small package.

packen, to seize, grasp.

das Paket', –s, –e, package.

der Panzer, –s, —, armor, cuirass.

der Papa, –s, –s, papa, father.

das Papier', –s, –e, paper, credential.

papperlapapp ! nonsense !

die Para'bel, –n, parable.

das Paradies', –es, –e, paradise.

parat', prepared, ready.

paß' auf = passe auf, see auf=passen.

der Passagier', –s, –e, passenger.

passieren (s.), to happen.

pathologisch, pathological.

das Patriziertum, –s, patricianism.

die Pause, –n, pause, silence.

pechrabenschwarz, jet black.

peinlich, painful, painstaking.

die Peitsche, –n, whip.

der Peitschenhieb, –s, –e, blow of a whip.

der or das Pendel, –s, —, pendulum.

das Pergament', –s, –e, parchment.

die Person', –en, person.

persönlich, personal.

der Pfad, –es, –e, path.

der Pfarrer, –s, —, pastor, preacher.

das Pfarrhaus, –es, ̈er, parsonage, rectory, parson's office.

der Pfarrhof, –s, ̈e, parsonage.

die Pfarrstelle, –n, position as pastor.

pfeifen, pfiff, gepfiffen, to whistle; (pr. part.) pfeifend, whistling.

der Pfeil, –es, –e, arrow.

das Pferd, –es, –e, horse.

das Pferdefleisch, –es, horse meat.

pfiff, see pfeifen.

der Pfiff, –es, –e, whistle, bird-call.

die Pflanze, –n, plant.

das Pflaster, –s, —, paving.

pflegen, to be accustomed; take care of; hegen und —, to nourish, foster.

die Pflicht, –en, duty.

der Pflug, –es, ̈e, plow.

das Pfund, –es, –e, pound.

pfuschen, to work in a slapdash way, bungle, botch.

das Philistertum, –s, philistinism, petty formalism.

picken, to peck.

piepen, to peep, chirp.

plagen, to plague, tease.

der Plan, –es, ̈e, plan, project; sich mit einem Plane tragen, to cherish or entertain a plan.

platt, flat.

der Platz, –es, ̈e, place, public square; seat, desk; — machen, to make room.

der Platzregen, –s, —, sudden shower.

plaudern, to chat.

plötzlich, sudden.

plump, clumsy.

der Plunder, –s, —, trash, rubbish.

plündern, to plunder, rob.

pochen, to rap, knock; throb, beat (of the heart).

die Poesie', poetry.

poetisch, poetic.

die Polizei', –en, police, police station.

possierlich, droll.

der Posten, –s, —, place, post of duty.

die Pracht, splendor; eine — sein, to be splendid.

prächtig, splendid.

die Praxis, practice.

die Predigt, –en, sermon; eine — halten, to preach a sermon.

der Preis, –es, –e, price.

pressen, to press.

der Priester, –s, —, priest, minister.

probieren, to try.

das Probieren, –s, test, trial; es ist nur um ein — zu tun, it is only a question of trying.

der Profes'sor, –s, die Professo'ren, professor (at a university).

promenieren (f.), to promenade, stroll.

die Prosa, prose.

der Prosaversuch, –s, –e, attempt at prose.

prüfen, to examine, test.

prunken, to show off.

das Prusten, –s, violent blowing or snorting (to show vexation); zu einem — aus=holen, to prepare for an exclamation of contempt, vexation or hilarity.

pulsen, to throb, run in one's veins.

der Punkt, –es, –e, dot, point.

das Pünktchen, –s, —, spot, dot.

die Puppe, –n, doll.

der Purpur, –s, purple robe.

pusten, to pant, wheeze.

(sich) putzen, to polish or clean (oneself).

Q

die Qual, –en, pain, agony.

quälen, to torture, torment.

die Qualifikation', –en, qualification.

der Qualm, –es, –e, dense smoke.

die Quelle, –n, spring.

quellen, (i), o, o (f.), to flow, spring.

quer, diagonal, crosswise; kreuz und —, in all directions.

quietschen, to squeak.

quoll, see quellen.

R

der Rabe, –n, –n, raven.

das Rad, –es, ⸚er, wheel; im Rade schwingen, to swing in a circle.

der Rand, –es, ⸚er, edge.

der Rank, –es, ⸚e, (seldom used in the singular), plot, scheme, intrigue; Ränke schmieden, to plot, intrigue.

rann, see rinnen.

rasch, quick, rapid.

der Rasenplatz, –es, ⸚e, lawn, grass plot.

rasseln, to rattle.

der Rassenhaß, –es, race prejudice or hatred; Rassen= und Klassen= haß, race and class prejudice or hatred.

die Rast, rest, repose; — halten, to rest, take a rest.

rasten, to rest.

rastlos, restless, without pause.

der Rat, –es, ⸚e, counselor; councilor.

der Rat, –es, ⸚e or (plur. usually Ratschläge), advice, counsel.

raten, (rät), ie, a, to advise.

das Rathaus, –es, ⸚er, town or city hall.

rätselhaft, puzzling, enigmatic.

rauben, to rob.

der Räuber, –s, —, robber.

der Raubmörder, –s, —, robber who commits murder.

rauchen, to smoke.

die Raufe, –n, feeding rack (for cattle).

der Raum, –es, ⸚e, room, space.

die Raupe, –n, caterpillar, worm.

rauschen, to resound.

(sich)räuspern, to clear one's throat.

die Rebe, –n, vine; wilde —, clematis, lady's bower.

der Rechen, –s, —, garden rake.

recht, right, real; (adv.), quite; — haben, to be right; nichts Rechtes, nothing reliable or definite; zur Rechten, on the right; — behalten, to carry one's point, have the last word; etwas Rechtes, something worth while; es ist mir —, it pleases or is satisfactory to me.

das Recht, –es, –e, right, justice.

die Rechte, the right hand.

die Rechtsprechung, –en, administration of justice.

rechtzeitig (adv.), in due time, at all times.

recken, to stretch, extend.

red' = rede, see reden.

die Rede, –n, speech, talk; keine — sein (von), no prospect or hope (of); eine — halten, to admonish, scold; to make a speech; zur — stellen, to expostulate with, call to account.

reden, to speak formally, discourse, talk.

redlich, honest.

der Redner, –s, —, speaker, orator.

regelmäßig, regular; (adv.), always.

regelrecht, normal, regular.

sich regen, to move, stir.

der Regen, –s, rain.

regen sich auf, see sich auf=regen.

der Regentag, –s, –e, rainy or gloomy day.

die Regierungsform, –en, form of government.

die Region', –en, region, realm.

das Reh, –es, –e, roe, deer.

reich, rich, abundant; die Reichen, rich people.

das Reich, –es, –e, realm, kingdom, nation.

reichen, to reach, hand; go.

reichlich, abundant, exceeding.

der Reichstag, –s, –e, national parliament.

reif, mature, ripe.

der Reigen, –s, —, (folk) dance.

die Reihe, –n, the row, group; die — kommt an ihn, it is his turn.

der Reiher, –s, —, heron.

rein, clean, pure.

reißen, i, i, to tear, rush; (pr. part.) reißend, swift.

reiten, ritt, ist geritten, to ride; Galopp —, to ride at a gallop.

das Reitpferd, –s, –e, saddle horse.

der Rek'tor, –s, Rekto'ren, headmaster, principal.

der Religions'lehrer, –s, —, teacher of religion.

die Rente, –n, rent, income; von seiner — leben, to live on the interest of one's capital.

der Reserveoffizier', –s, –e, reserve officer.

resp. = respektive, respectively.

der Rest, –es, –e, remainder, uneaten portion of food.

retten, to save, rescue.

die Reue, regret, repentance.

reuen, to regret, cause regret to, make one sorry.

(sich) richten (auf or nach), to direct (toward).

richtete sich auf, see sich auf=richten.

richtig, correct, right, real.

rief, *see* rufen, nach=rufen, (sich) zu=rufen.

der Ring, –es, –e, ring.

die Ringelnatter, –n, ring *or* grass snake.

ringen, a, u, to struggle, wring; (*pr. part.*) ringend, struggling.

ringsum, round about.

rinnen, a, o (f.), to run, flow.

riß, *see* reißen, auf=reißen.

risse (*past subj.*), *see* reißen.

der Ritter, –s, —, knight.

der Rock, –es, "e, coat, skirt.

die Rockfalte, –n, skirt fold.

das Rohr, –es, –e, tube, telescope.

das Rohrstöckchen, –s, —, cane; das — kosten, to feel the cane.

rollen (f. *when intrans.*), to roll, run.

der Roman', –s, –e, novel.

rot, red; — werden, to blush.

rotblond, reddish blond.

das Rotkehlchen, –s, —, robin.

rötlich, reddish, ruddy.

der Rotschimmel, –s, —, roan horse.

das Rotschwänzchen, –s, —, red-tail, star-finch.

der Ruck, –es, –e, jerk, sudden movement.

rücken (f. *when intrans.*), to move; jemanden in das Licht —, to put into the limelight, give one a chance to shine.

der Rücken, –s, —, back; sich den — krumm biegen, to bow until one's back remains bent.

die Rückkunft, return.

der Rückschritt, –s, –e, regression, movement backward.

die Rückseite, –n, back.

die Rücksicht, –en, consideration, deference; — üben, to be considerate.

der Ruf, –es, –e, reputation; in den lächerlichen — kommen, to acquire the absurd reputation.

rufen, ie, u, to call.

das Rufen, –s, calling, screaming.

ruft herbei, *see* herbei=rufen.

die Ruhe, rest, quiet.

ruhelos, restless, constantly moving.

ruhen, to rest, stop, be quiet *or* calm.

ruhig, quiet, calm, undisturbed.

rühmen, to commend, praise, laud; von etwas — hören, to hear something highly spoken of.

ruhmvoll, glorious, praiseworthy.

rühren, to move (to tears), affect, touch; sich —, to move, stir.

die Rührung, –en, emotion.

rund, round, chubby.

die Runde, vicinity, neighborhood.

rundum, roundabout, around.

sich rüsten (zu), to prepare *or* get oneself ready (for).

rüstig, vigorous, robust.

die Rüstung, –en, armor, coat of mail.

S

der Saal, –es, die Säle, room, hall.

die Saat, –en, seed, sowing; field (of growing grain).

der Säbel, –s, —, saber, sword.

die Sache, –n, object, matter, thing; die — ist abgetan, the matter is settled; nicht bei der — sein, to be absent-minded *or* inattentive; es tut nichts zur —, it makes no difference.

das Sackmesser, -s, —, pocket knife.

das Sacktuch, -s, "-er (*So. German*), handkerchief.

die Sage, -n, tale, story.

sagen, to say; von Glück — können, to be fortunate.

sah, *see* sehen, an=sehen, auf=sehen, aus=sehen, ein=sehen, empor=sehen, hin=sehen, nach=sehen, zu=sehen.

salbungsvoll, unctuous, pious.

salonmäßig, genteel, highly conventional.

das Salz, -es, -e, salt.

(sich) sammeln, to collect, be collected.

samt (*prep. dat.*), together with.

der Samtanzug, -s, "-e, velvet suit.

das Samtpfötchen, -s, —, soft little paw.

der Sand, -es, sand.

sanft, soft, gentle.

sang, *see* singen.

der Sänger, -s, —, singer, soloist.

sank, *see* sinken, zurück=sinken.

sann, *see* sinnen, nach=sinnen.

sapperlot! (*fam.*), by George! the deuce!

saß, *see* sitzen, beiseit=sitzen, da=sitzen.

satt, satisfied, satiated; sich — essen, to eat one's fill.

der Sattlermeister, -s, —, saddler, harness-maker.

der Satz, -es, "-e, bound, leap; sentence.

sauber, clean.

der Saum, -es, "-e, border, edge, seam; einen — ziehen, to make a border.

schade, es ist — um, it is too bad *or* a pity (about).

der Schade, -ns, -n, *or* der Schaden -s, ", injury, wrong; — leiden, to be injured, suffer injury.

das Schaf, -es, -e, sheep.

schaffen, schuf, geschaffen, to create, do.

das Schaffen, -s, work.

der Schall, -es, -e, sound.

schallen, o, o (*or weak*), to sound.

schallte entgegen, *see* entgegen=schallen.

schalt, *see* schelten.

schämen, to shame, put to shame; sich —, to be ashamed.

scharf, sharp; clear, distinct.

schärfen, to sharpen.

der Scharfsinn, -s, sagacity, acuteness.

der Schatten, -s, —, shadow, shade.

das Schattendunkel, -s, gloomy shade.

der Schatz, -es, "-e, treasure, wealth.

schätzen, to value, appraise; — lassen, to have valued.

schaudern, to shudder; mir schauderte, I shuddered.

schauen (auf), to look (at).

das Schauen, -s, looking.

schauen hinauf, *see* hinauf=schauen.

der Schauer, -s, —, thrill of awe *or* terror.

das Schaufenster, -s, —, show-window, shop-window.

sich schaukeln, to rock, swing, flit.

der Schaum, -es, "-e, foam.

das Schauspielhaus, -es, "-er, theater, play-house.

schaute, *see* schauen, an=schauen,

drein=fchauen, hinein=fchauen, zu=
fchauen.

fchecfig, checkered, mottled.

die Scheibe, –n, window pane.

das Scheidemeffer, –s, —, sheath
knife.

fcheiden, ie, ie, to take leave.

das Scheiden, –s, parting; es geht
ans —, the time for leave-taking
or separating is at hand.

der Schein, –es, –e, light, luster.

fcheinbar, evident, apparent.

fcheinen, ie, ie, to seem, appear.

der Scheitel, –s, —, top or crown
of the head.

der Scheiterhaufen, –s, —, heap of
faggots, stake.

fchelten, (i), a, o, to scold, reprove;
(with double acc.), to call some
one a name.

fchenfen, to present, give.

die Scheologie = Geologie, geology.

die Schere, –n, scissors.

fcheu, shy, timid.

die Scheu, shyness, timidity.

fcheuchen, to drive away.

fcheuen, to be afraid of.

fchicfen, to send; fich etwas — laffen,
to order, have something sent.

das Schicffal, –s, –e, fate, destiny.

fchicfte fich an, see fich an=fchicfen.

fchieben, o, o, to shove, push.

fchielen, to look (at an angle),
squint, cast a stolen glance.

fchien, see fcheinen.

fchiene (past subj.), see fcheinen.

die Schiene, –n, splint.

fchienen, to splint, to put into
splints.

fchießen, o, o, to shoot, dart.

das Schiff, –es, –e, ship, boat.

der Schiffsjunge, –n, –n, cabin-boy.

der Schiffsrand, –s, ⸚er, rail or
edge of the ship.

die Schilderung, –en, description,
portrayal.

das Schilf, –es, –e, reed grass.

fchillern, to change colors, glitter.

der Schimmer, –s, glare, gleam.

fchimmern, to shine, gleam, glisten.

fchimpfen, to scold, curse.

die Schlachtbanf, ⸚e, slaughtering
bench, shambles.

der Schlächter, –s, —, butcher.

der Schlaf, –es, sleep.

fchlafen, (ä), ie, a, to sleep.

das Schlafengehen, –s, going to
sleep; zum — mahnen, to suggest
that it is time to retire.

fchlaflos, sleepless.

der Schlag, –es, ⸚e, blow, stroke;
mit einem —, at one stroke,
all at once.

fchlagen, (ä), u, a, to strike; (pr.
part.) fchlagend, convincing.

fchlägt, see fchlagen, zu=fchlagen.

fchlagwortartig, slogan-like.

die Schlange, –n, snake, serpent;
es war der — nicht recht, it was
not pleasing to the serpent.

fchlau, shrewd.

fchlecht, bad, poor in quality;
nichts Schlechtes, nothing bad or
wrong.

die Schlechtigfeit, –en, evil, villainy.

fchleichen, i, i (f.), to sneak, slip,
creep.

fchlenderte zurücf, see zurücf=fchlen=
dern.

fchlenfern, to swing, toss; mit den
Armen —, to swing or flourish
one's arms.

schleppte fort, *see* fort=schleppen.

schleudern, to throw, hurl.

schleuderte hinaus, *see* hinaus=schleudern.

schleunigst (*superl.* of schleunig, speedy, prompt), (*adv.*), without delay.

schlich heran, *see* heran=schleichen.

schlicht, simple, plain.

die Schlichtheit, simplicity.

schlief ein, *see* ein=schlafen.

schließ = schließe, *see* schließen.

schließen, o, o, to close.

schließlich, finally, after all.

schlimm, evil, bad.

das Schlitzauge, –s, –n, slit eye.

das Schloß, –es, ⸚er, castle.

der Schloßhof, –s, ⸚e, inner court of a castle.

die Schlucht, –en, gorge, canyon.

das Schluchzen, –s, sobbing.

der Schluck, –es, –e or ⸚e, swallow, draught.

schlug, *see* schlagen, auf=schlagen, über=schlagen, zu=schlagen, zusammen=schlagen.

der Schlüssel, –s, —, key.

schmachvoll, disgraceful.

die Schmähung, –en, abuse, insult.

schmal, narrow, slender.

das Schmalz, –es, fat, lard.

schmausen, to feast, eat heartily.

schmecken (*dat.*), to taste (good).

schmeicheln, to flatter, caress; sich — lassen, to let oneself be caressed.

der Schmeichler, –s, —, flatterer.

schmeißen, i, i (*fam.*), to throw.

der Schmerz, –es, –en, pain, grief, agony.

schmerzen, to pain, be painful, hurt; (*pr. part*), schmerzend, painful.

schmerzhaft=nüchtern, painfully sober.

schmerzlich, painful.

der Schmetterling, –s, –e, butterfly.

schmieden, to forge; plan; Ränke —, to plot, intrigue.

sich schmiegen (an), to press close (to).

sich schmücken, to adorn, ornament.

schmunzeln, to smirk, smile (egotistically).

das Schmunzeln, –s, smirking, egotistical smiling.

schmutzig, dirty, grimy.

der Schnabel, –s, ⸚, bill, beak.

schnappen (nach), to snap (at).

schnattern, to cackle, chatter.

schnauben, to pant; (*pr. part.*) schnaubend, panting.

die Schnauze, –n, mouth (*of an animal*), snout.

der Schnee, –s, snow.

die Schneegans, ⸚e, snow-goose; silly girl.

die Schneeschmelze, –n, melting of snow.

schneeweiß, snow-white.

das Schneewittchen, –s, Little Snow-white.

schneiden, schnitt, geschnitten, to cut; Grimassen —, to make faces.

schnell, quick.

die Schnelle, speed, rapidity.

schnellen empor, *see* empor=schnellen.

schnellte auf, *see* auf=schnellen.

schnitt, *see* schneiden.

der Schnitt, –es, –e, cutting, crop.

schnitzen, to carve, whittle, cut.

schnöde, vile, contemptible; schnödes Geld, filthy lucre.

schnüren, to tie, bind.

schnürte zusammen, *see* zusammen=schnüren.

schob, *see* schieben, zu=schieben.

die Schokola'de, –n, chocolate.

scholl, *see* schallen.

schon, already; you may be sure, indeed; bereits —, indeed ... already.

schön, beautiful, fine; etwas Schönes, something beautiful; immer schöner, more and more beautiful.

die Schönheit, –en, beauty.

schöpfen (aus), to dip *or* draw (from).

der Schöpfer, –s, —, creator.

schöpferisch, creative.

die Schöpfung, –en, creation.

der Schoß, –es, ⁼e, lap.

schoß, *see* schießen, los=schießen.

der Schrank, –es, ⁼e, cabinet, cupboard.

der Schranz(e), –n, –n, servile courtier, sponger.

die Schraube, –n, screw.

der Schreck, –es, –e, *or* der Schrecken, –s, —, fright, terror; in — setzen, to frighten.

schrecklich, terrible, frightful.

der Schrei, –es, –e, scream, shriek.

schreiben, ie, ie, to write.

der Schreiberposten, –s, —, position of clerk *or* secretary.

schreien, ie, ie, to scream, hoot; zum Himmel hinauf —, to cry to heaven.

das Schreien, –s, screaming.

schrie, *see* schreien, auf=schreien, an=schreien, entgegen=schreien.

schrieb, *see* schreiben.

der Schriftsteller, –s, —, writer.

schriftstellerisch, literary.

das Schrifttum, –s, literature, literary world.

schrillen, to scream.

der Schritt, –es, –e, step, pace; einen — machen, to take a step.

der Schuft, –es, –e, scoundrel, wretch.

die Schufterei, –en, villainy, rascality.

der Schuh, –es, –e, shoe.

die Schulaufgabe, –n, assignment, home work.

schuldig, guilty.

die Schule, –n, school.

der Schüler, –s, —, pupil.

der Schulhof, –s, ⁼e, school yard, playground.

der Schulplatz, –es, ⁼e, school playground.

der Schultag, –s, –e, school day.

die Schulter, –n, shoulder; die Schultern zucken, to shrug one's shoulders.

das Schulzeugnis, –ses, –se, school report, report card.

die Schüssel, –n, dish, platter, tureen.

der Schuster, –s, —, cobbler, shoemaker.

schütteln, to shake, tremble; (*pr. part.*) schüttelnd, shaking; sich —, to shake oneself.

schüttern, to shake, tremble.

schützen, to protect; läßt sich —, may *or* can be protected.

der Schützling, –s, –e, pet, protegé.

der Schutzmann, –s, —leute, policeman.

(das) Schwaben, Swabia.

schwach, weak; — gefärbt, dull-colored.

die Schwäche, –n, weakness, weak condition; fault.

schwächen, to weaken.

schwächer (*comp. of* schwach), weaker, feebler.

der Schwager, –s, ͏̈, brother-in-law.

die Schwalbe, –n, swallow.

schwamm, *see* schwimmen, hin-schwimmen.

schwand, *see* schwinden.

schwang, *see* schwingen, auf-schwingen.

schwanken, to rock, move to and fro.

der Schwanz, –es, ͏̈e, tail.

die Schwanzfeder, –n, tail-feather.

schwapps! swish! whack!

schwarz, black, dark.

das Schwarz, –es, black, darkness; oblivion.

schwarzbefrackt, clothed in black, black-coated.

der Schwarzwaldberg, –s, –e, hill of the Black Forest.

schweben, to be suspended, float (in the air).

schwebte herein, *see* herein-schweben.

der Schweif, –es, –e, tail.

schweifwedelnd, wagging his tail.

schweigen, ie, ie, to be silent, say nothing.

das Schweigen, –s, silence, being silent.

schweigsam, silent, reserved.

das Schwein, –es, –e, hog.

der Schweiß, –es, sweat, perspiration.

die Schwelle, –n, doorstep, threshold.

schwenken, to swing, whirl.

schwer, heavy, difficult, hard; es fällt mir —, it is difficult for me.

die Schwester, –n, sister; eine — von mir, a sister of mine.

schwieg, *see* schweigen.

der Schwiegersohn, –s, ͏̈e, son-in-law.

schwierig, difficult.

die Schwierigkeit, –en, difficulty.

schwimmen, a, o (f.), to swim.

schwimmt dahin, *see* dahin-schwimmen.

schwinden, a, u (f.), to disappear, vanish.

schwindlig, dizzy.

schwingen, a, u, to swing; im Rade —, to swing in a circle.

schwingen sich empor, *see* sich empor-schwingen.

die Schwingung, –en, swinging.

schwirren (f.), to whir.

schwirrte, *see* schwirren, davon-schwirren, hin und her-schwirren.

schwören, o, o, to swear, take oath, vow.

schwunghaft, flourishing.

sechs, six.

sechshundertfünfundsiebzigst–, six hundred seventy-fifth.

sechst–, sixth.

sechzehn, sixteen.

sechzig, sixty.

der See, –s, –n, lake; Starnberger — or Würmsee, *a lake in the southern part of Bavaria.*

die Seele, –n, soul.

die Seelenqual, –en, agony of soul.

seelenvergnügt, overjoyed.

die Seeleute, *see* Seemann.

der **Seemann**, –s, —männer *or* —leute, seaman, mariner.

der **Segen**, –s, —, blessing.

der **Segenshauch**, –s, spell, benediction.

segnen, to bless.

sehen *or* **sehn**, (ie), a, e, to see, look; nach jemandem —, to look after *or* wait upon some one.

sehen her, *see* her=sehen.

das **Sehen**, –s, seeing, appearance; vom — aus, by sight.

die **Sehkraft**, ⸚e, sight, vision.

sehnen, to long, yearn.

die **Sehnsucht** (nach), longing (for).

sehnsüchtig, longing.

sehr, very, very much, intensely.

sei, *see* sein.

seicht, shallow.

seid, *see* sein.

das **Seidenpapier'**, –s, –e, tissue-paper.

der **Seidenweber**, –s, —, silk weaver.

das **Seil**, –es, –e, rope, cable.

sein, seine, sein (*pos. adj.*), his, its; seiner, seine, seins (*pos. pron.*), his, its.

sein, (ist, *pr. subj.* sei), war, ist gewesen, to be; (*with dat.*), to seem; (*as aux.*), to have; (*with* zu + *inf.*), to be + *passive inf.* (war zu finden, was to be found); es ist keine Rede davon, there is no prospect *or* hope of it; es ist mir gleich, it is all the same to me, it makes no difference to me; außer sich (*dat.*) —, to be beside oneself; nicht bei der Sache —, to be absent-minded, inattentive; einer Ansicht

—, to be of an opinion; es ist mir leichter, I feel relieved; mit jemandem zu Ende —, to be all over with some one; darauf aus —, to be intent upon; zu Mute *or* zumute —, to feel.

seinetwegen, on his account.

seit (*dat.*), since.

die **Seite**, –n, side, page.

seither, since, ever since.

seitwärts, sidewise, toward one side.

die **Sekun'da**, *class in the gymnasium corresponding to the senior class in high school.*

selber, oneself.

selbig–, same.

selbst, self (*intensive after names or pronouns*, ich —, I myself); (*before a noun or pron.*), even.

die **Selbstsucht**, selfishness, egotism.

selbsttätig, spontaneous.

selig, holy, happy.

die **Seligkeit**, –en, happiness, joy.

selten, unusual, rare; seldom.

seltsam, strange, queer.

der **Semesteranfang**, –s, ⸚e, beginning of the semester.

das **Seminar'**, –s, –e *or* –ien, seminar, seminary.

die **Seminar'arbeit**, –en, seminar work.

senden, sandte *or* sendete, gesandt *or* gesendet, to send.

sengen, to singe, burn.

(sich) **senken**, to lower, put down; sich heben und —, to heave, rise and fall.

Sepp = Joseph, Joe.

der **Sessel**, –s, —, easy-chair, stool.

setzen, to set, put; von Gott ge=

setzt, ordained by God; sich —, to sit down, seat oneself; lodge, become fastened; sich zu Tische —, to sit down to a meal; sich in Bewegung —, to begin to move, start on; in Schrecken —, to frighten.

setzte, see setzen, auf=setzen, aus= einander=setzen, hinzu=setzen.

seufzen, to sigh, groan.

der Sezier'tisch, -es, -e, dissecting table.

sich (reflex. pron.), self; each other; bei — essen, to eat at home.

sicher, certain, sure.

sicherlich, surely, certainly.

sieben, seven.

siebzehn, seventeen.

der Sieg, -es, -e, victory.

der Sieger, -s, —, victor, con- queror.

sieh(e) (imperative of sehen), see also an=sehen.

sieh(s)t, see sehen, aus=sehen, hin= aus=sehen.

der Silberfaden, -s, ⸚ or —, silver thread.

silberhell, silvery, silver-toned.

das Silberlicht, -s, -er, silver light.

der Silberlöffel, -s, —, silver spoon.

silberplattiert', silver-plated.

singen, a, u, sing.

das Singen, -s, singing.

der Singvogel, -s, ⸚, song bird.

sinken, a, u (s.), to sink.

der Sinn, -es, -e, mind, sense, meaning; es wird ihm bange zu Sinne, he becomes afraid.

sinnen, sann, gesonnen, to think, reflect.

der Sitz, -es, -e, seat.

sitzen, saß, gesessen, to sit; (occasion- ally used in South Germany with aux. sein).

die Skizze, -n, sketch.

so, so, thus; then; so? is that so? nur —, just; — etwas or — was, something of that sort.

sobald, as soon as.

sofort, at once, immediately.

sogar, even.

sogleich, at once.

der Sohn, -es, ⸚e, son.

das Söhnchen, -s, —, little son, sonny.

solange, so long as.

solcher, solche, solches, such, such a.

solcherlei, such.

der Soldat', -en, -en, soldier.

soll, see sollen.

sollen, (soll), sollte (subj. sollte), gesollt, to be obliged (morally), be reputed, rumored or in- tended; (past subj.), ought.

der Sommer, -s, —, summer; im —, in summer.

sommerlich, summery.

sonderbar, curious, strange; etwas Sonderbares, something strange.

sondern (coörd. conj.), but (after a negative).

die Sonne, -n, sun, sunshine.

das Sonnenland, -s, ⸚er, land of sunshine.

das Sonnenlicht, -s, sunlight.

der Sonnenschein, -s, sunshine.

der Sonnentag, -s, -e, sunny or bright day.

der Sonntag, -s, -e, Sunday; Sonntags, on Sundays.

der Sonntagnachmittag, -s, -e, Sunday afternoon.

ſonſt, otherwise, else.

die Sorge, —n, care, sorrow; **ſich keine — machen,** not to worry *or* be anxious.

ſorgen (um), to care (for), worry (about).

ſorgengetränkt, care-laden.

das Sorgenkind, —s, —er, child of sorrow.

der Sorgenſtein, —s, —e, stone of sorrow.

die Sorgfalt, care, diligence.

ſoviel, so much; **— . . . auch,** however much.

ſowie (*subor. conj.*), as soon as.

ſowieſo, anyhow, in any event.

ſozial', social.

ſpähen, to gaze.

der Spalt, —es, —e, crack, opening, fissure.

ſpannen, to stretch, thrill; (*pr. part.*) **ſpannend,** thrilling, intense.

die Spannung, —en, tenseness, suspense.

die Sparkaſſe, —n, savings bank.

der Spaß, —es, —e, fun, pleasure, joke; **aus —,** for a joke, in fun.

ſpaßhaft, funny, droll.

ſpät, late; (*comp.*) **ſpäter,** later, afterward; **ſpäter daran ſein,** to be late in doing something.

der Spaten, —s, —, spade.

der Spatz, —en, —en, sparrow.

ſpazieren (ſ.), to walk, stroll; **— gehen,** to go walking.

der Speicher, —s, —, granary.

die Spelun'ke, —n, thieves' den, disreputable tavern.

der Sperling, —s, —e, sparrow.

der Spiegel, —s, —, mirror.

ſpiegelblank, smooth as a mirror.

das Spiel, —es, —e, game; playing, music of an instrument; **gewonnenes — haben,** to have the best of it, have no further difficulty; **ſein — treiben,** to act, carry on.

ſpielen, to play.

das Spielen, —s, play, playing; **beim —,** at play.

die Spieluhr, —en, chime-clock.

die Spielwarenhandlung, —en, toy shop.

der Spieß, —es, —e, spear; horn.

die Spinne, —n, spider.

das Spinnennetz, —es, —e, spider web.

die Spinnwebe, —n, spider web.

ſpitz, pointed, sharp.

der Spitzbub(e), —en, —en, thief, rogue.

ſpitzen, to point; **die Ohren —,** to prick up one's ears.

der Spitzhund, —s, —e, spitz, Pomeranian.

ſpitzig, pointed; **einen ſpitzigen Mund machen,** to round one's lips.

ſplendid', splendid, extravagant.

der Spott, —es, derision, scorn; **— treiben,** to deride, make fun of.

ſpöttiſch, scornful, derisive.

ſprach, *see* ſprechen, hin=ſprechen.

die Sprache, —n, speech, language.

ſprang, *see* ſpringen, auf=ſpringen, empor=ſpringen, herum=ſpringen, hinauf=ſpringen, hinein=ſpringen.

ſpränge hinaus, *see* hinaus=ſpringen.

ſprechen, (i), a, o, to speak.

ſprich(t), *see* ſprechen.

ſpringen, a, u (ſ.), to leap, jump; **über Stock und Stein —,** to run

over stick and stone, straight
across country.

fpritzte hinweg, *see* hinweg=fpritzen.

der Sproß, –es, –e, offshoot, twig;
ein falfcher —, a superfluous
offshoot.

der Sprung, –es, "e, leap.

das Spülfaß, –es, "er, slop pail,
garbage can.

der Spülicht, –s, –e, garbage.

fpülte hinweg, *see* hinweg=fpülen.

die Spur, –en, trace, track.

fpüren, to feel, perceive; Boden
mit den Füßen —, to set foot on
the ground *or* floor.

der Staat, –es, –en, state, nation.

ftaatlich, pertaining to the state;
ftaatliche Einrichtungen, public
institutions.

der Staatsdienft, –es, –e, service of
the state.

der Staatskonfurs, –es, –e, state
competitive examination; den
— machen, to take the state
competitive examination.

der Stachel, –s, —, sting.

die Stadt, "e, city, town.

das Städtchen, –s, —, small
town.

der Städter, –s, —, inhabitant of a
city.

die Stadtfirche, –n, city church.

der Stadtfirchplatz, –es, "e, public
square opposite the city church.

der Stadtfutfcher, –s, —, city
coachman.

der Stahl, –es, steel.

ftählern, steel, made of steel.

der Stall, –es, "e, barn, stable.

der Stamm, –es, "e, race, tribe.

ftammeln, to stammer.

ftammverwandt, related, of the
same stock *or* race.

ftand, *see* ftehen, bei=ftehen, ftill=
ftehen.

ftand=halten, (hält ftand), ie, a (*dat.*),
to hold out, withstand.

der Standpunft, –s, –e, standpoint.

ftarb, *see* fterben.

ftarf, strong; (*adv.*), intensely, very
much; zu — hervor=heben, to
make too obvious.

die Stärfe, –n, strength, vigor.

ftärfen, to strengthen.

ftärfer (*comp. of* ftarf), stronger.

ftarr, stiff, rigid, fixed; — vor
Bewunderung, dumbfounded.

ftarren, to stare.

ftarrte, *see* ftarren, drein=ftarren,
an=ftarren.

die Station', –en, station, institution.

ftatt = anftatt, instead of.

ftattlich, splendid, fine.

der Staub, –es, dust.

ftaunen, to be astonished, marvel.

das Staunen, –s, astonishment;
vor —, with *or* on account of
astonishment.

ftechen, (i), a, o, to stick, stab,
thrust, sting.

ftechen aus, *see* aus=ftechen.

ftecfen, to stick, put; be.

ftehen, ftand, (*past subj.*) ftünde *or*
ftände), geftanden, to stand, be;
(*pr. part.*) ftehend, standing; —
bleiben, to stop; in guter Aus=
ficht —, to have good prospects;
ftille —, to stop, be at rest;
einem frei —, to be possible, to
have a choice.

ftehlen, (ie), a, o, to steal; fich ins

Bett —, to slip into bed un-noticed.

stehn = stehen.

die Steiermark, *Styria, an Austrian province, the capital of which is Graz, about* 100 *miles south-west of Vienna.*

steigen, ie, ie, (f.), to climb, rise.

der Stein, –es, –e, stone; über Stock und — springen, to run over stick and stone, straight across country.

der Steinhaufen, –s, —, heap of stones.

die Stelle, –n, place, spot; position, employment.

(sich) stellen, to put, place, stand (*vertically*); vor Gericht —, to bring to trial; zur Rede —, to expostulate with, call to account.

stellte sich hin, *see* sich hin=stellen.

der Stelzfuß, –es, ⁼e, wooden leg.

stemmen, to push, press.

sterben, (i), a, o (f.), to die; das Wort „Sterben," the word "die."

das Sterben, –s, dying, death.

der Stern, –es, –e, star.

das Sternenbüschel, –s, —, cluster.

der Sterngucker, –s, — (*fam.*), star-gazer, astronomer.

die Sternwarte, –n, observatory.

stets, constantly, continually.

das Steuer, –s, —, helm, rudder.

der Stich, –es, –e, prick, sting; im —(e) lassen, to leave in the lurch, forsake, desert; es geht ihm ein — durchs Herz, he has a sudden feeling of remorse.

stichst zu, *see* zu=stechen.

stieben, o, o, to fly about; drizzle.

die Stiefmutter, ⁼, stepmother.

stieg, *see* steigen, auf=steigen, empor=steigen, hinab=steigen, hinauf=steigen.

die Stiege, –n, stairs, staircase.

stiehlt, *see* stehlen.

stieß, *see* stoßen, aus=stoßen, hin=stoßen.

der Stift, –es, –e, pencil.

still(e), quiet, peaceful; — stehen, to stop, be at rest; der Stille Ozean, the Pacific Ocean.

die Stille, silence.

still=gehalten, *see* still=halten.

still=halten, (hält still), ie, a, to hold still; still=gehalten (*past part. used as imperative*), hold still.

still=stehen, stand still, still=gestanden, to stop, pause.

das Stimmchen, –s, —, (little) voice.

die Stimme, –n, voice.

stimmen, to arouse a mood; be in accordance, fit, agree; andächtiger —, to make more reverent.

stimmte zu, *see* zu=stimmen.

die Stimmung, –en, feeling, mood, mental state.

die Stimmungsmalerei, mood-painting.

stimmungsvoll, emotional, buoyant, spirited.

die Stirn, –en, forehead, brow.

stob, *see* stieben.

der Stock, –es, ⁼e, story (of a building); stick, staff; über — und Stein springen, to run over stick and stone, straight across country.

stocken, to stop, stand stock-still, hesitate.

das Stockwerk, –s, –e, story (of a building).

stöhnen, to moan, groan.

stolz (auf), proud (of).

stören, to disturb.

störrig, stubborn, restive, balky.

die Störung, –en, disturbance, interruption.

der Stoß, –es, ⸗e, thrust, push.

(sich) stoßen, (ö) ie, o, to push or thrust; mit dem Fuße —, to kick.

die Strafanstalt, –en, penal institution, prison.

die Strafe, –n, punishment, penalty; zur —, as a punishment.

strafen, to punish.

der Strahl, –es, –en, beam, ray.

strahlen, to shine, radiate, beam; (pr. part.) strahlend, brilliant.

strählen (So. German), to comb.

der Strahlenglanz, –es, effulgence, radiant splendor.

der Strandweg, –s, –e, road or walk along the bank of a body of water.

die Straße, –n, street, way, highway.

der Strauch, –es, ⸗er or ⸗e, bush, shrub.

der Strauß, –es, –e, ostrich.

streben, to strive.

sich strecken, to be stretched or reached.

streckte, see strecken, aus⸗strecken, hervor⸗strecken.

streicheln, to stroke.

streichen, i, i, to stroke.

der Streit, –es, –e, quarrel, controversy.

streng, stern, severe.

die Strenge, sternness, severity.

strich, see streichen.

stricken, to knit.

das Stroh, –es, straw.

der Strohsack, –s, ⸗e, straw-mattress.

der Strom, –es, ⸗e, stream, river, current.

der Strumpf, –es, ⸗e, stocking, sock.

die Stube, –n, room, house.

das Stubenfenster, –s, —, window (of a room).

das Stück, –es, –e, piece, part; ein blankes —, a bright coin; ein — Brot, a piece of bread; ein gutes or schön(es) — Geld, a nice sum of money; ein — (Vieh), head (of cattle), animal.

das Stückchen, –s, —, small piece.

der Student', –en, –en, student (at a university).

studieren, to study.

das Studium, –s, Studien, study.

die Stufe, –n, step, stair.

der Stuhl, –es, ⸗e, chair.

die Stülpnase, –n, turned-up or pug nose.

stumm, dumb, speechless, silent.

stumpf, dull, stupid.

die Stunde, –n, hour, lesson, recitation; eine geschlagene —, a full hour; bis zur —, up to the present hour.

stünde (past subj. of stehen), were standing, should or would stand.

das Stündlein, –s, —, short space of time.

der Sturm, –es, ⸗e, gale, storm.

stürmen, to storm, dash.

stürmisch, stormy, impetuous, wild.

der Sturmwind, –s, –e, heavy gale.

(sich) stürzen, to throw or cast (oneself); gush.

stürzte, *see* stürzen, (sich) hin=stürzen, nieder=stürzen, zu=stürzen.

stutzen, to be taken aback, be dumbfounded.

suchen, to seek, look for; attempt, try.

suchte, *see* suchen, ab=suchen, auf= suchen, durch=suchen.

der Süden, –s, south.

südlich, southern.

der Südwind, –s, –e, south wind.

der Sultan, –s, –e, sultan; (dog's name) Sultan.

summen, to hum, buzz.

das Summen, –s, humming, buzz- ing.

die Sünde, –n, sin.

das Sünderpaar, –s, –e, pair who sinned.

süß, sweet.

die Sympathie', sympathy.

T

die Tafel, –n, dining table; slate, blackboard.

das Tafelgestell, –s, –e, blackboard rack.

der Tag, –es, –e, day; nach Jahr und —, *see* Jahr; in alten Tagen, in old age; — für —, day after day; guten —, good day, how do you do? den — über, through- out the day; alle Tage, every day.

die Tageshelle, daylight.

das Tageslicht, –s, daylight; beim —, in the daylight, by daylight.

das Tagewerk, –s, –e, daily task, day's work.

täglich, daily, every day.

tagsüber during the day.

der Takt, –es, –e, time, rhythm.

das Tal, –es, ⸗er, valley; zu — downward.

der Talar', –s, –e, robe (of a clergy- man).

talentiert', talented.

der Tanz, –es, ⸗e, dance.

tanzen, to dance.

das Tanzen, –s, dancing.

der Tänzer, –s, —, dancer.

die Tänzerin, –nen, dancer (*fem.*).

das Tanzfest, –es, –e, dancing party.

die Tanzjungfer, –n, dance-maiden.

tanzte herum, *see* herum=tanzen.

tapfer, brave.

die Tasche, –n, pocket.

die Tasse, –n, cup.

tasten (nach), to touch, feel, grope (for); sich — (bis zu), to grope one's way (to).

tat, *see* tun, auf=tun.

die Tat, –en, deed; in der —, in- deed, really.

täte (*past subj.*), *see* tun.

tatenkräftig, capable, vigorous.

tätig, active, employed.

die Tätigkeit, –en, activity.

die Tatsache, –n, fact.

tatsächlich, in fact, really.

tätscheln, to fondle, stroke, pat.

der Tau, –es, dew.

die Taube, –n, dove, pigeon.

taucht auf, *see* auf=tauchen.

der Taumel, –s, ecstasy, intoxica- tion.

täuschen, to deceive; (*pr. part.*) täuschend, deceiving, deceptive.

tausend, thousand.

tausendmal, a thousand times.

der Teer, –es, –e, tar.

der Teil, –es, –e, part, share.

teil=genommen, *see* teil=nehmen.

teilnahmlos, indifferent, unconcerned.

teil=nehmen, (nimmt teil), nahm teil, teil=genommen, to share, take part.

teils, in part.

das Teilstück, –(e)s, –e, part, phase.

die Telegraphie', telegraphy.

der Teller, –s, —, plate, platter.

teuer (teur–) (*with dat. or rarely acc.*), expensive, dear, treasured.

teuflisch, fiendish.

das Thea'ter, –s, —, theater.

das Thema, –s, Themen *or* Themata, theme, subject.

die Theorie', –n, theory.

der Thron, –es, –e, throne.

tief, deep; sich am tiefsten verneigen, to bow most obsequiously; ins tiefste Herz hinein, to the very bottom of his heart.

die Tiefe, –n, depth.

tiefgläubig, credulous, pious.

das Tier, –es, –e, animal.

die Tier= und Blumenwelt, fauna and flora.

das Tierchen, –s, —, little animal, creature.

das Tierlein, –s, —, little animal, creature.

Tiroler (*proper adj.*), Tyrolese, of Tyrol.

der Tisch, –es, –e, table; bei Tische sein (sitzen), to dine; sich zu Tische setzen, to sit down to a meal.

tobte aus, *see* aus=toben.

die Tochter, –, daughter.

der Tod –es, death; zu Tode sengen (arbeiten), to singe (work) to death; des gleichen Todes sterben, to die in the same manner.

die Todesangst, –e, fear of death, terror.

die Todesnacht, –e, night *or* darkness of death.

der Todesschlaf, –s, sleep of death.

toll, mad, wild; nonsensical; am tollsten, in the wildest manner.

der Ton, –es, –e, tone, musical note.

tönen, to sound, play.

das Tor, –es, –e, entrance, gate; draußen vor dem Tore, out in the country.

die Torheit, –en, folly, foolishness.

töricht, foolish, silly.

tot, dead, deceased.

der Tote, the dead person.

töten, to kill.

tot=getreten, *see* tot=treten.

tot=treten, (tritt tot), a, e, to trample to death.

der Träge, the lazy *or* idle person.

tragen, (ä), u, a, to wear, carry, bear, have; Verlangen — (nach), to have a desire (for); sich mit einem Plane —, to cherish *or* entertain a plan; sich — lassen, to have oneself carried.

der Träger, –s, —, carrier, central figure, exponent.

tragisch, tragic.

das Tragseil, –s, –e, (supporting) cable.

träg(ſ)t, *see* tragen.

die Träne, –n, tear.

trank, *see* trinken.

trat, *see* treten, ein=treten, hinaus= treten, hinzu=treten, über=treten, vor=treten, zurück=treten.

trauen (*dat.*), to trust; sich —, to dare, venture.

träufeln, to drop, drip.

der Traum, –es, ⸺e, dream.

träumen, to dream.

traurig, sad, sorry; an Traurigem, of sad events.

die Traurigkeit, sadness.

traut, loving.

treiben, ie, ie (f. *when intrans.*), to drive, carry on, do; fein Wesen —, to carry on one's work; fein Spiel —, to act, carry on.

(fich) trennen, to separate, part, obtain a divorce.

die Treppe, –n, stair, stairway.

treten, (tritt), a, e (f.), to step, tread, come.

treu, faithful.

trieb, *see* treiben, hin und her=treiben.

der Triller, –s, —, trill.

trinken, a, u, to drink.

das Trinken, –s, drinking.

der Trinker, –s, —, drinker, drunkard.

tritt, *see* treten, auf=treten, heran=treten.

der Tritt, –es, –e, tread, step, push with the foot.

der Triumph', –s, –e, triumph, success.

trocken, dry.

trommeln, to drum.

der Tropfen, –s, —, drop.

der Trost, –es, consolation, comfort.

trösten, to console.

trostlos, disconsolate, wretched.

der Trotz, –es, defiance, stubbornness.

trotz (*gen.*), in spite of.

trotzdem, in spite of this; although.

trotzig, defiant.

trüb(e), turbid, dark, sad, melancholy; das Trübe, state of gloom.

trübselig, gloomy, forlorn, sad.

trug, *see* tragen, entgegen=tragen.

der Trunkenbold, –s, –e, drunkard.

die Truppe, –n, troop.

Tschitschi, *name given the swallow in imitation of its call.*

tu' = tue, *see* tun.

das Tuch, –es, ⸺er, cloth, handkerchief.

tüchtig, vigorous, energetic, skillful.

die Tüchtigkeit, vigor, virility.

tückisch, treacherous.

die Tugend, –en, virtue.

fich tummeln, to bestir oneself, move about, scuffle.

tun, (tut), tat, getan, to do, put, act; einen Atemzug —, to take a breath; fich gütlich —, to enjoy, feast; ihre Wirkung —, to have their effect; es tut mir leid, I am sorry; ich tue es ihm zuliebe, I do it for his sake *or* in deference to him; zuleid(e) — (*dat.*), to harm, injure; es mit jemandem zu — haben, to have dealings with some one; es tut nichts zur Sache, it makes no difference; es ist nur um ein Probieren zu —, it is only a question of trying.

die Tür, –en, door.

die Türschwelle, –n, doorsill, step, threshold.

U

ü, üüüh ! (*sound of crowing*), e, eeeh !

übel, bad, ill.

das Übel, –s, —, evil, ills.

der Übeltäter, –s, —, evildoer.

üben, to practice; Rücksicht —, to be considerate.

über (dat., acc.), over, about, concerning; den Tag —, throughout the day.

über (sep. or insep. pref.), over; (adv.) — und —, round and round, all over.

überall, everywhere.

der or das Überbleibsel, –s, —, remainder, scraps, leavings.

der Überbringer, –s, —, deliverer, bearer.

überhaupt, in general, at all, anyhow; — keine Arbeit, no work at all.

die Überhe'bung, –en, presumption, immunity.

überhei'zen, to overheat; (past part.) überheizt, exaggerated.

überkam's = überkam es, see überkommen.

überkom'men, überkam, überkommen, to come over, overwhelm, overtake.

überlas'sen, (ä), ie, a, to leave, give up.

überle'gen, to consider, meditate; sich etwas —, to consider or stop to think about something.

überlie'fern, to deliver, give over.

der Ü'bermut, –s, exuberance of joy, excessive happiness, spirit of mischief.

übermütig, exuberant, haughty.

überneh'men, (übernimmt), übernahm, übernommen, to take over, assume.

überra'schen, to surprise.

die Überre'dung, persuasion.

sich über=schlagen, (ä), u, a, to tumble over.

übersch'en, (ie), a, e, to overlook, disregard, look out upon.

überset'zen, to translate.

überströ'men, to deluge, flood.

die Übertrei'bung, –en, exaggeration.

über=treten, (tritt über), a, e (s.), to be submerged, overflow.

überwäl'tigen, to overcome.

überwe'hen, to blow over, fan.

der Überwin'der, –s, —, victor, winner (in a contest).

(sich) überzeu'gen, to convince (oneself).

überzie'hen, überzog, überzogen, to coat, paint.

übrig, over, remaining, other; — lassen, to leave (over); nicht viel — haben (für), not to care (for), have little regard (for).

übrigens, moreover.

das Ufer, –s, —, bank, shore.

die Uhr, –en, watch, clock.

die Uhrkette, –n, watch chain.

um (acc), around, about, with, for; einen Tag — den andern, on alternate days; — jemanden sein, to associate with some one; — und —, around and around, over and over; — nichts freundlicher, not a whit more friendly; je mehr ... um so, the more ... the more; — zu + inf., in order to; (sep. or insep. pref.), around.

um ... willen (gen.), on account of.

um= und durcheinander, pell-mell, jumbled together.

sich um=drehen, to turn around, look back.

um=fallen, (ä), ie, a (f.), to fall down *or* over.

umfaf´fen, to embrace.

der Um´gang, –s, ⸚e, association, companionship.

fich um=gedreht, *see* fich um=drehen.

um=gegraben, *see* um=graben.

um=gekehrt (*past part. of* um= kehren), inversely, vice-versa.

um=graben, (ä), u, a, to dig over.

umher, round about.

umher=gefprungen, *see* umher=fprin= gen.

umher=irren (f.), to wander about.

umher=laufen, (äu), ie, au (f.), to run to and fro *or* about.

umher=läuft, *see* umher=laufen.

umher=fpringen, a, u (f.), to leap *or* run about.

um=kehren (f. *when intrans.*), to reverse, turn around.

umkle´ben, to glue, stick around.

um=kommen, kam um, ift um=ge= kommen, to perish, lose one's life.

umrin´gen, to surround.

die Um´ficht, discretion, insight.

der Um´ftand, –s, ⸚e, circumstance; ohne Umftände, unceremoniously; unter Umftänden, under certain circumstances.

die Um´welt, world (around us).

(fich) um=wenden, wendete *or* wandte um, um=gewendet *or* um=gewandt, to turn around.

um=werfen, (i), a, o, to throw down *or* around.

um=wirft, *see* um=werfen.

unabhängig, independent.

unangenehm, unpleasant.

die Unannehmlichkeit, –en, unpleas- antness, annoyance.

unaufhaltfam, irresistible.

unausfprechlich, inexpressible.

das Unbehagen, –s, discomfort.

unbeirrt, undisturbed.

unbefchreiblich, indescribable.

und, and.

uneins, at variance.

unendlich, infinite, unending.

unentbehrlich, indispensable.

unentfchloffen, undecided, hesitant.

unerfahren, inexperienced.

unerhört, unheard of.

unerwartet, unexpected; etwas Unerwartetes, something unex- pected.

unfehlbar, infallible; without fail.

unfreundlich, unfriendly, rough.

ungeahnt, unexpected.

ungeduldig, impatient.

ungefähr, about, approximately.

ungeheuer, vast, prodigious, dread- ful.

das Ungeheuer, –s, —, monster.

ungemeffen, unmeasured, vast, un- told.

das Ungemeffene, unlimited dis- tance *or* degree.

ungemütlich, uncomfortable, dis- tressing.

der Ungerechte, the unjust (person).

die Ungerechtigkeit, –en, injustice.

ungern, not gladly; nicht — fitzen, to sit gladly, not dislike to sit.

ungeftraft, unpunished, without being punished.

ungeftüm, impetous, violent.

das Ungetüm, –s, –e, monster.

ungewöhnlich, unusual, rare.

der Ungläubige, atheist, unbeliever, infidel.

unglaublich, unbelievable.

das Unglück –s, –e, misfortune.

unglücklich, unhappy; Unglücklicher, culprit, wretch.

unheimlich, unearthly.

die Universität', –en, university; auf die — kommen, to go to the university.

unlöslich, indissoluble.

die Unmenge, –n, very large crowd.

unmittelbar, direct; ins unmittelbare Leben, into life itself.

unmöglich, impossible.

unnötig, unnecessary.

unordentlich, unkempt.

unruhig, restless, troubled.

unsagbar, unutterable.

unsanft, rough, harsh.

unscheinbar, plain, modest, homely.

unschlüssig, undecided.

die Unschuld, innocence, purity.

unschuldig, innocent, harmless.

unser, uns(e)re, unser (pos. adj.), our; unsrer, unsre, unsres (pos. pron.), ours; der unserige, ours.

unsereiner or unsereins, one of us.

unsicher, uncertain.

unsichtbar, invisible.

unsterblich, eternal, undying.

Unsühnbar, Beyond Atonement.

unten, below, at the bottom; da —, down there; nach —, downward.

unter (dat., acc.), under, among.

unter (sep. or insep. pref.), under, down, among.

unterbrach, see unterbrechen.

unterbre'chen, (i), a, o, to interrupt.

unter=bringen, brachte unter, untergebracht, to take care of, dispose of.

unterdrü'cken, to suppress.

untereinander, together, among each other.

der Un'tergang, –s, ⁓e, decline, destruction.

unter=gehen, ging unter, ist untergegangen, to go down, be lost or forgotten.

sich unterhal'ten, (unterhält sich), ie, a, to converse, amuse oneself.

die Unterhal'tung, –en, conversation, discourse.

unterrich'ten, to teach.

unterschei'den, to differentiate, tell apart.

sich unterste'hen, unterstand sich, sich unterstanden, to venture, presume to do; was untersteht Sie sich? what do you mean? how dare you!

untersu'chen, to investigate.

der Un'tertan, –s, –en, subject (of a ruler).

un'tertänig, submissive, humble.

unterwegs', on the way.

sich unterwer'fen, (i), a, o (dat.), to resign, give way to.

unterwirft sich, see sich unterwerfen.

die Untugend, –en, vice, negative virtue.

unverfälscht, unadulterated, genuine, pure.

unvergeßlich, not to be forgotten, ever memorable.

unverloren, preserved, not lost.

unverschämt, impertinent.

unversperrt, open, not locked or barred.

unverwandt, unmoved, fixed, steady.

unwandelbar, inmutable.

das Unwesen, –s, —, dreadful creature.

das Unwetter, –s, —, tempest.

unwissend, unwitting, ignorant.

unzählig, uncounted, without number.

unzerstörbar, invincible.

unzufrieden, unsatisfied, dissatisfied.

üppig, luxurious, abundant.

uralt, very old, ancient.

der Urborn, –s, original source.

ureigen, original.

der Urteilsspruch, –s, ⸗e, sentence, judgment.

V

der Vagabund', –en, –en, vagabond, wanderer.

das Vanilleeis, –es, vanilla ice cream.

der Vater, –s, ⸗, father.

väterlich, paternal; (adv.), in a fatherly manner.

verachten, to despise.

verächtlich, scornful, contemptuous.

verändern, to change.

die Veranlagung, –en, talent, gift.

verantwortlich, responsible.

die Verantwortung, –en, responsibility.

verband, see verbinden.

sich verbarg, see sich verbergen.

(sich) verbergen, (i), a, o, to hide or conceal (oneself).

verbieten, o, o, to forbid.

verbinden, a, u, to tie together, unite.

verbirgt, see verbergen.

verblühen, to cease blossoming.

verboten, see verbieten.

verbracht (past part. of verbringen), put out of the way, imprison.

verbringen, verbrachte, verbracht, to pass (time); put aside, imprison.

die Verbundenheit, union.

der Verdacht, –s, suspicion.

verdanken, to owe.

verderben, (i), a, o, to spoil.

verdienen, to earn, deserve.

verdirbt, see verderben.

verdorben (past part. of verderben), spoiled, rotten.

verdreht, twisted, absurd.

verdutzen, to startle; verdutzt sein, to be taken aback.

der Verehrte, the honored person; dear sir; (fam.) old top.

vereinigen, to unite, unify; (past part.) vereinigt, united.

verfassen, to compose, prepare, write (a book or article).

verfaulen (f), to decay, rot.

verfliegen, o, o (f.), to vanish.

sich verfliegen, o, o, to fly astray, lose one's way in flying.

verflog sich, see sich verfliegen.

verflogen, see verfliegen.

verführen, to convey, mislead; ein Geschrei —, to make a dreadful noise.

das Vergangene, past, that which has disappeared or vanished.

die Vergangenheit, past.

vergänglich, fleeting.

vergaß, see vergessen.

vergeben, (i), a, e, to forgive.

vergeblich, in vain.

vergehen, verging, ist vergangen, to pass (of time), disappear.

vergelten, (i), a, o, to reward, repay.

vergeſſen, (i), a, e, to forget.

ſich vergewiſſern, to make sure, assure oneself.

verging, *see* vergehen.

das Vergnügen, –s, —, pleasure; mit —, with pleasure, gladly.

vergnügt, happy.

vergolden, to gild.

vergolten, *see* vergelten.

vergrämt, grief-worn, embittered.

verhallen (ſ.), to die away, cease.

das Verhältnis, –ſes, –ſe, relation, proportion, circumstance.

das Verhängnis, –ſes, –ſe, fate, doom.

verhärten, to harden.

verhaßt, odious, hated; das iſt mir —, I hate it.

verhauen, verhieb, verhauen, to thrash, give a good thrashing.

verhelfen, (i), a, o, to aid; ich werde ihm dazu —, I shall help him get it.

verhindern, to hinder, prevent.

verhöhnen, to deride, sneer at.

die Verhöhnung, –en, contempt, derision, insult.

verhüllen, to cover, conceal.

verhungern (ſ.), to die of hunger, starve to death.

verhüten, to prevent.

verkaufen, to sell.

der Verkäufer, –s, —, salesman, seller.

verkehren, to associate.

verklagen, to sue, prosecute.

verkniffen, pinched, wry.

die Verknöcherung, ossification, "red tape."

verknoten, to tie together.

verknüpfen, to tie together; (*pr.*

part.) verknüpfend, synthesizing, unifying.

die Verkommenheit, depravity, degeneracy.

verkünden, to announce, publish.

die Verkünderin, –nen, herald (*fem.*).

die Verkündigerin, –nen, herald (*fem.*).

die Verlags=Anſtalt, –en, publishing concern; Deutſche —, *name of a well-known German publishing concern.*

verlangen (von), to demand; require (of).

das Verlangen, –s, —, desire, longing; — tragen (nach), to have a desire (for).

verlaſſen, (ä), ie, a, to leave, forsake; ſich — (auf), to depend (upon).

verlaufen, (äu), ie, au (ſ.), to run *or* go astray; (*past part.*) verlaufen, wayward.

verlegen, to mislay.

die Verlegenheit, –en, embarrassment, distress.

ſich verletzen, to injure oneself, get hurt.

verleumden, to slander, malign.

verliebt, in love.

verlieren, o, o, to lose; aus den Augen —, to lose sight of; allen Halt —, to lose all one's self-restraint.

verließ, *see* verlaſſen.

der, die Verlobte, fiancé, fiancée.

verlor, *see* verlieren.

verloren, *see* verlieren; — gehen, to get lost.

der Verluſt, –es, –e, loss; in — geraten, to be *or* get lost.

vermag, *see* vermögen.

vermaß sich, *see* sich vermessen.

vermeiden, ie, ie, to avoid.

sich vermessen, (i), a, e, to dare, venture, make bold to.

vermied, *see* vermeiden.

vermindern, to decrease.

vermochte, *see* vermögen.

vermöchte (*past subj. of* vermögen), could; should *or* would be able.

vermögen, (vermag), vermochte, (*past subj.* vermöchte), vermocht, to be able.

das Vermögen, –s, —, fortune, property.

vermuten, to suppose, presume.

vernehmen, (vernimmt), vernahm, vernommen, to hear, understand.

sich verneigen, to bow.

vernichten, to annihilate, crush.

vernimmt, *see* vernehmen.

vernommen (*past part. of* vernehmen), understood, heard.

verrät, *see* verraten.

(sich) verraten, (verrät), ie, a, to betray (oneself).

verreisen (f.), to go on a journey, take a trip.

verrichten, to do, perform; ein Gebet —, to offer *or* say a prayer.

der Vers, –es, –e, verse, stanza.

versagen, to fail, be in vain; prevent, deny.

versäumen, to miss (an opportunity).

verscheuchen, to dispel.

verschieden, different, various.

verschiedenerlei, various kinds of.

verschlingen, a, u, to swallow.

verschlungen, winding, tangled.

verschonen, to spare.

verschränken, to cross *or* fold (the arms).

verschwenderisch, wasteful, extravagant, lavish.

verschwinden, a, u (f.), to disappear.

das Verschwinden, –s, the disappearance.

verschwunden, *see* verschwinden.

das Versehen, –s, —, oversight, blunder.

versetzen, to reply; strike; jemandem Hiebe —, to strike *or* deal some one blows.

versichern, to assure, assert.

versinken, a, u (f.), to sink *or* go down (to the bottom).

versprach, *see* versprechen.

versprechen, (i), a, o, to promise.

versprochen (*past part. of* versprechen), promised, betrothed.

verspülen, to wash away.

verspüren, to feel.

verstand, *see* verstehen.

der Verstand, –es, understanding, judgment, reason.

verstanden, *see* verstehen.

verständig, wise.

das Verständnis, –ses, –se, understanding, comprehension.

verstauben, to become dusty.

(sich) verstecken (vor), to conceal, hide (from).

verstehen, verstand, verstanden, to understand; es versteht sich (von selbst), it is a matter of course, it is obvious.

versteinern (f. *when intrans.*), to turn to stone, petrify.

verstört, troubled, bewildered.

verstoßen, (ö), ie, o, to offend, to

commit an offense against; dismiss.

verstreichen, i, i (f.), to go by, pass (*of time*).

verstrich, *see* verstreichen.

der Versuch, –s, –e, effort, attempt.

versuchen, to try, attempt; ein Gleiches —, to try to do the same thing.

der Versunkene (ein Versunkener), one who has sunk to the bottom (of a stream).

verteidigen, to defend.

vertragen, (ä), u, a, to bear, stand, endure.

vertraut, intimate, confidential.

vertreiben, ie, ie, to drive away.

der Vertriebene, exile.

der Verunglückte, one killed in an accident.

verwahrlost, destitute.

verwalten, to manage, supervise.

sich verwandeln, to change, be transformed.

der Verwandte, relative.

verwaschen, (ä), u, a, to wash away.

verwehen (f. *when intrans.*), to blow away, disappear.

verweigern, to refuse, deny.

verwenden, verwendete *or* verwandte, verwendet *or* verwandt, to use, make use of, employ.

sich verwickeln, to become entangled.

verwundert, surprised.

verwünschen, to curse.

verzeichnen, to record, place on record; (*past part.*) verzeichnet, recorded, on record.

verzeihen, ie, ie, to pardon, forgive.

verzichten (auf), to give up all claim to, forego, renounce.

verziehen, *see* verzeihen.

verzweifeln, to despair; (*past part.*) verzweifelt, in despair.

die Verzweiflung, despair.

der Vetter, –s, –n, cousin (male).

das Vieh, –s, beast, animal; (*collective*) cattle.

der Viehstand, –s, ⸚e, livestock; cattle.

viel, much; viele, many; vieles, much; so — ich weiß, so far as I know; vielen Dank, many thanks.

vielerlei (*uninflected*), various, of many kinds.

vielfältig, frequent, abundant.

vielgeliebt, favorite, greatly beloved, well liked.

die Vielgestalt, manifold form.

vielleicht, perhaps.

vielmehr, moreover, rather.

vier, four.

vierbeinig, having four legs; ein vierbeiniges Tier, quadruped.

vierhundertfünfzigst–, four hundred fiftieth.

viermal, four times.

viert–, fourth.

das Viertel, –s, —, quarter.

die Viertelstunde, –n, quarter of an hour.

vierundzwanzig, twenty-four.

vierzehn, fourteen.

vierzehnjährig, fourteen-year-old.

vierzig, forty.

der Vogel, –s, ⸚, bird.

das Vögelchen, –s, —, little bird.

das Vöglein, –s, —, little bird.

das Volk, –es, ⸚er, people, common people, folk, nation.

volfsmäßig, popular, pertaining to the folk *or* common people.

das Volkstum, –s, national *or* folk life and traditions.

volkswirtschaftlich, economic, relating to political economy.

voll, full; — schreiben, to fill with notes; so voller Angst, in such anguish *or* fear.

Vollbeckjch– (*proper adj.*), of the Vollbeck family.

vollbracht (*past part. of* vollbringen), completed.

vollführen, to carry out, do.

völlig, complete.

vollkommen, complete, perfect.

der Vollmeier, –s, —, tenant farmer.

voll=pfropfen, to cram full; sich den Kopf —, to cram one's head full.

vollständig, complete, entire.

vom = von dem.

von (*dat.*), from, of, regarding; — neuem, anew, again; — ... aus, from; — ... an *or* ab, from.

voneinander, from each other.

vor (*dat., acc.*), before, on account of, with; — einiger Zeit, some time ago; — Freude, with joy; — sich hin, along, to oneself; (*sep. pref.*), before.

sich voran=drängen, to push oneself forward, hasten forward.

voraussichtlich, presumably.

vorbei, past, by, over.

sich vor=beugen, to stoop forward.

die Vordebatte, –n, preliminary discussion *or* debate.

voreinander, before each other.

sich vor=genommen (*past part. of*

sich vor=nehmen), had determined, made up one's mind.

vor=gerufen (*past part. of* vor=rufen), summoned.

vor=geschoben (*past past. of* vor=schieben), situated far out.

vor=haben, (hat vor), hatte vor, vor=gehabt, to intend, plan.

das Vorhaben, –s, intention, plan.

vor=halten, (ä), ie, a, to hold before, in front of.

vorhanden (sein), (to be) at hand, there, available.

vor=hatte, *see* vor=haben.

vorher, before, formerly.

vor=heucheln, to play the hypocrite; einander etwas —, to try to deceive each other (by playing the hypocrite).

vorhin, formerly, recently, a little while ago.

vorig, last, preceding.

vor=kam, *see* vor=kommen.

vor=kommen, kam vor, ist vor=gekommen (*dat.*), to happen, seem, appear; sich —, to think of oneself as, imagine oneself to be.

vorläufig (*adv.*), for the time being.

vor=lesen, (ie), a, e, to read aloud.

vor=machen, to show, set an example.

der Vormittag, –s, –e, forenoon.

vorn, front, at the front; von — herein, from the first.

vornehm, refined, distinguished.

sich (*dat.*) **vor=nehmen,** (nimmt sich vor), nahm sich vor, sich vor=genommen, to determine, make up one's mind.

der Vorrat, –s, ⸚e, supply; auf —

kaufen, to lay in a supply, buy for future use.

vor=rufen, ie, u, to call forward, summon.

der Vorſatz, −es, ⁻e, intention, resolution.

vor=ſchieben, o, o, to push forward.

der Vorſchlag, −s, ⁻e, suggestion; einen — machen, to offer a suggestion.

vor=ſetzen, to set before, serve.

vorſichtig, careful.

vor=ſtellen, to place or put before; ſich etwas —, to imagine something.

die Vorſtellung, −en, idea, image; jemandem Vorſtellungen machen, to remonstrate.

der Vortrag, −s, ⁻e, lecture; einen — halten, to lecture.

vor=tragen, (ä), u, a, to recite, lecture.

vortrefflich, splendid, excellent.

vor=treten, (tritt vor), a, e (ſ.), to step forward.

vorüber=kommen, kam vorüber, iſt vorüber=gekommen, to come past.

vorwärts, forward, onward.

vorwärts=gehen, ging vorwärts, iſt vorwärts=gegangen, to go forward, proceed.

vorwärts=haſten (ſ.), to hasten on or forward.

vorwärts=kommen, kam vorwärts, iſt vorwärts=gekommen, to advance, make progress.

der Vorwurf, −s, ⁻e, reproach; jemandem Vorwürfe machen, to reproach, blame.

der Vorzug, −s, ⁻e, advantage, excellence.

vor=zu=machen, see vor=machen.

W

die Wache, −n, watch, sentry.

wachen, to watch, sit up.

wachſam, watchful, attentive.

die Wachſamkeit, watchfulness.

wachſen, (ä), u, a (ſ.), to grow.

wächſt, see wachſen.

die Waffe, −n, weapon.

das Wägele, −s, — (So. German diminutive of der Wagen), small wagon or carriage.

wagen, to dare, venture.

der Wagen, −s, —, wagon, coach, carriage.

das Wagenpferd, −s,−e, coach horse.

wähnen, to fancy, presume.

wahnſinnig, insane, demented.

wahr, true; das iſt der −e Jakob, that's the real thing, that's the ticket; nicht —? is it not so?

währen, to continue; (pr. part.) während, continuing.

während (prep. gen.), during; — deſſen, while; (subor. conj.), while.

wahrhaftig, true; (adv.), really.

die Wahrheit, −en, truth.

wahrſcheinlich, probable.

der Wald, −es, ⁻er, forest.

die Waldameiſe, −n, wood ant, red ant.

die Waldwieſe, −n, forest-glade, meadow in a forest.

walten, to rule.

wälzen, to turn (a heavy object); turn the leaves of a large book.

der Wälzer, −s, —, (humorous), large volume, tome.

die Wand, ⁻e, wall.

wand ſich, see ſich winden.

wandeln (ſ.), to wander, loiter; live.

die Wanderfahrt, –en, aimless journey.

die Wanderſchaft, –en, wandering; ſich auf die — begeben, to set out, to wander from place to place.

wanderte hinüber, see hinüber=wandern.

die Wanderung, –en, wandering.

die Wandkarte, –n, map.

wandte, see wenden, ab=wenden, ſich um=wenden.

die Wange, –n, cheek.

wann, when; dann und —, now and then.

war, see ſein, auf=ſein; es — mir, it seemed to me.

ward (archaic past ind. of werden), woher — es Ihnen? where did you obtain it?

die Ware, –n, goods.

wäre (past subj. of ſein), were, should or would be.

der Warenausträger, –s, —, delivery man.

warf, see werfen, aus=werfen, hin=werfen, hinaus=werfen, hinein=werfen, (ſich) nieder=werfen, zu=werfen.

warm, warm.

warmherzig, warm-hearted, tender-hearted.

warnen, to warn.

die Warnung, –en, warning.

wär's = wäre es.

warten (auf), to wait (for).

wartete ab, see ab=warten.

warum, why.

was (interrog. or rel. pron.), what, whatever; — für, what kind of, what a; — (= etwas), something.

das Waſſer, –s, —, water.

die Waſſerwüſte, –n, waste, expanse of water.

wa=wa=was!? = was?

der Wechſel, –s, —, change; promissory note.

die Wechſelbeziehung, –en, mutual relationship.

wechſeln, to change, exchange.

das Wechſelſpiel, –s, –e, variation, fluctuation.

der Weck, –es, –e; (Austrian) der Wecken, –s, —, roll, small loaf of fine white bread.

wecken, to awaken.

wedeln, to wag the tail.

weder . . . noch, neither . . . nor.

weg (sep. pref. and adv.), away, off.

der Weg, –es, –e, way, path; auf dem — dieſer Telegraphie, by means of this telegraphy; ſeines Weges gehen, go one's way; auf halbem Wege, midway, halfway; ſeinen — fort=ſetzen, to go on one's way; auf beſſere Wege bringen, to improve, put on the right track.

wegen (gen., rarely dat.), on account of.

weg=fliehen, o, o (ſ.), to flee.

weg=gehen, ging weg, iſt weg=gegangen, to go away.

weg=räumen, to clear away, lay aside.

weg=werfend (pr. part. of weg=werfen, to throw away); (adv.), disparagingly, disdainfully.

weg=zu=bringen, see weg=bringen.

der Wegzug, –s, ⸚e, departure.

weg=zu=räumen, see weg=räumen.

weh! alas, woe! — über uns! woe to us!

das Weh, –es, –e, grief, pain, cry of woe.

wehen, to blow (of the wind); (*pr. part.*) wehend, blowing, flowing (hair).

weh'klagen, weh'klagte, geweh'klagt, to lament, wail.

das Wehklagen, –s, wailing, lamentation.

die Wehmut, sadness, melancholy.

wehmütig, sad, disconsolate.

der Wehruf, –s, –e, cry of pain, scream.

das Weib, –es, –er, wife, woman.

das Weibchen, –s, —, little woman; mate, female (bird).

weiblich, female, feminine.

weich, soft.

weichen, i, i (f.) (*dat.*), to give way, yield; (*with* von) go away, abandon.

weil (*subor. conj.*), because.

die Weile, –n, while, short time.

weilen, to stay, remain.

der Weinberg, –s, –e, vineyard.

weinen, to weep, cry.

das Weinen, weeping.

weinte auf, see auf=weinen.

weise, wise; der Weise, the wise man.

die Weise, –n, lay, song.

die Weise, –n, manner, way; auf diese —, in this manner.

weisen, ie, ie, to show.

die Weisheit, –en, wisdom.

weiß, white.

das Weiß, –es, white, whiteness.

weiß, see wissen; so viel ich —, so far as I know; — Gott, God only knows.

die Weißwurst, ⸗e, (white) sausage.

weit, wide, far, distant, extended, far-reaching; — und breit, far and wide; (*comp.*) weiter, farther, on, again; ohne weiteres, offhand; das Weitere, –n, the rest, further details.

weiter=fahren, (ä), u, a (f.), to continue.

weiter=fliegen, o, o (f.), to fly on.

weiter=fuhr, see weiter=fahren.

weiter=kam, see weiter=kommen.

weiter=kommen, kam weiter, ist weiter=gekommen, to go on, advance, get away.

weiter=spielen, to play on, continue to play.

weitgeöffnet, wide-open.

weitläufig, large, spacious.

welcher, welche, welches, (*interrog.*), which; (*rel.*) who, which.

welf, withered.

die Welle, –n, wave.

die Welt, –en, world.

die Weltenuhr, –en, world clock.

das Weltmeer, –s, –e, ocean.

die Weltuntergangsflamme,–n, flame heralding the end of the world.

wenden, wendete *or* wandte, gewendet *or* gewandt, to turn; sich — (an), to turn (to).

wendete sich, see sich wenden, sich um=wenden.

wenig, little; (*comp.*) weniger, less.

wenigstens, at least.

wenn (*subor. conj.*), if, whenever, when.

wer, (*interrog.*), who; (*compound rel.*), who, whoever; (*indef.*), any one.

werden, (wird), wurde (ward), ift ge= worden, to become (of); (*aux. of passive*), to be; rot —, to blush; fertig —, to finish, get through; einem (zu Mute *or* zumute) —, to begin to feel; wird's bald? how long will you be? do hurry up! woher ward es Ihnen? (archaic) where did you obtain it?

werfen, (i), a, o, to throw; das Auge auf etwas —, to have (cast) an eye upon, look over; von fich —, to throw away; fich —, to throw oneself, fly.

das Werk, –es, –e, work, undertaking.

das Werkzeug, –s, –e, tool, instrument.

der Wert, –es, –e, worth, value.

wertvoll, valuable.

das Wefen, –s, —, being, creature, nature; fein — treiben, to carry on one's work.

weshalb, why, wherefore.

das Wetter, –s, —, weather, storm; in Wind und —, in wind and storm.

wich, *see* weichen.

wichtig, important; etwas Wichtiges, something important; der Preis ift nicht —, the price does not matter.

wickeln, to wrap, wind.

wider (*acc.*), against.

widerfah'ren, (ä), u, a (f.) (*dat.*), to happen (to).

wider=hallen, to echo, resound, reverberate.

der Widerspruch, –s, ⸚e, denial, objection, contradiction.

der Widerftand, –s, resistance; — finden, to meet resistance.

widerfte'hen, widerftand, widerftanden, withstand, reject.

widerftre'ben, to resist, oppose.

das Widerftreben, –s, resistance, opposition.

der Widerwille, –ns, *or* der Wider= willen, –s, repugnance, disgust.

wie (*conj.*), when, as, like; than, (*interrog.*), how; — gewohnt er auch war (an), however much he was accustomed (to); eine — große Freude, what a great joy.

wieder (*sep. or insep. pref. or adv.*), again; immer —, again and again; — einmal, again.

das Wiederbekommen, –s, return, recovery.

wieder=drücken, to press in return *or* reply.

wieder=fand, *see* wieder=finden.

wieder=finden, a, u, to find again, recover.

die Wiedergabe, –n, reconstruction, presentation.

wieder=gefunden, *see* wieder=finden.

wieder=gegeben, *see* wieder=geben.

wiederho'len, to repeat; fich —, to be repeated.

wieder=kehren (f.), to return, recur.

wieder=kommen, kam wieder, ift wieder=gekommen, to return, come again *or* back.

wieder=zu=finden, *see* wieder=finden.

die Wiege, –n, cradle.

fich wiegen, to rock, undulate.

wies an, *see* an=weisen.

die Wiese, –n, meadow.

wieviel, how much, how many.

wild, wild; immer wilder, wilder and wilder.

das Wild, −es, wild life.

will, *see* wollen.

der Wille, −ns, *or* der Willen, −s, will, intention.

willen, *see* um . . . willen.

wimmern, to moan, whimper.

das Wimmern, −s, moaning.

der Wind, −es, −e, wind.

winden, a, u, to twist, turn; sich —, a, u, to wriggle, turn.

die Windrichtung, −en, direction (of the wind).

der Windstoß, −es, −e, gust of wind.

winkte nach, *see* nach=winken.

winseln, to whine.

das Winseln, −s, whine, whining.

der Winter, −s, —, winter.

winzig, small, tiny, wee.

der Wipfel, −s, —, (tree-)top.

wippen, to waggle the tail (up and down).

der Wirbel, −s, —, whirl; intoxication.

wirbeln, to whirl, spin.

der Wirbelwind, −s, −e, whirlwind, tornado.

wird, *see* werden.

wirft, *see* werfen.

wirken, to work, be in effect, operate.

wirklich, real.

die Wirklichkeit, −en, reality.

wirksam, practicable, effective.

die Wirkung, −en, effect; ihre — tun, to have their effect.

wirr, tangled, disheveled.

wirst, *see* werden.

der Wirtschaftskörper, −s, —, body politic, social and industrial organism.

wischen, to wipe.

wisse, *see* wissen.

wissen, weiß (*pr. subj.* wisse), wußte, (*past subj.* wüßte), gewußt, to know (a fact); — lassen, to inform, tell.

die Wissenschaft, −en, science, knowledge.

wissenschaftlich, scientific.

wittern, to scent.

witzigen, to make wiser, become wiser by experience.

wo, where, when; i —! well, I should say not!

wobei, with which, while doing so.

woher, whence, where from.

wohin, whither, where to.

wohl, indeed; well; presumably, probably; sich — sein lassen, to be content; leb(e) —, lebt —, leben Sie —, farewell.

das Wohl, −es, welfare, benefit.

wohlgeformt, well formed, shapely.

der Wohlstand, −s, well-being, prosperity.

die Wohltat, −en, benefit.

das Wohlwollen, −s, benevolence, kindness.

wohnen, to reside, live.

wohnlich, comfortable.

die Wohnstatt, home, place of residence.

die Wohnung, −en, dwelling, home, apartment.

wölben, to arch, vault.

der Wolf, −es, −e, wolf.

die Wolke, −n, cloud.

das Wolkenphänomen', −s, −e, cloud phenomenon.

der **Wolkenrand,** –s, ⸗er, edge of a
cloud.

wollen, (will), wollte, gewollt, to
want to, desire, pretend; be
about to; ich will nichts damit
sagen, I don't mean to insinuate; das will ich meinen, I should
say so.

wollte (*past ind. or subj. of* wollen),
wanted to, would; was about to.

womit, wherewith, with *or* by
which.

worden = geworden (*as auxiliary
in compound tenses of the passive*).

worin, in which, wherein.

das **Wort,** –es, ⸗er, word, expression; (*pl.* –e), words (*in connected discourse*); das — führen,
to talk, discourse; — halten,
to keep one's word.

wozu, why, to *or* for what purpose.

wuchs, *see* wachsen, herum⸗wachsen.

wühlte auf, *see* auf⸗wühlen.

wund, raw, sore.

wunder (*sep. pref.*), *see* wunder⸗
nehmen.

das **Wunder,** –s, —, miracle, marvel; ein — erleben, to be astonished.

wunderbar, wonderful, marvellous.

wunderlich, strange, curious.

wunderlieblich, very lovely.

das **Wundermädchen,** –s, —, para-
gon, precocious girl.

sich **wundern** (über), to wonder
(about), marvel (at).

wunder⸗nehmen, (nimmt wunder),
nahm wunder, wunder⸗genommen,
to surprise, be astonished.

wundersam, wondrous, wonderful.

wunderschön, wondrously beautiful,
splendid.

wundervoll, wonderful, marvelous.

der **Wunsch,** –es, ⸗e, wish.

wünschen, to wish, desire.

wurde, *see* werden.

würde (*past subj. of* werden),
would become *or* be; (*aux. of
conditional*), should, would.

die **Würde,** dignity.

der **Würdenträger,** –s, —, digni-
tary, official.

würdig, worthy, dignified.

der **Wurm,** –es, ⸗er, worm; von
Würmern zerfressen werden, to become worm-eaten.

die **Wurst,** ⸗e, sausage.

der **Wuschelkopf,** –s, ⸗e, person with
dishevelled hair.

wußte, wüßte, *see* wissen.

wüst, wild, confused, wicked,
brutal.

die **Wut,** violent anger, rage.

3

zagen, to be disheartened *or* fearful.

das **Zagen,** –s, discouragement,
timidity.

zäh, tough, tenacious.

die **Zahl,** –en, number, figure.

zählen, to count.

zahm, tame.

der **Zahn,** –es, ⸗e, tooth; sich die
— aus⸗beißen, (*lit.* to break out
one's teeth in biting), to seek in
vain for a solution.

das **Zähnchen,** –s, —, little tooth.

zähneklappernd, with chattering
teeth.

sich zanken, to quarrel.

zappeln, to struggle.

zart, tender, delicate.

zärtlich, tender, gentle.

der Zauber, –s, —, magic, charm.

die Zauberformel, –n, magic formula, charm.

der Zaum, –es, ⸗e, bridle; einen — an=legen, to put a bridle on (a horse).

zehn, ten.

zehnjährig, ten-year-old.

zehntenmal, tenth time; zum —, for the tenth time.

das Zeichen, –s, —, token, sign.

zeichnen, to sketch.

zeigen, to show, indicate; sich —, to show oneself, come to light.

der Zeiger, –s, —, hand (of a clock).

die Zeile, –n, line.

die Zeit, –en, time; zu meiner —, in my time or day; auf einige —, for some time; vor einiger —, some time ago; von der — an, since that time.

zeitgenössisch, contemporary.

eine Zeitlang, for a while, for some time.

die Zeitung, –en, newspaper.

der Zeitungsarti'kel, –s, —, newspaper article.

das Zepter, –s, —, scepter.

zerbrechen, (i), a, o, to break, shatter.

zerbrochen, see zerbrechen.

zersetzen, to tear to shreds; (past part.) zersetzt, ragged, tattered.

zerfressen, (i), a, e, to eat to pieces; von Würmern — werden, to become worm-eaten.

zergehen, zerging, ist zergangen, to melt, dissolve; etwas — lassen, to let something melt.

zermalmen, to crush, chew up.

zerreißen, i, i, to tear asunder or to pieces.

zerren, to tug, pull at one's clothes.

zerriß, see zerreißen.

zerrissen, see zerreißen.

zerschmettern, to dash to pieces.

zerspringen, a, u (s.), to burst, break apart; zum Zerspringen, as if to burst.

zerstören, to destroy.

zerstört, see zerstören.

zerstreuen, to scatter.

zerzausen, to tear apart.

das Zeug, –es, –e, goods, material, (fam.) stuff.

das Zeugnis, –ses, –se, testimony, report card.

die Ziege, –n, goat.

zieh' an, see an=ziehen.

ziehen, zog, ist gezogen, to move, go, proceed, travel; —, zog, hat gezogen, to pull, draw, drive; make, form; einen Saum —, to make a border; ein Gesicht —, to make a wry face; sich —, to pull or draw oneself.

zieht an, see an=ziehen.

das Ziel, –es, –e, goal, object.

ziemlich, quite, rather.

zierlich, elegant, ornate, graceful.

die Ziffer, –n, number, figure.

die Zigarre, –n, cigar.

zilpen, to chirp.

das Zimmer, –s, —, room.

die Zimmergenossin, –nen, roommate (fem.).

die **Zinke,** –n, prong, tooth (of a rake).

das **Zinshaus,** –es, ⸚er, rooming house.

das **Zischen,** –s, hissing.

zittern (vor), to tremble (with); vor Aufregung —, to tremble with emotion *or* excitement.

das **Zittern,** –s, quivering; ihre Glieder flogen vor —, their limbs trembled violently.

ziwitt, tewit, (*bird's call*).

zog, *see* (sich) ziehen, (sich) an-ziehen, ein-ziehen, hervor-ziehen, hinauf-ziehen, zurück-ziehen.

der **Zoll,** –es, ⸚e, toll, tribute.

der **Zopf,** –es, ⸚e, plait *or* braid of hair.

der **Zorn,** –es, anger.

zornig, angry.

zu (*dat.*), to, at; — Hunderten, by hundreds; (*sep. pref.*), to, toward, shut, closed; (*adv.*), too; (*with an inf.*), to.

zuallererst, at the very first, first of all.

zu-bringen, brachte zu, zu-gebracht, to spend, pass (time).

zucken, to twitch, jerk; die Schultern (Achseln) —, to shrug one's shoulders.

zuckt auf, *see* auf-zucken.

zuckte zusammen, *see* zusammen-zucken.

zudem, besides, aside from that.

zudringlich, importunate, impertinent.

zu-drücken, to press, shut, close; ein Auge —, pretend not to see.

zu-eilen (auf) (f.), to hasten toward.

zuerst, at first.

zufällig, accidentally.

zu-fliegen, o, o (f.), to fly toward.

zu-flüstern, to whisper to (some one).

zufrieden, satisfied; sich — geben, to be satisfied, keep still.

die **Zufriedenheit,** satisfaction.

der **Zug,** –es, ⸚e, procession, flight (of birds).

zu-geben, (i), a, e, to admit.

zu-gehen, ging zu, ist zu-gegangen (*dat. or* auf + *acc.*), to go *or* come toward.

zu-gehören (*dat.*), to belong to.

zu-gehörte, *see* zu-gehören.

zu-gerichtet, *see* zu-richten.

zu-gerufen, *see* zu-rufen.

zu-gestehen, gestand zu, zu-gestanden, to admit, concede.

zu-ging, *see* zu-gehen.

zugleich, at the same time.

zu-klappen, to close with a clapping sound, snap together.

die **Zukunft,** future.

zu-lächeln (*dat.*), to smile at.

zuleid(e) tun, (*see* tun), to harm, injure.

zuletzt, at last, finally.

zulieb(e) (*adv.*), for love of; ich tue es ihm —, I do it for his sake *or* in deference to him.

zum = zu dem, — erstenmal, for the first time; — Fenster hinaus, out of the window.

zumute = zu Mute.

die **Zumutung,** –en, assumption.

zunächst, at first.

die **Zunge,** –n, tongue.

das **Zünglein,** –s, —, (little) tongue.

zu-nicken (*dat.*), to nod to *or* at.